Também de Sarah Dessen:

Os bons segredos
Uma canção de ninar

SARAH DESSEN

Só escute

Tradução
ALESSANDRA ESTECHE

O selo jovem da Companhia das Letras

Copyright © 2006 by Sarah Dessen
Todos os direitos reservados, inclusive o de reprodução total ou parcial em qualquer meio.
Publicado mediante acordo com Viking Children's Books, um selo do Penguin Young Readers
Group, uma divisão da Penguin Random House LLC.

O selo Seguinte pertence à Editora Schwarcz S.A.

*Grafia atualizada segundo o Acordo Ortográfico da Língua Portuguesa de 1990,
que entrou em vigor no Brasil em 2009.*

TÍTULO ORIGINAL Just Listen

CAPA Alceu Chiesorin Nunes

FOTO DE CAPA © Paige Nelson/ Trevillion Images

PREPARAÇÃO Lígia Azevedo

REVISÃO Érica Borges Correa e Renato Potenza Rodrigues

Dados Internacionais de Catalogação na Publicação (CIP)
(Câmara Brasileira do Livro, SP, Brasil)

Dessen, Sarah
   Só escute / Sarah Dessen ; tradução Alessandra Esteche.
— 1ª ed. — São Paulo : Seguinte, 2017.

   Título original: Just Listen.
   ISBN 978-85-5534-058-1

   1. Ficção norte-americana 2. Literatura juvenil
I. Título.

17-07312	CDD-028.5

Índice para catálogo sistemático:
1. Ficção : Literatura juvenil 028.5

[2017]
Todos os direitos desta edição reservados à
EDITORA SCHWARCZ S.A.
Rua Bandeira Paulista, 702, cj. 32
04532-002 — São Paulo — SP
Telefone: (11) 3707-3500
www.seguinte.com.br
contato@seguinte.com.br

 /editoraseguinte
 @editoraseguinte
 Editora Seguinte
 editoraseguinte
 editoraseguinteoficial

Só escute

1

Gravei o comercial em abril, antes de tudo acontecer, e logo esqueci. Algumas semanas atrás, começou a passar na TV, e de repente eu estava por toda parte.

Nas TVs penduradas sobre os elípticos na academia. Na TV do correio que deveria servir como distração para as pessoas esquecerem o tempo que estão passando na fila. E agora aqui, na TV do meu quarto, enquanto estou sentada na beirada da cama, com os punhos cerrados, tentando me obrigar a levantar e sair.

— *Mais uma vez chegou aquela época do ano...*

Olhei para mim mesma na tela, para como eu era cinco meses antes, procurando alguma diferença, alguma prova visível do que acontecera comigo. Fui tomada pela estranheza de me encarar sem a mediação de um espelho ou de uma fotografia. Ainda não me acostumei com isso, mesmo depois de todo esse tempo.

— *Futebol americano...* — Me ouvi dizer. No vídeo, estou com um uniforme de líder de torcida azul-bebê, com o cabelo preso em um rabo de cavalo apertado e segurando um megafone enorme, do tipo que ninguém mais usa, com um K estampado.

— *Sala de estudos.* — Agora estou com uma saia xadrez e um suéter marrom curto, que pinicava e não combinava, pois estava esquentando.

— *E, é claro, vida social.* — Me aproximei, observando a eu da TV, agora em um jeans e uma camiseta brilhante, sentada em um banco e virando para falar para a câmera enquanto um grupo de garotas conversava baixinho atrás.

O diretor, recém-saído da escola de cinema, me explicou o conceito de sua... criação. "A garota que tem tudo", ele tinha dito, fazendo um círculo pequeno com as mãos, como se bastasse para abranger um conceito tão vasto, para não dizer vago. Claramente, significava ter um megafone, um pouco de inteligência e um grande grupo de amigos. Talvez eu não tivesse percebido a ironia explícita do último item naquele momento, mas a eu da tela já estava seguindo adiante.

— *Tudo isso vai acontecer este ano* — eu disse na tela. Agora estou em um vestido rosa, com uma faixa no ombro que dizia RAINHA DO BAILE e um garoto de smoking ao meu lado oferecendo o braço. Aceito, com um sorriso largo. Ele estava na universidade e foi muito reservado durante a filmagem, mas no fim, quando eu estava indo embora, pediu meu telefone. Tinha esquecido completamente aquilo.

— *A melhor época* — a eu da tela dizia agora. — *As melhores memórias. E você vai encontrar as melhores roupas para todos os momentos na Kopf.*

A câmera se aproximou mais e mais, até que só aparecesse meu rosto na tela. Aquilo tinha sido antes daquela noite, antes de tudo o que acontecera com Sophie, antes do verão longo e solitário de segredos e silêncio. Eu estava perdida, mas a garota do comercial estava bem. Dava para perceber no olhar confiante que lançou para mim e para o mundo quando abriu a boca para falar de novo.

— *Faça do Ano-Novo o melhor de todos* — ela disse, e me senti perdendo o fôlego em antecipação à próxima fala, a última, a que agora era finalmente verdade. — *É hora de voltar à escola.*

A imagem congelou e o logo da Kopf apareceu embaixo da

tela. Em instantes, viria um comercial de waffle congelado ou a previsão do tempo, mas não esperei. Peguei o controle, desliguei minha própria imagem e saí do quarto.

Tive mais de três meses para me preparar para ver Sophie. Mas, quando a hora chegou, eu ainda não estava pronta.

Estava no estacionamento antes do sinal tocar, tentando reunir coragem para sair e começar o ano oficialmente. Enquanto as pessoas passavam a caminho do pátio, conversando e rindo, considerei todas as possibilidades. Talvez ela houvesse esquecido. Talvez acontecera outra coisa durante o verão, mais importante que nosso pequeno drama. Talvez não tivesse sido tão ruim quanto estava achando. Tudo aquilo era muito improvável, mas possível.

Fiquei sentada no carro até o último minuto antes de finalmente tirar a chave da ignição. Quando virei para abrir a porta, ela estava bem ali.

Por um segundo, ficamos nos encarando. Percebi na hora as mudanças nela: o cabelo escuro e enrolado estava mais curto, os brincos eram novos. Ela estava mais magra, o que não achei que fosse possível, e tinha desistido do delineado grosso que usara na primavera, preferindo uma maquiagem mais natural, em tons de bronze e cor-de-rosa. Me perguntei, naquela primeira olhada, o que ela tinha visto de diferente em mim.

Assim que pensei isso, Sophie abriu os lábios perfeitos, semicerrou os olhos e entregou o veredicto que esperei o verão inteiro.

—Vagabunda.

O vidro entre nós não abafou o som ou a reação das pessoas que passavam por ali. Vi uma garota da minha turma de inglês do ano anterior semicerrando os olhos, enquanto uma que eu não conhecia riu em voz alta.

Sophie, no entanto, permaneceu sem expressão enquanto me dava as costas, jogando a bolsa sobre um dos ombros e indo em direção ao pátio. Fiquei vermelha e podia sentir as pessoas me observando. Eu não estava pronta para aquilo, mas talvez jamais estivesse, e o ano, como todo o resto, não ia esperar. Não tinha escolha a não ser sair do carro com todo mundo me olhando e encarar a situação sozinha. Então foi o que fiz.

Tinha conhecido Sophie quatro anos antes, no início do verão, depois do sexto ano. Eu estava no clube, na fila da lanchonete, segurando duas notas molhadas para comprar uma coca, quando senti alguém atrás de mim. Virei a cabeça e vi uma garota com um biquíni laranja minúsculo e chinelos plataforma. Ela tinha a pele bronzeada e o cabelo cacheado escuro e grosso preso em um rabo de cavalo alto, estava com óculos escuros pretos e parecia entediada e impaciente. Todos se conheciam no bairro, então parecia que ela tinha brotado do chão. Não tive a intenção de encarar, mas provavelmente foi o que fiz.

— O que foi? — ela disse. Eu conseguia me ver refletida nas lentes dos óculos escuros dela, pequena e desproporcional. — O que está olhando?

Senti meu rosto corar, como acontecia sempre que alguém levantava a voz para mim. Eu era muito sensível àquele tipo de coisa, até seriados de tribunal me deixavam incomodada — eu sempre tinha que mudar de canal quando o juiz falava mais alto com alguém.

— Nada — respondi, e virei para a frente.

Instantes depois, o cara da lanchonete me chamou, parecendo cansado. Enquanto ele servia minha bebida, eu podia sentir a presença pesada da garota atrás de mim à medida que eu desdobrava as notas sobre o vidro do balcão, me concentrando em alisar cada vinco. Paguei e me afastei, mantendo os olhos no cimento manchado enquanto voltava para onde minha melhor amiga, Clarke Reynolds, estava me esperando.

— Whitney mandou dizer que foi para casa — ela disse, assoando o nariz enquanto eu deixava cuidadosamente a coca no chão ao lado da minha cadeira. — Falei para ela que podemos ir andando.

— Tá bom — respondi.

Minha irmã tinha acabado de tirar a carteira de motorista, o que significava que ela tinha que me levar quando eu saía. Voltar para casa, no entanto, continuava sendo minha responsabilidade — fosse do clube, que ficava perto, ou do shopping, que ficava em outra cidade. Whitney já gostava de ficar sozinha naquela época. Qualquer espaço à sua volta era reservado; a gente já estava invadindo seu espaço apenas ao existir.

Depois que sentei, me permiti observar de novo a garota de biquíni laranja. Ela tinha saído da lanchonete e estava em pé do outro lado da piscina, com a toalha pendurada em um dos braços e uma bebida na outra mão, analisando os bancos e as cadeiras de praia.

— Toma — Clarke disse, entregando o maço de cartas que estava segurando. — Sua vez.

Ela era minha melhor amiga desde os seis anos. Havia muitas crianças no nosso bairro, mas por algum motivo a maioria era adolescente, como minhas irmãs, ou muito mais nova. Nossas mães se conheceram em uma reunião de bairro quando a família dela chegou de Washington. Assim que perceberam que tínhamos a mesma idade, elas marcaram de nos encontrarmos para brincar e nunca mais nos separamos.

Clarke nasceu na China, e os Reynolds a adotaram quando tinha seis meses. A única coisa que tínhamos em comum era a altura. Eu era loira e tinha olhos azuis, uma típica Greene, enquanto ela tinha o cabelo mais escuro e brilhante que eu já tinha visto e os olhos tão castanhos que eram quase pretos. Enquanto eu era tímida e gostava de agradar, Clarke era séria. Seu tom, sua personalidade e sua aparência eram medidos e pensados. Eu sempre tinha sido modelo, seguindo os passos das minhas irmãs; Clarke era totalmente moleca, a melhor no futebol e exímia no baralho, principalmente no buraco. Sempre ganhava de mim.

— Posso tomar um gole? — Clarke perguntou, espirrando em seguida. — Está quente aqui.

Assenti, me abaixando para pegar a coca. Clarke era muito alérgica, mas no verão ficava pior. Ela geralmente ficava com o nariz entupido ou escorrendo de abril a outubro, e nenhuma injeção ou comprimido parecia ajudar. Eu já tinha me acostumado com a voz nasalada e com o pacote de lenços que ela sempre carregava.

Havia uma hierarquia organizada na piscina: os salva-vidas ficavam nas mesas próximas à lanchonete, as mães e crianças pequenas ficavam na parte rasa e na piscina dos bebês (ou seja, do xixi), Clarke e eu preferíamos a área com sombra atrás dos escorregadores, os garotos populares — como Chris Pennington, três anos mais velho que eu e o cara mais lindo de todo o bairro e, eu achava na época, talvez do mundo — ficavam perto do trampolim. O melhor lugar era a fila de cadeiras entre a lanchonete e as raias, onde costumavam ficar as garotas populares da escola. Era onde minha irmã mais velha, Kirsten, estava deitada em uma espreguiçadeira, vestindo um biquíni pink e se abanando com uma revista.

Depois que dei as cartas, me assustei ao ver a garota de biquíni laranja ir até onde Kirsten estava e pegar a cadeira ao lado dela. Molly Clayton, melhor amiga da minha irmã, que estava do outro lado, a cutucou e fez um sinal em direção à garota. Kirsten olhou para ela, deu de ombros e deitou de novo, jogando o braço por cima do rosto.

— Annabel? — Clarke já estava com as cartas em mãos, impaciente para começar a me detonar. — É sua vez.

— Ah — eu disse, virando para ela. — Tá.

Na tarde seguinte, a garota voltou, daquela vez com um maiô prateado. Quando cheguei, ela estava na mesma cadeira que minha irmã tinha ocupado no dia anterior, com a toalha esticada, uma garrafa de água ao lado e uma revista no colo. Clarke tinha aula de tênis, então eu estava sozinha quando Kirsten chegou com as amigas uma hora depois. Elas entraram chamando a atenção como sempre, batendo os chinelos no chão. Quando chegaram ao lugar de sempre e viram a garota sentada ali, pararam e se olharam. Molly Clayton parecia irritada, mas Kirsten simplesmente pulou umas quatro cadeiras e se instalou ali.

Nos dias seguintes, vi a garota nova teimar em tentar se infiltrar no grupo da minha irmã. Ela começou com uma simples cadeira, mas, no terceiro dia, já estava indo até a lanchonete atrás delas. Na tarde seguinte, entrou na piscina segundos depois delas, e ficou a menos de meio metro de distância enquanto conversavam e gesticulavam, jogando água uma na outra. No fim de semana, já estava na cola delas, como uma sombra.

Devia ser irritante. Vi Molly lançar alguns olhares antipáticos, e até Kirsten tinha pedido licença um dia em que ela se aproximara demais na piscina. Mas a garota não parecia se importar. Na verdade, pareceu aumentar seus esforços, como se não importasse o que elas dissessem desde que falassem com ela.

— Então — minha mãe disse durante um jantar —, fiquei sabendo que uma família se mudou para a casa dos Daughtry, na Sycamore.

— Os Daughtry foram embora? — meu pai perguntou.

Minha mãe assentiu.

— Em junho. Para Toledo. Lembra?

Meu pai pensou por um segundo.

— É mesmo — ele respondeu. — Toledo.

—Também fiquei sabendo — minha mãe continuou, passando o macarrão para Whitney, que imediatamente o passou para mim — que eles têm uma filha da sua idade, Annabel. Acho que a vi um dia desses quando estava na Margie.

— É mesmo? — eu disse.

Ela assentiu.

— Ela tem o cabelo escuro e é um pouco mais alta que você. Talvez já tenham se visto pelo bairro.

Refleti por um segundo.

— Não sei...

— É ela! — Kirsten disse de repente, largando o garfo, que tiniu. — A maníaca da piscina. Meu Deus! Eu *sabia* que ela era mais nova do que a gente.

— Espera aí. — Agora meu pai estava prestando atenção. — Tem uma maníaca na piscina?

— *Espero* que não — minha mãe respondeu, parecendo preocupada.

— Ela não é uma maníaca de verdade — Kirsten disse. — É só uma garota que anda atrás da gente. É tão estranho. Ela, tipo, senta do nosso lado, segue a gente por toda parte em silêncio, fica escutando o que estamos falando. Já mandei que parasse, mas ela me ignorou. Meu Deus! Não acredito que ela tem *doze* anos. É pior do que eu pensava.

— Que drama! — Whitney resmungou, espetando uma folha de alface com o garfo.

Ela tinha razão. Kirsten era a rainha do drama. Suas emoções estavam sempre à toda, assim como sua boca — ela nunca parava de falar, mesmo quando sabia que a gente não estava ouvindo. Whitney, ao contrário, ficava sempre quieta, o que fazia com que as palavras que saíam de sua boca fossem muito mais significativas.

— Kirsten, seja legal — minha mãe disse.

— Mãe, eu tentei. Mas, se você visse, entenderia. É estranho.

Minha mãe tomou um gole do vinho.

— Mudar de bairro é difícil. Talvez ela não saiba como fazer amigos...

— Isso é óbvio — Kirsten disse.

— ... o que quer dizer que você precisa ajudar — minha mãe concluiu.

— Ela tem *doze anos* — Kirsten respondeu, como se fosse uma espécie de doença.

— Sua irmã também — meu pai observou.

Kirsten pegou o garfo e apontou para ele.

— Exatamente — ela disse.

Ao meu lado, Whitney bufou. Mas minha mãe, claro, já estava dirigindo a atenção a mim.

— Bom, Annabel — ela disse. — Talvez você devesse tentar, caso a encontre. Dê oi ou algo do tipo.

Não contei à minha mãe que já tinha conhecido a garota, principalmente porque ela teria ficado horrorizada com a grosseria com que me tratara. Não que aquilo fosse mudar suas expectativas em relação ao meu comportamento. Minha mãe era a miss simpatia, e esperava que nós também fôssemos, independente das circunstâncias. Sempre devíamos ser legais.

— Tá bom — respondi. — Pode ser.

— Boa garota — ela disse. E esperei que aquilo acabasse ali.

Na tarde seguinte, no entanto, quando Clarke e eu chegamos à piscina do clube, Kirsten já estava lá, com Molly de um lado e a garota nova do outro. Tentei ignorar aquilo enquanto nos instalávamos no nosso lugar de sempre, mas acabei olhando para elas e vi minha irmã me encarando. Quando ela levantou logo depois para ir até a lanchonete, ainda me encarando, e a garota nova imediatamente a seguiu, eu soube o que precisava fazer.

— Já volto — disse a Clarke, que estava lendo um livro do Stephen King e assoando o nariz sem parar.

— Tá — ela respondeu.

Levantei e dei a volta pelo trampolim, cruzando os braços sobre o peito ao passar por Chris Pennington. Ele estava deitado em uma espreguiçadeira, com uma toalha cobrindo os olhos, enquanto alguns de seus amigos brincavam de lutinha no deck da piscina. Agora, em vez de ficar observando o garoto discretamente — o que tinha sido minha principal atividade na piscina naquele verão, além de nadar e perder todos os jogos de baralho —, eu ia ser alvo de mais uma grosseria, só porque minha mãe insistia que nos comportássemos como boas samaritanas. Ótimo.

Eu podia ter contado a Kirsten sobre meu encontro anterior com a garota, mas sabia que era melhor não dizer nada. Ao contrário de mim, ela não fugia de um confronto — na verdade, procurava por um, e sempre saía como a vencedora. Ela era o barril de pólvora da família, e eu já tinha perdido as contas de quantas vezes tinha ficado de lado, encolhida e envergonhada, enquanto ela deixava seu descontentamento bem claro para vendedores, motoristas ou ex-namorados. Eu a amava, mas ela me deixava nervosa.

Whitney, ao contrário, fervia em silêncio. Ela nunca dizia que estava brava. A gente simplesmente sabia pela expressão em seu rosto, pelo olhar fumegante, pelos suspiros pesados que soavam em alto e bom som, tão depreciativos que seriam preferíveis palavras, quaisquer que fossem. Quando Whitney e Kirsten brigavam — o que, havendo apenas dois anos de diferença entre elas, era muito comum —, parecia uma briga unilateral no início, já que só se ouvia Kirsten listando acusações sem parar. Prestando mais atenção, no entanto, era possível notar os silêncios pesados e pesarosos de Whitney, e as respostas que ela dava, embora raras, eram muito mais severas do que os comentários redundantes de Kirsten.

Uma era aberta; a outra, fechada. Não é de admirar que a primeira coisa que me vinha à cabeça quando eu pensava em qualquer uma das minhas irmãs era uma porta. Kirsten era a porta da frente da nossa casa, pela qual ela sempre entrava e saía, geralmente tagarelando, com um bando de amigas atrás. Whitney era a porta do quarto, que ela preferia manter fechada, uma barreira constante entre si própria e o restante de nós.

Já eu ficava em algum lugar no meio do caminho entre minhas irmãs e suas personalidades fortes. Era a personificação da imensa zona cinzenta que as separava. Não era corajosa e franca nem silenciosa e calculista. Não sabia como as pessoas me viam ou o que vinha à cabeça delas ao ouvir meu nome. Era só Annabel.

Minha mãe, avessa a qualquer conflito, odiava quando minhas irmãs brigavam.

— Por que não conseguem ser gentis uma com a outra? — ela implorava.

As duas reviravam os olhos, mas eu absorvi a mensagem: ser gentil era o ideal, a única maneira de não levantarem a voz ou dirigirem um silêncio assustador a você. Ao ser gentil, não precisava me preocupar com gritos. Mas aquilo não era tão fácil quanto parecia, principalmente porque o mundo pode ser bem malvado.

Quando cheguei à lanchonete, Kirsten já tinha desaparecido (claro), mas a garota ainda estava ali, esperando que o cara atrás do balcão trouxesse seu chocolate. *Bom,* pensei. *Aqui vamos nós.*

— Oi — eu disse. Ela apenas ficou me encarando, com uma expressão indecifrável. — É... Meu nome é Annabel. Você acabou de se mudar, né?

Ela não disse nada por um bom tempo. Enquanto isso, Kirsten saiu do banheiro feminino e parou quando nos viu conversando.

— Eu... — continuei. — É... Acho que estamos no mesmo ano na escola.

A garota ajeitou os óculos escuros.

— E? — ela disse, com a mesma voz aguda e mal-humorada da primeira vez que tinha falado comigo.

— Só pensei que... você sabe, temos a mesma idade, talvez você quisesse sentar com a gente. Ou sei lá.

Outra pausa. Então a garota respondeu:

— Quer que eu sente com vocês?

Ela fez a ideia soar tão ridícula que comecei a me afastar de imediato.

— Bom... se não quiser, não precisa — eu disse. — Só...

— Não — ela me interrompeu. Então jogou a cabeça para trás e riu. — Não *mesmo*.

Se estivesse sozinha, a coisa toda teria acabado aí. Eu teria dado as costas com o rosto vermelho de vergonha e voltado para onde Clarke me esperava. Fim. Mas eu não estava.

— Espera aí — Kirsten disse em alto e bom som. — O que você falou?

A garota virou. Quando viu minha irmã, arregalou os olhos.

— O que foi? — ela perguntou, e eu não pude deixar de perceber o quanto a pergunta, a mesma que tinha me feito naquele primeiro dia, soava diferente agora.

— Eu disse: *o que você falou?* — Kirsten repetiu afiada.
Putz.

— Nada — a garota respondeu. — Eu só...

— Ela é minha irmã — Kirsten disse, apontando para mim. — Você foi grossa com ela.

Àquela altura, eu já estava encolhida e vermelha. Kirsten, no entanto, pôs a mão na cintura, o que queria dizer que estava só começando.

— Não fui grossa — a garota respondeu, tirando os óculos escuros. — Só...

—Você foi, sim, e sabe disso — minha irmã rebateu, interrompendo-a. — Não adianta negar. E para de me seguir, entendeu? É assustador. Vem, Annabel.

Fiquei paralisada, só observando o rosto da garota. Sem os óculos escuros, abalada, ela *parecia* ter doze anos. Ela ficou nos observando enquanto Kirsten me pegava pelo punho e me arrastava para onde estava sentada com as amigas.

— Inacreditável — minha irmã disse. Quando olhei para o outro lado da piscina, vi Clarke me encarando, confusa, enquanto Kirsten me colocava na sua cadeira. Molly sentou, piscando e segurando as alças desamarradas do biquíni.

— O que aconteceu? — ela perguntou. Enquanto Kirsten contava, olhei para a lanchonete, mas a garota não estava mais lá. Eu a encontrei atravessando o estacionamento, descalça, olhando para baixo. Ela tinha deixado as coisas na cadeira ao lado da que eu estava sentada agora — toalha, sandálias, a bolsa com uma revista, carteira e uma escova de cabelo rosa. Fiquei esperando que percebesse e voltasse para buscar, mas ela não o fez.

As coisas ficaram lá a tarde toda. Voltei para onde estava sentada com Clarke e contei a ela o que tinha acontecido. Jogamos várias partidas de buraco e nadamos até nossos dedos ficarem enrugados. Kirsten e Molly foram embora, e outras pessoas pegaram suas cadeiras. O salva-vidas finalmente soprou o apito anunciando que a piscina ia fechar, e a Clarke e eu juntamos nossas coisas, queimadas de sol, com fome e prontas para ir para casa.

Sabia que aquela garota não era problema meu. Ela tinha sido grossa comigo duas vezes, e não merecia minha piedade ou minha ajuda. Mas, quando passamos pela cadeira, Clarke parou.

— Não podemos deixar as coisas dela aqui — Clarke disse, abaixando para pegar as sandálias e as guardando dentro da bolsa. — A casa dela fica no caminho.

Eu poderia ter reclamado, mas me lembrei da garota atravessando o estacionamento descalça e sozinha. Então peguei a toalha da cadeira e dobrei.

— Tá… — eu disse.

Quando chegamos à antiga cada dos Daughtry, fiquei aliviada ao ver que todas as luzes estavam apagadas e não tinha nenhum carro na garagem, então podíamos simplesmente deixar as coisas ali e ir embora. Quando Clarke se abaixou para deixar a bolsa na entrada, a porta abriu e a garota apareceu.

Ela estava com um short desfiado, uma camiseta vermelha e o cabelo preso em um rabo de cavalo. Sem óculos escuros. Sem sandálias de salto. Quando viu a gente, ficou vermelha.

— Oi — Clarke disse, depois de um silêncio longo o suficiente para parecer esquisito. Ela espirrou antes de completar: — Trouxemos suas coisas.

A garota ficou nos encarando por um instante, como se não tivesse entendido o que havia dito. Com a congestão da Clarke, aquilo era bem provável. Abaixei para pegar a bolsa e entreguei a ela.

— Você deixou isso na piscina — falei.

Ela olhou para a bolsa e depois para mim, apreensiva.

— Ah — disse, estendendo a mão para pegá-la. — Obrigada.

Um grupo de crianças passou de bicicleta atrás de nós, conversando alto. Então tudo ficou em silêncio de novo.

— Querida? — Ouvi uma voz vinda do fim do corredor escuro. — Tem alguém na porta?

— Não é nada — ela disse por cima do ombro. Então deu um

passo à frente, fechou a porta atrás de si e saiu para a varanda. Ela passou por nós apressada, mas não antes que eu percebesse que seus olhos estavam vermelhos e inchados. Ela tinha chorado. E, de repente, como tantas outras vezes, ouvi a voz da minha mãe: "Mudar de bairro é difícil. Talvez ela não saiba como fazer amigos".

— Olha... — eu disse. — Sobre o que aconteceu antes, minha irmã...

— Não tem problema — ela disse, me interrompendo. — Está tudo bem. — Sua voz vacilou um pouco e ela deu as costas para nós, cobrindo a boca com a mão. Fiquei ali, parada, sem saber o que fazer. Quando olhei para Clarke, vi que ela já estava enfiando a mão no bolso para pegar o pacote de lenços que sempre levava consigo. Tirou um e foi até a garota. Um segundo depois, ela pegou o lenço em silêncio e limpou o rosto.

— Meu nome é Clarke. Esta é Annabel.

Nos anos que viriam, eu sempre me lembraria desse momento. Clarke e eu, no verão depois do sexto ano, paradas atrás daquela garota. Tantas coisas poderiam ter sido diferentes para mim, para todas nós, se outra coisa tivesse acontecido naquele instante. Na época, no entanto, o momento em que ela virou para nós sem chorar — parecendo muito bem, na verdade — pareceu passageiro e sem importância como qualquer outro.

— Oi — ela disse. — Meu nome é Sophie.

2

— Sophie!

Era finalmente a hora do almoço, o que queria dizer que o primeiro dia de aula estava na metade. À minha volta, o corredor estava lotado e barulhento, mas mesmo com portas de armários batendo e anúncios sendo emitidos pelos alto-falantes, pude ouvir nitidamente a voz de Emily Shuster.

Olhei para a escada no fim do corredor e, claro, ela estava vindo na minha direção, o cabelo vermelho se destacando na multidão. Quando finalmente ficou a menos de um metro de onde eu estava, nossos olhos se encontraram, mas apenas por um breve instante. Ela logo seguiu em frente, avançando pelo corredor até onde Sophie estava.

Como Emily era minha amiga fazia mais tempo, pensei que talvez, só talvez, ainda pudesse ser. Mas parecia que não. Barreiras tinham sido erguidas, e agora eu tinha certeza de que estava do lado de fora.

Tinha outros amigos, claro. Pessoas que conhecia de outras turmas, da Lakeview Models, onde estava fazia anos. Ficava claro, no entanto, que o isolamento a que havia me obrigado a viver durante o verão tinha surtido mais efeito do que eu imaginava. Logo depois que tudo acontecera, tinha me isolado completamente, achando que seria mais seguro do que arriscar ser julgada pelas pessoas. Havia ignorado ligações e evitado as pessoas quando as encontrara no shopping ou no cinema. Não queria falar sobre o que tinha acontecido, então parecia mais seguro ficar na minha. O resultado, no entanto, foi que a manhã inteira, quando parava para cumprimentar garotas que eu conhecia ou me aproximava de grupinhos conversando, sentia uma frieza e uma distância instantâneas, que duravam até eu dar uma desculpa para me afastar. Em maio, tudo o que eu queria era ficar sozinha. Agora, meu desejo tinha se realizado.

A ligação com Sophie não ajudava, claro. Ter sido amiga dela me implicava em todos os seus crimes e delitos sociais — que eram muitos —, então boa parte dos alunos não fazia questão de correr para me abraçar. As garotas que Sophie tinha insultado e isolado enquanto eu fingia não ver deviam achar que eu merecia uma dose do meu próprio veneno. Se não podiam fazer nada com ela, iam descontar em mim.

No caminho para a entrada principal, parei na frente das portas de vidro que davam para o pátio. Do lado de fora, os vários grupinhos — atletas, artistas, politicamente engajados, lesados — estavam espalhados pelo gramado e pela calçada. Todos tinham um lugar próprio, e eu costumava saber qual era o meu: o banco de madeira à direita da entrada principal, onde Sophie e Emily estavam sentadas. Agora eu não tinha nem certeza de que deveria sair para o pátio.

— *Mais uma vez chegou aquela época do ano...* — alguém disse com uma voz fina atrás de mim. Houve uma explosão de gargalhadas e, quando virei, vi um grupo de jogadores de futebol americano na porta da secretaria. Um garoto alto com dreadlocks imitava o modo como eu pegava o braço do cara do comercial, enquanto os outros riam. Eu sabia que eles estavam brincando, e talvez em outra época aquilo não me incomodasse. Mas, naquele momento, senti meu rosto ficar vermelho enquanto abri as portas e saí para o pátio.

Havia um muro comprido à minha direita, então virei em direção a ele, procurando por um lugar, qualquer lugar, para sentar. Só havia duas pessoas ali, e a distância entre elas era suficiente para que ficasse claro que não estavam juntas. Eram Clarke Reynolds e Owen Armstrong. Eu não tinha muita opção, então sentei entre os dois.

Senti os tijolos quentes contra minhas pernas enquanto desembrulhava o almoço que minha mãe tinha preparado naquela manhã: sanduíche de peru e uma nectarina. Abri uma garrafa de água, tomei um gole e finalmente me permiti observar ao redor. Vi que Sophie estava me encarando do banco de madeira. Quando nossos olhos se encontraram, e ela deu um sorrisinho, balançando a cabeça antes de desviar o rosto.

Patética, ouvi sua voz dentro da minha cabeça, então afastei esse pensamento. Não queria sentar com ela, mas jamais tinha me imaginado na companhia em que estava agora, com Clarke de um lado e o cara mais nervoso da escola do outro.

Pelo menos eu conhecia Clarke, ou havia conhecido um dia. Toda a informação que tinha sobre Owen Armstrong vinha de observar o garoto à distância. Como o fato de ele ser alto e musculoso, ter ombros largos e bíceps grandes. E de que sempre usava coturnos com solas grossas de borracha que faziam com que parecesse ainda maior, com passos ainda mais pesados. Seu cabelo era escuro e bem curto, um pouco espetado, e eu nunca o tinha visto sem o iPod e os fones de ouvido, que ele usava dentro e fora da escola, na aula e fora dela. Apesar de achar que ele devia ter amigos, nunca o tinha visto conversando com ninguém.

Então aconteceu a briga. Em janeiro, no estacionamento, antes do primeiro sinal. Eu tinha acabado de sair do carro quando vi Owen, com a mochila pendurada no ombro, os fones no ouvido, indo em direção ao prédio principal. Ele passou por Ronnie Waterman, que estava encostado no carro, conversando com alguns amigos. Toda escola tem alguém como Ronnie — o babaca, famoso por fazer as pessoas tropeçarem nos corredores, o tipo de cara que grita "Que bunda, hein!" quando uma garota passava por ele. Seu irmão mais velho, Luke, era o oposto dele, capitão do time de futebol americano e presidente do grêmio estudantil, um cara legal de quem todos gostavam e, por isso, todos aguentavam Ronnie. Mas Luke tinha se formado no ano anterior, e agora o irmão mais novo e irritante estava sozinho.

Owen estava caminhando na direção da entrada da escola quando Ronnie gritou alguma coisa para ele. Como não obteve resposta, Ronnie se afastou do carro para bloquear o caminho de Owen. Mesmo de longe, eu tinha certeza de que aquela não era uma boa ideia; Ronnie podia não ser pequeno, mas parecia minúsculo comparado a Owen Armstrong, que era pelo menos uma cabeça mais alto e muito mais largo. Mas o babaca não parecia perceber. Ele disse mais alguma coisa para Owen, que o encarou por um instante, antes de desviar dele. Quando Owen seguiu em frente, Ronnie acertou seu queixo.

Owen cambaleou, mas bem pouco. Então largou a mochila, puxou o outro braço para trás e desferiu um golpe em um arco perfeito que atingiu a cara de Ronnie em cheio. Deu pra ouvir o som do seu punho batendo contra o osso de onde eu estava.

Ronnie caiu em segundos — o corpo primeiro, por último a cabeça, que bateu no chão. Owen abaixou o braço, passou por cima dele com toda a calma do mundo, pegou a mochila e seguiu em frente. A multidão que tinha se reunido ao redor dispersou rapidamente, abrindo caminho para que ele passasse. Os amigos de Ronnie já estavam se aglomerando ao redor dele e um deles chamava o segurança do estacionamento, mas eu só conseguia me lembrar de Owen se afastando — no mesmo ritmo de antes, como se nunca tivesse parado.

Na época, Owen ainda era novo na escola; fazia só um mês que estudava lá. Por causa do incidente, foi suspenso pelo mesmo tempo. Quando voltou, todo mundo falava dele. Disseram que já tinha sido mandado para um reformatório, que fora expulso da escola anterior e que era membro de uma gangue. Os boatos eram tantos que, alguns meses depois, quando ouvi que ele tinha sido preso por brigar em uma casa noturna no fim de semana, concluí que não eram verdade. Então ele desapareceu e nunca mais voltou à escola. Até aquele dia.

De perto, no entanto, Owen não parecia um monstro. Estava sentado ali, com óculos escuros e uma camiseta vermelha, batucando com os dedos no joelho ao som da música que ouvia. Mesmo assim, achei que era melhor não ser pega olhando para ele, então, depois de desembrulhar meu sanduíche e dar uma mordida, respirei fundo e virei para o outro lado.

Clarke estava no fim do muro, com um caderno aberto no colo. Segurava uma maçã e rabiscava alguma coisa ao mesmo tempo. Seu cabelo estava preso em um rabo de cavalo baixo, e ela vestia uma camiseta branca, calça de estampa militar e chinelos, além dos óculos que tinha começado a usar no ano anterior, pequenos, com armação de tartaruga. Depois de um tempo, ela levantou a cabeça e olhou para mim.

Devia saber o que tinha acontecido em maio. Como alguns segundos passaram sem que ela desviasse o olhar, me perguntei se finalmente havia me perdoado. Se, talvez, com a nova fratura, eu pudesse remendar uma antiga. Seria conveniente, uma vez que nós duas estávamos sendo ignoradas por Sophie. Tínhamos voltado a ter algo em comum.

Ela ainda estava olhando para mim. Larguei o sanduíche e respirei fundo. Tudo o que eu tinha que fazer, naquele momento, era dizer alguma coisa, algo incrível, do tipo que…

De repente, ela desviou o olhar. Guardou o caderno dentro da mochila e fechou o zíper com uma linguagem corporal firme, o cotovelo formando um ângulo agudo na minha direção. Então pulou do muro, jogou a mochila sobre os ombros e se afastou.

Encarei o sanduíche que estava pela metade e senti um nó na garganta. O que era muito idiota, porque fazia uma eternidade que a Clarke me odiava. Aquilo, pelo menos, não era novidade.

Durante o resto do intervalo, fiquei sentada ali, tentando não olhar para ninguém. Quando olhei para o relógio e vi que só faltavam cinco minutos para o intervalo acabar, imaginei que o pior já tinha passado. Mas estava errada.

Quando enfiava a garrafa de água na mochila, ouvi um carro fazer a volta no fim do muro. Virei e vi um Jeep vermelho estacionando. A porta do passageiro se abriu e um cara de cabelo escuro desceu. Ele encaixou um cigarro atrás da orelha e falou alguma coisa para a pessoa que estava atrás do volante. Quando ele fechou a porta e deu um passo para trás, consegui ver o motorista. Era Will Cash.

Senti um frio na barriga, como se tivesse caído de uma grande altura, bem rápido. O mundo perdeu o foco, os sons à minha volta foram abafados, minhas mãos começaram a suar e meu coração parecia bater dentro do ouvido, *tum-tum-tum*.

Não conseguia parar de encará-lo. Estava sentado bem ali, com uma mão no volante, esperando o carro da frente andar — uma perua da qual uma garota estava tirando um violoncelo ou algum outro instrumento grande. Depois de um segundo, ele balançou a cabeça, irritado.

Shhh, Annabel. Sou só eu.

Um milhão de Jeeps vermelhos deviam ter passado diante dos meus olhos nos últimos meses. Apesar de tentar me conter, tinha procurado seu rosto em cada um deles. Mas só agora, ali, era ele. E, embora eu tivesse tentado me convencer de que à luz do dia podia ser forte e destemida, me senti tão impotente quanto naquela noite, como se não estivesse segura nem mesmo em plena luz do dia.

A garota finalmente conseguiu tirar o instrumento, então se despediu do motorista e fechou a porta. Quando o carro andou, Will observou o pátio. Vi seus olhos percorrerem as pessoas ali, parecendo registrar cada uma delas. Então passaram por mim.

Fiquei encarando Will, com o coração pulando dentro do peito. Durou só um segundo e ele não pareceu me reconhecer, sustentando um olhar vazio, como se eu fosse uma estranha, uma qualquer. Ele seguiu em frente, o carro vermelho virou um borrão e tudo acabou.

De repente, voltei a ouvir os sons à minha volta: pessoas passando por mim a caminho da próxima aula, chamando umas às outras, jogando restos no lixo. Ainda assim, mantive os olhos no Jeep, vendo-o subir a via que levava à rua principal, se afastando de mim aos poucos. Então, em meio a todo o barulho e toda a movimentação, virei a cabeça, cobri a boca com uma mão e vomitei na grama atrás de mim.

Quando virei de novo, segundos depois, o pátio estava quase sem ninguém. Os atletas tinham desocupado o outro muro, a grama sob as árvores estava vazia, Emily e Sophie tinham deixado o banco. Só quando limpei a boca e olhei para o outro lado, vi que Owen Armstrong continuava ali, me observando. Seus olhos eram escuros e intensos, e fiquei tão assustada que logo desviei o rosto. Quando olhei um minuto depois, ele tinha sumido.

Sophie me odiava. Clarke me odiava. Todo mundo me odiava. Ou nem todo mundo.

— O pessoal da Mooshka *amou* suas fotos — minha mãe disse, sua felicidade em pleno contraste com como eu estava me sentindo no trânsito para sair do estacionamento no fim da aula. — Lindy disse que ligaram para ela enlouquecidos.

— É mesmo? — eu disse, encostando o celular na outra orelha. — Que bom.

Tentei parecer animada, mas a verdade era que eu tinha esquecido completamente que alguns dias antes minha mãe havia dito que minha agente ia mandar fotos para uma marca local de roupas de banho chamada Mooshka Surfwear, que estava procurando alguém para a nova campanha. Digamos que a carreira de modelo não era minha principal preocupação no momento.

— Mas — ela continuou —, Lindy disse que eles querem ver você pessoalmente.

— Ah… — eu disse, enquanto a fila avançava um centímetro, mais ou menos. — Tudo bem. Quando?

— Bom, na verdade… hoje — ela respondeu.

— Hoje? — repeti, enquanto Amanda Cheeker, dirigindo o que parecia ser uma BMW novinha, me cortou, sem nem me olhar.

— Sim. Parece que um dos responsáveis pela campanha está na cidade, mas só hoje.

— Mãe. — Avancei um pouco e estiquei o pescoço, tentando ver quem estava causando aquela confusão. — Não posso. Estou tendo um dia horrível e…

— Querida, eu sei — ela disse, como se realmente soubesse, o que não era o caso. Depois de criar três filhas, minha mãe conhecia bem o mundo das garotas, o que permitiu que eu explicasse o sumiço repentino da Sophie com apenas um "Ela anda tão estranha" e um "Não sei o que está acontecendo". Para ela, tínhamos simplesmente nos afastado; eu nem imaginava o que minha mãe pensaria se eu contasse o que havia acontecido. Na verdade, imaginava, sim, e não tinha intenção nenhuma de fazê-lo. — Mas Lindy disse que eles estão *muito* interessados em você.

Olhei no retrovisor e vi meu rosto vermelho, o cabelo desajeitado e as manchas de rímel ao redor dos olhos, resultado de ter chorado no banheiro depois da sexta aula. Minha aparência dizia exatamente como eu estava me sentindo.

— Você não está entendendo — eu disse, avançando mais ou menos a distância de um carro. — Não dormi bem essa noite, estou cansada, toda suada...

— Ah, Annabel — ela disse. Senti um nó se formando em minha garganta, reagindo instantaneamente àquele tom suave e compreensivo, tão bem-vindo depois do dia longo e horrível. — Eu sei, querida. Mas é rapidinho, vai acabar logo.

— Mãe. — Eu estava exausta e o sol incomodava minha vista. — Eu...

— Escuta — ela disse —, vamos fazer o seguinte: vem pra casa tomar um banho rápido. Eu preparo um sanduíche e faço sua maquiagem. Depois levo você lá e acabamos com isso de uma vez, assim você nem precisa se preocupar mais com esse assunto. Pode ser?

Com minha mãe era assim. Sempre tinha um "vamos fazer o seguinte", um plano que ela logo conseguia inventar e que, embora não fosse muito diferente da proposta inicial, pelo menos parecia melhor. Antes, era como se eu tivesse o direito de dizer não. Depois do plano, pareceria intransigente.

— Tudo bem — respondi, e o trânsito finalmente começou a andar a uma velocidade aceitável. Mais à frente, vi o segurança acenando para que as pessoas desviassem do Toyota azul com o para-choque de trás amassado. — Que horas eles marcaram?

— Às quatro.

Olhei para o relógio.

— Mãe, são três e meia e ainda nem saí do estacionamento. Onde é o escritório?

— Fica em… — Ouvi barulho de papel do outro lado do telefone. — Mayor's Village.

Que ficava a pelo menos vinte minutos. Com sorte, eu chegaria a tempo se fosse direto para lá.

— Ótimo — eu disse. — Não vai dar.

Eu sabia que estava sendo chata, no mínimo. Também sabia que iria e daria o meu melhor, porque ser chata era o máximo que eu fazia quando minha mãe estava envolvida. Afinal, eu era a boazinha.

— Bom — ela respondeu, com a voz suave. — Posso ligar para Lindy e dizer que você não vai. Sem problema.

— Não — respondi quando finalmente cheguei à saída da escola e liguei a seta. — Tudo bem. Eu vou.

Eu era modelo desde que me entendia por gente. Na verdade, desde antes. Minha primeira sessão de fotos foi aos nove meses, ainda de macacão, para um encarte de domingo do SmartMart, trabalho que ofereceram quando minha mãe teve que me levar junto a um dos castings da Whitney, porque a babá tinha faltado. A responsável perguntou se eu estava disponível, minha mãe disse sim e pronto.

Mas toda a história havia começado com a Kirsten. Ela tinha oito anos quando um agente abordou meus pais no estacionamento depois de um recital de balé, ofereceu um cartão e pediu que ligassem. Meu pai riu, achando que era um esquema, mas minha mãe se interessou o bastante para levá-la a uma entrevista. O homem arranjou um teste para o comercial de uma concessionária de carros na hora, em que ela não passou, e outro para um anúncio de Páscoa impresso do shopping Lakeview, em que ela passou. A carreira de Kirsten começou ao lado de um coelho enorme, colocando um ovo brilhante em uma cesta, sorrindo para uma câmera em um vestido branco de princesa.

Quando começou a trabalhar com frequência, Whitney também quis tentar, e logo as duas estavam fazendo testes, muitas vezes o mesmo, o que só aumentou o atrito natural que existia entre elas. Sua aparência, no entanto, era tão diferente quanto seu temperamento. Whitney era mais bonita, com estrutura óssea perfeita e olhar penetrante, mas Kirsten, de alguma forma, conseguia transmitir sua personalidade alegre com um olhar. Whitney se destacava em ensaios fotográficos, e Kirsten em vídeos.

Assim, quando comecei a trabalhar como modelo, minha família já era bem conhecida do circuito local, que consistia principalmente de anúncios impressos para lojas de departamentos e comerciais regionais. Enquanto meu pai preferia distância desse mundo — como de tudo que era vagamente feminino, tipo absorventes e corações partidos —, minha mãe adorava participar. Ela amava nos levar até os sets, falar de negócios com Lindy e reunir fotos para atualizar nossos books. Mas, quando perguntavam, sempre dizia que tinha sido uma escolha nossa, não dela.

"Eu ficaria feliz mesmo que elas fizessem tortas de lama no quintal", minha mãe repetira ao telefone um milhão de vezes. "Mas foi isso que as meninas escolheram fazer."

A verdade, no entanto, era que ela amava aquele universo, ainda que não admitisse. E eu achava que era mais ainda. De alguma forma, aquilo a tinha salvado.

Não no início, claro. Nossas carreiras eram um passatempo divertido, algo para ela fazer quando não estava ajudando no escritório do meu pai, que costumávamos dizer que era o lugar mais fértil do universo, já que as secretárias sempre estavam grávidas, de modo que minha mãe precisava ficar atendendo o telefone até que ele encontrasse uma temporária. Mas, quando completei nove anos, minha avó morreu e alguma coisa mudou.

Minhas memórias dela são distantes, silenciosas, baseadas mais em fotografias do que em acontecimentos. Minha mãe era filha única e muito próxima dela, embora vivessem em lados opostos do país e só se encontrassem algumas vezes por ano. Elas conversavam ao telefone quase todas as manhãs, geralmente enquanto minha mãe tomava uma xícara de café. Se entrássemos na cozinha por volta das dez e meia, como um reloginho, ela estaria na cadeira que ficava de frente para a janela, colocando creme em uma caneca, com o telefone encaixado entre a orelha e o ombro. Para mim, aquelas conversas não pareciam nada interessantes. Eram sobre pessoas que eu nunca tinha visto, sobre o que minha mãe tinha cozinhado na noite anterior ou até sobre a minha vida, que parecia um tédio. Para minha mãe, no entanto, era diferente. Crucial. Só percebemos isso depois que minha avó morreu.

Minha mãe não era exatamente um pilar. Ela era uma mulher tranquila, de fala mansa e expressão amável — o tipo de pessoa que você procuraria se estivesse em um lugar público e algo ruim acontecesse, um conforto imediato. Era exatamente assim que eu a via, por isso a mudança nas semanas que se seguiram ao enterro da minha avó havia sido tão estranha. Ela simplesmente tinha ficado... mais quieta. Parada. De repente havia um assombro e um cansaço em seu rosto, tão óbvio que até eu, que tinha só nove anos, percebera. No início, meu pai tinha nos garantido que aquele era o processo de luto normal, que minha mãe só estava cansada e que ficaria bem. Mas o tempo passou e ela não melhorou. Começou a dormir até cada vez mais tarde, e em alguns dias nem saía da cama. Quando levantava, às vezes eu entrava na cozinha no meio da manhã e ela estava sentada naquela mesma cadeira, com a caneca vazia nas mãos, olhando pela janela.

— Mãe — eu chamava. Ela não respondia, então eu repetia. Às vezes precisava chamar três vezes antes que ela começasse a se virar devagar. Eu ficava assustada, como se não quisesse ver seu rosto.

Como se naqueles poucos segundos ela pudesse mudar de novo, se transformar em alguém que eu não reconheceria.

Minhas irmãs se lembravam dessa época melhor do que eu, pois eram mais velhas e sabiam mais das coisas. Como sempre, cada uma tinha sua maneira de lidar com a situação. Kirsten ficara responsável por cuidar das coisas em casa, como da limpeza e do almoço, quando minha mãe não levantava, o que ela fazia com a energia de sempre, como se não houvesse nada de errado. Eu costumava encontrar Whitney do lado de fora da porta entreaberta do quarto da mamãe, tentando ouvir ou ver alguma coisa, mas ela saía em seguida, sem me encarar. Como eu era a mais nova, não sabia como agir, só tentava não criar problemas ou fazer muitas perguntas.

A condição da minha mãe logo passou a ditar nossas vidas. Era o barômetro pelo qual avaliávamos tudo. Na minha cabeça, tudo se resumia à primeira vez que a via pela manhã. Se estivesse em pé e vestida, preparando o café em um horário normal, tudo ficaria bem. Mas se eu encontrasse meu pai na cozinha, fazendo cereal e torradas, ou pior, se nenhum dos dois estivesse ali, eu sabia que não seria um dia bom. Talvez fosse um sistema de análise rudimentar, mas funcionava. E era o que eu tinha ao meu alcance.

"Sua mãe não está se sentindo bem" era tudo o que meu pai dizia quando perguntávamos por ela à mesa do jantar, com a cadeira onde costumava sentar vazia, ou quando não saía do quarto o dia todo e a única coisa que víamos era sua silhueta embaixo das cobertas, ou o que dava para ver com a pouca luz que entrava através das cortinas fechadas. "Precisamos fazer tudo o que pudermos para facilitar as coisas até que ela se sinta melhor. Tudo bem?", ele costumava dizer em seguida.

Eu me lembrava de assentir e de minhas irmãs fazerem o mesmo. Mas *como* fazer aquilo era outra história. Eu não fazia ideia de como facilitar as coisas. Teria feito algo para dificultá-las? O que eu conseguia entender era que era fundamental proteger minha mãe de quaisquer coisas que pudessem chateá-la, ainda que não soubesse o que poderia ser. Então, aprendi outro sistema: na dúvida, não deixe que ela saiba ou ouça. Guarde para si.

Minha mãe estava deprimida, distante, o que quer que fosse — nunca me disseram um termo concreto, o que tornava aquilo ainda mais difícil — e meu pai a convenceu a consultar um terapeuta depois de mais ou menos três meses. Ela foi contra a vontade e desistiu depois de algumas sessões, então começou de novo e permaneceu em tratamento por um ano. Não houve uma mudança repentina — um dia específico em que entrei na cozinha às dez e meia e ela estava lá, alegre e para cima, como se me esperasse. Foi um processo lento, com pequenas melhoras, um avanço de milímetros a cada dia, fazendo com que o progresso só ficasse aparente à distância. Primeiro, ela parou de dormir o dia todo, então começou a acordar no meio da manhã, depois passou a preparar o café de vez em quando. Seus silêncios, tão perceptíveis à mesa do jantar e em todos os outros lugares, foram ficando menos longos, com uma conversa aqui, um comentário ali.

No fim, foi nosso trabalho como modelo que me convenceu de que o pior tinha passado. Como era ela quem nos levava para as gravações e ensaios e que cuidava dos cronogramas e testes com Lindy, trabalhamos bem menos enquanto ela estava doente. Meu pai chegou a levar Whitney a algumas gravações e eu fui a um ensaio que tinha sido marcado com muita antecedência, mas o ritmo definitivamente não era o mesmo — tanto que, quando Lindy ligou um dia durante o jantar para falar sobre um teste, já imaginava que não iríamos.

— Talvez seja melhor assim — meu pai disse, olhando para nós antes de ir com o telefone para a cozinha. — Acho que não é um bom momento.

Kirsten, que estava mastigando um pedaço de pão, perguntou:

— Um bom momento para quê?

— Para um teste — Whitney respondeu em voz baixa. — Por que mais Lindy ligaria durante o jantar?

Meu pai estava mexendo em uma gaveta, onde finalmente encontrou um lápis.

— Bom… — Ele pegou um bloquinho que estava por ali. — Vou anotar as informações, mas é provável que… Isso. Qual é o endereço mesmo?

Minhas irmãs ficaram encarando enquanto ele anotava, provavelmente se perguntando qual seria o trabalho e para quem. Mas eu estava observando minha mãe, que não tirava os olhos do meu pai, mesmo ao pegar o guardanapo do colo e limpar os cantos da boca. Ele voltou, sentou e pegou o garfo, e fiquei esperando que minhas irmãs perguntassem os detalhes. Mas foi minha mãe quem perguntou primeiro:

— Então, o que era?

Meu pai olhou para ela.

— Ah, vai ter um teste amanhã — ele respondeu. — Lindy achou que poderia ser do nosso interesse.

— Nosso? — Kirsten perguntou.

— Seu — meu pai respondeu, pegando alguns feijões com o garfo. — Eu disse que talvez não seja o momento. É de manhã, e vou estar no escritório… — Ele parou de falar, sem se preocupar em concluir, porque nem precisava.

Meu pai era arquiteto e já estava bastante ocupado com o trabalho, além de ter que cuidar da minha mãe e da casa, para ficar nos levando para cima e para baixo. Kirsten sabia disso, mas ficou claramente decepcionada. Então, no silêncio, enquanto todos voltavam a comer, ouvi minha mãe respirar fundo.

— Posso levar Kirsten — ela disse. Todos olhamos para ela. — Quer dizer, se ela quiser ir.

— Sério? — Kirsten perguntou. — Isso seria...

— Grace — meu pai interrompeu com a voz preocupada. Kirsten se encolheu na cadeira, em silêncio. — Você não tem que fazer isso.

— Eu sei. — Minha mãe abriu um sorriso pálido, mas ainda assim um sorriso. — É só um dia. Um teste. Quero fazer isso.

Então, no dia seguinte — lembro claramente —, ela acordou para o café da manhã. Quando Whitney e eu saímos para a escola, ela e Kirsten foram fazer o teste para um comercial de um boliche que ficava nas redondezas. Minha irmã passou. Aquele não era seu primeiro comercial nem era nada muito grande. Mas toda vez que passava na TV e eu a via fazendo aquele strike perfeito (editado, já que minha irmã era a rainha da canaleta), eu pensava naquela noite à mesa do jantar e em como, finalmente, as coisas pareciam estar voltando ao normal.

E realmente voltaram, mais ou menos. Minha mãe nos levava para testes e, embora não estivesse sempre alegre e animada, talvez também não estivesse antes. Talvez, como tantas outras coisas, aquilo estivesse só na minha imaginação. Mas, durante aquele ano, tive dificuldade em acreditar que as coisas estavam realmente melhorando. Por mais que eu quisesse ter esperança, estava sempre apreensiva, certa de que aquilo não ia durar. E, mesmo quando durou, o fato de minha mãe ter ficado daquele jeito tão de repente, sem um início ou fim reconhecíveis, fazia parecer provável que acontecesse de novo. Na época, eu tinha a impressão de que seria necessário apenas um acontecimento ruim, uma decepção, para que ela se isolasse. E talvez ainda me sentisse assim.

Era um dos motivos pelos quais eu não tinha contado à minha

mãe que não queria mais ser modelo. A verdade era que, durante aquele verão, quando ia a um teste, me sentia estranha e nervosa. Não gostava de ser analisada, de ter que andar na frente das pessoas, daqueles estranhos me observando. Em uma prova para um comercial de roupas de banho em junho, fiquei me encolhendo quando a estilista tentava ajustar meu maiô, com um nó se formando na minha garganta enquanto eu me desculpava e dizia que estava tudo bem.

Sempre que eu decidia contar aquilo à minha mãe, acontecia alguma coisa que me impedia. Eu era a única que ainda trabalhava como modelo. E, embora já fosse muito difícil tirar de uma pessoa uma coisa que a deixava feliz, era ainda mais difícil quando parecia a única coisa.

Por isso, quando cheguei a Mayor's Village quinze minutos depois, não fiquei surpresa ao encontrar minha mãe esperando por mim. Quando a vi, fiquei impressionada, como sempre, com quão *pequena* ela parecia. Mas minha perspectiva talvez fosse um pouco distorcida, já que eu tinha um metro e setenta e dois e era a menor das minhas irmãs — Kirsten era dois centímetros mais alta do que eu e Whitney tinha um e setenta e oito. Meu pai tinha um e oitenta e oito, o que fazia com que minha mãe sempre parecesse um pouco deslocada quando estávamos todos juntos, como se fôssemos um daqueles testes de "qual é o elemento estranho ao grupo" para crianças.

Ao parar ao lado do carro dela, vi que Whitney estava no banco do passageiro, com os braços cruzados. Ela parecia irritada, o que não era novidade, então não dei atenção. Peguei meu nécessaire dentro da bolsa e dei a volta para cumprimentar minha mãe, que estava em pé diante do porta-malas aberto.

—Você não precisava ter vindo — eu disse.

— Eu sei — ela respondeu, sem levantar os olhos enquanto

me entregava um pote com um garfo. — Salada de frutas. Não deu tempo de fazer um sanduíche. Sente.

Me apoiei no carro, abri o pote e dei uma garfada. Percebi que estava morrendo de fome, o que fazia sentido, considerando que vomitara o pouco que tinha conseguido comer no almoço. Meu Deus, que dia horrível.

Minha mãe pegou a nécessaire e começou a vasculhar, tirando uma sombra e um pó.

— Whitney! — ela gritou. — Me passe essas roupas que estão no banco de trás, por favor.

Minha irmã soltou um suspiro alto e então se virou, pegando as camisetas que estavam penduradas em um cabide na porta atrás dela.

— Toma. — Foi tudo o que ela disse ao passá-las por cima do banco. Minha mãe estendeu o braço, mas não alcançou, então virei para pegar. Tentei puxar os cabides, mas Whitney ficou segurando com uma força surpreendente até nossos olhos se encontrarem. Então ela soltou de repente e virou para a frente de novo.

Eu estava tentando ser paciente com minha irmã. Lembrar, pelo menos em momentos como aquele, que não era *com ela* que eu estava chateada, mas com seu transtorno alimentar. Mas, em momentos como aquele, as duas coisas se confundiam, e era difícil separar as questões.

— Beba um pouco de água — minha mãe disse em seguida, me oferecendo uma garrafa aberta enquanto pegava as roupas da minha mão. — E olhe para mim.

Bebi um gole, ficando parada enquanto ela passava pó no meu rosto. Então fechei os olhos e fiquei ouvindo os carros passarem na estrada atrás de nós enquanto ela passava sombra em mim. Quando abri os olhos, ela me ofereceu uma blusinha de camurça cor-de-rosa.

Shhh, Annabel. Sou só eu.

— Não — eu disse. A palavra saiu mais aguda e com mais força do que eu pretendia. Respirei fundo, tentando soar mais normal. — Essa não.

Ela olhou para a blusinha e então voltou a me encarar, parecendo surpresa.

— Tem certeza? Fica linda em você. Achei que adorasse.

Fiz que não com a cabeça e desviei o rosto, me concentrando em uma minivan que estava passando por ali, com um adesivo de faculdade no vidro de trás.

— Não — repeti. Ela continuou me encarando, então completei: — Ela deixa minha cintura estranha. Sei lá.

— Ah — ouvi minha mãe dizer. Então ela me ofereceu uma regata azul cavada. — Esta então — ela disse, enquanto eu a examinava mais de perto, vendo uma etiqueta de preço. — Agora se troque. São dez para as quatro.

Assenti e desci do carro, dando a volta para abrir a porta de trás. Entrei, me abaixei para tirar a regata que estava usando e congelei.

— Mãe — chamei.

— Sim?

— Estou sem sutiã.

Ouvi seus sapatos batendo no asfalto enquanto ela dava a volta no carro.

— Sério?

Confirmei com a cabeça, tentando me manter abaixada.

— A regata tinha um embutido.

Minha mãe pensou por um instante.

— Whitney, tire seu… — ela disse.

Minha irmã balançou a cabeça.

— De jeito nenhum.

Minha mãe bufou.

— Querida, por favor — ela pediu. — Ajude a gente.

Então, como fazíamos havia mais ou menos nove meses, esperamos, com certa hesitação, por Whitney. Depois do que pareceu um longo silêncio, ela finalmente enfiou os braços dentro da camiseta, se remexeu e tirou um sutiã bege pela gola, deixando cair atrás do banco. Eu o peguei do chão do carro, vesti — não usávamos exatamente o mesmo número, mas era melhor do que nada — e coloquei a blusa.

— Obrigada — eu disse, mas ela me ignorou, claro.

— Oito para as quatro — minha mãe disse. — Vamos, querida.

Saí do carro e dei a volta até onde estava me esperando. Ela me entregou minha bolsa e deu uma última olhada no meu rosto, examinando seu trabalho.

— Feche os olhos — minha mãe disse, esticando os dedos com cuidado para tirar o acúmulo de rímel do cílio. Quando abri, ela sorriu. — Você está linda.

— É, tá bom — respondi. Ela me deu uma daquelas olhadas, então completei: — Obrigada.

Minha mãe deu uma batidinha no relógio.

— Vá. Vamos ficar esperando.

— Não precisa.

Então Whitney ligou o carro de repente, abriu a janela e colocou o braço para fora. Ela estava de manga comprida, como sempre, mas dava para ver o punho pálido e fino enquanto batia os dedos na lateral do carro. Minha mãe olhou para ela, depois para mim de novo.

— Bom, vou esperar você entrar pelo menos — disse. — Tudo bem?

Assenti e me abaixei para beijá-la de leve, para não estragar o batom.

— Tudo bem.

Quando cheguei à porta, virei para elas. Minha mãe acenou. Fiz o mesmo e lancei um olhar para Whitney, com o rosto refletido no retrovisor. Ela também me olhava, sem expressão nenhuma. Como andava acontecendo com frequência, senti uma pontada no estômago, algo se retorcendo dentro de mim.

— Boa sorte — minha mãe disse à distância. Acenei com a cabeça antes de voltar a olhar para a Whitney, mas ela tinha escorregado no banco e desaparecido de vista, deixando o espelho vazio.

3

Whitney sempre tinha sido magrinha. Enquanto Kirsten era mais curvilínea e eu mais atlética, minha irmã do meio tinha nascido com corpo de modelo, alta e magra como uma tábua. Os fotógrafos sempre diziam para Kirsten e para mim que, embora tivéssemos um rosto bonito, éramos muito cheinha e muito baixa, respectivamente, para conseguir trabalhos maiores. Já Whitney parecia ter potencial.

Então era esperado que, depois do último ano da escola, Whitney se mudasse para Nova York para tentar a sorte como modelo por lá. Era o que Kirsten tinha feito dois anos antes. Depois de implorar muito, meus pais a deixaram ir morar lá com duas meninas mais velhas que conhecia da agência, com a condição de que também estudasse. Embora no início Kirsten tivesse conseguido manter um equilíbrio, quando conseguira fazer um ensaio grande e alguns comerciais, a faculdade caíra no esquecimento. Mesmo com esses trabalhos, no entanto, ela ainda ganhava a maior parte do seu dinheiro trabalhando como garçonete e hostess.

Não que aquilo a incomodasse. Desde o ensino médio, quando descobrira os garotos e a cerveja — não necessariamente nessa ordem —, seu foco no trabalho como modelo diminuíra de forma considerável. Enquanto Whitney sempre dava um jeito de dormir o suficiente e chegar no horário, Kirsten estava sempre atrasada e de ressaca. Uma vez, ela aparecera para um ensaio fotográfico com um chupão tão grande que eles não conseguiram cobrir com maquiagem. Quando os anúncios saíram, semanas depois, ela ria enquanto me mostrava a marca — um círculo marrom quase imperceptível embaixo da alça do vestido de princesa.

Minha mãe tinha grandes expectativas para Whitney. Duas semanas depois da formatura, elas fizeram as malas e foram para o apartamento onde Kirsten passara a morar sozinha. Para mim, parecera uma má ideia desde o início. Meus pais, no entanto, foram firmes: Whitney tinha só dezoito anos e precisava de alguém da família cuidando dela. Como meus pais ajudavam Kirsten a pagar o aluguel, ela não podia reclamar. (Embora tenha reclamado, claro.) Além disso, minha mãe achava que minhas irmãs já estavam bem grandinhas e que seus conflitos eram coisa do passado.

Minha mãe ficou um tempo em Nova York, ajudando Whitney a se instalar, inscrevendo-a em alguns cursos e indo com ela às primeiras reuniões com as agências. Toda noite, ela ligava depois do jantar para nos contar como as coisas estavam indo, parecendo mais feliz do que nunca enquanto falava sobre encontros com celebridades, reuniões com agentes e o ritmo agitado e maravilhoso da cidade. Em uma semana, Whitney fez o primeiro teste e conseguiu seu primeiro trabalho na cidade logo em seguida. Quando minha mãe foi embora um mês depois, ela já estava trabalhando muito mais do que Kirsten. Tudo ia exatamente como o planejado... até não ir mais.

Minhas irmãs moravam juntas havia quatro meses quando Kirsten começou a ligar para minha mãe dizendo que Whitney estava estranha. Ela tinha emagrecido, mal parecia comer e respondia com grosseria sempre que Kirsten tocava no assunto. No início, não parecia motivo de preocupação. Whitney sempre fora mal-humorada, e meus pais já esperavam que houvesse algum problema de convivência entre as duas. Era mais provável que Kirsten estivesse fazendo drama, minha mãe imaginava. E se Whitney tinha emagrecido um pouco... bem, ela estava trabalhando em um mercado muito competitivo, o que significava uma pressão maior quanto à aparência. Conforme ficasse mais confiante, as coisas iam se equilibrar.

Quando a vimos, no entanto, notamos que a mudança era óbvia demais. Antes ela era graciosa, elegante; agora, parecia abatida, com a cabeça grande demais, desproporcional em relação ao corpo, parecendo pesar sobre o pescoço. Ela e Kirsten vieram juntas para casa no feriado de Ação de Graças, e quando as encontramos no aeroporto o contraste foi alarmante. Lá estava Kirsten, com as bochechas redondas e os olhos azuis, usando uma blusa rosa, com a pele quente contra a minha quando me abraçou, gritando o quanto estava com saudades de nós. Ao lado dela, Whitney estava de calça de moletom, uma blusa preta de gola alta e manga comprida, sem maquiagem, com a pele pálida. Foi um choque, mas ninguém disse nada no início, só as cumprimentamos, abraçamos e perguntamos sobre o voo. Enquanto pegávamos as malas, minha mãe não aguentou.

— Whitney, querida, você parece *exausta*. Ainda não sarou daquele resfriado?

— Estou bem — ela respondeu.

— Não está, não — Kirsten falou sem rodeios, tirando a mala da esteira. — Ela não come. Está se matando.

Meus pais trocaram olhares.

— Ah, não. Ela só tem andado um pouco doente — minha mãe disse. Então se virou para Whitney, que fuzilava Kirsten com o olhar. — Não é, querida?

— Não — Kirsten respondeu. Olhando para Whitney, ela disse: — Como falei no avião, ou você conta ou eu.

— Cala a boca — Whitney disse, com a voz firme.

— Chega — meu pai cortou. —Vamos pegar as malas.

Era típico. Meu pai, o único homem da nossa casa cheia de estrogênio, sempre lidava com todo tipo de situação emocional ou conflituosa com uma solução concreta e específica. Discussões sobre cólicas e fluxos menstruais intensos durante o café da manhã? Ele levantava e ia trocar o óleo de um dos carros. Alguém tinha voltado para casa chorando por algum motivo sobre o qual ele não queria falar? Meu pai ia preparar um queijo quente para a pessoa, que ele mesmo acabava comendo. Crises familiares em locais públicos? Malas.Vamos pegar as malas.

Minha mãe ainda analisava Whitney, parecendo preocupada.

— Querida? — Enquanto meu pai tirava outra mala da esteira, ela perguntou com a voz suave: — É verdade? Tem alguma coisa errada?

— Estou bem — Whitney repetiu. — Ela só está com inveja porque tenho trabalhado bastante.

— Ah, por favor! — Kirsten respondeu. — Estou cagando pra isso, e você sabe.

Minha mãe arregalou os olhos. Reparei mais uma vez em como ela parecia pequena e frágil em meio a nós.

— Olha a boca! — meu pai disse.

—Vocês não estão entendendo — Kirsten respondeu. — Isso é sério.Whitney tem um transtorno alimentar. Se não procurar ajuda, vai…

— Cala a boca! — Whitney gritou, com a voz estridente. — Cala a boca!

A explosão foi tão inesperada — estávamos acostumados apenas com Kirsten fazendo escândalo — que todos paramos um instante, como se nos perguntássemos se aquilo tinha mesmo acontecido. Então vi várias pessoas nos encarando, deixando claro que tinha.Vi que minha mãe estava vermelha de vergonha.

— Andrew — ela disse, se aproximando do meu pai. — Eu não...

— Vamos para o carro — meu pai interrompeu, pegando a mala de Whitney. — Agora.

Fomos em silêncio, minha mãe e meu pai andando na frente, ele com o braço em volta dela, Whitney atrás, com a cabeça abaixada, Kirsten e eu na retaguarda. Enquanto caminhávamos, ela segurou minha mão, sua palma quente mesmo naquele frio.

— Eles precisam saber — Kirsten disse. Quando virei a cabeça, ela estava olhando para o outro lado, e me perguntei se estava mesmo falando comigo. — É a coisa certa a fazer. Tenho que contar.

Quando entramos no carro, ninguém falou nada. Nem enquanto saíamos do estacionamento nem quando pegamos a rodovia. No banco de trás, eu ficava ouvindo Kirsten respirar fundo, como se fosse dizer alguma coisa, mas nenhuma palavra saía; do outro lado, Whitney estava encostada na janela, olhando para fora, com as mãos no colo. Fiquei observando seus punhos, que pareciam magros, ossudos e pálidos contra a calça de moletom preta. Meus pais mantinham o olhar na rodovia. De repente vi o ombro do meu pai se mexer, e soube que ele estava acariciando a mão da minha mãe, tentando consolá-la.

Assim que entramos na garagem, Whitney abriu a porta do carro. Em segundos, ela já estava na porta que levava à cozinha. Desapareceu lá dentro e bateu a porta atrás de si. Do meu lado, Kirsten respirou fundo.

— Muito bem — ela disse com calma quando meu pai desligou o carro. — Precisamos conversar.

Eles conversaram, mas eu não pude ouvir. Ficou claro para mim ("Annabel, por que não vai fazer a lição de casa?") que não devia participar. Fiquei no meu quarto, com o livro de matemática aberto no colo, me esforçando para entender o que estava acontecendo lá embaixo. Eu ouvia os tons mais graves do meu pai, os mais agudos da minha mãe, a mudança indignada de tom de Kirsten. Do outro lado da parede, Whitney estava em silêncio no quarto dela.

Finalmente, minha mãe subiu, passando reto pela minha porta para bater na de Whitney. Como não houve resposta, ela disse:

— Whitney, querida, me deixe entrar. — Nada. Ela ficou ali por um ou dois minutos, até que de repente ouvi a chave girar e a porta abrir e fechar.

Desci as escadas e encontrei Kirsten sentada à mesa da cozinha com meu pai. Havia um queijo quente intocado em um prato na frente dela.

— Olha só — ela estava dizendo quando abri o armário para pegar um copo. — Ela tem uma ótima explicação para tudo. Vai fazer lavagem cerebral na mamãe em três segundos.

— Tenho certeza de que isso não vai acontecer — meu pai respondeu. — Confie na sua mãe.

Kirsten balançou a cabeça.

— Ela está doente, pai. Quase nunca come, e quando come é estranho. Pega, tipo, um quarto de maçã no café, ou três bolachas de água e sal no almoço. Às vezes acordo e ela não está em casa. Sei que foi pra academia vinte e quatro horas que tem lá perto.

— Talvez esteja errada — meu pai respondeu.

— Eu fui atrás dela. Algumas vezes. Ela corre na esteira por horas. Fiz uma amiga quando cheguei na cidade que morava com uma garota igual. Chegou a pesar uns quarenta quilos e teve que ser internada. Isso é sério.

Meu pai ficou em silêncio por um instante.

— Vamos ouvir o lado dela — ele respondeu finalmente. — E aí decidimos o que fazer. Annabel?

Dei um pulo.

— Oi?

— Que tal terminar a lição?

— Tá — respondi. Terminei de beber a água, coloquei o copo na lava-louça e subi as escadas. Tentei voltar aos paralelogramos, mas ouvi a porta abrir quando a conversa no quarto ao lado estava quase terminando.

— Eu sei — minha mãe disse. — Vamos fazer o seguinte: você toma um banho, dorme um pouco e eu te acordo na hora do jantar. Pode ser? Tudo vai parecer melhor.

Ouvi uma fungada e imaginei que era Whitney concordando, então minha mãe passou na frente da minha porta. Dessa vez, ela olhou para mim.

— Está tudo bem — ela disse. — Não se preocupe.

Relembrando o momento, não duvido que minha mãe realmente acreditasse naquilo. Descobri mais tarde que Whitney tinha garantido a ela que estava bem, que só andava trabalhando demais e se sentia muito cansada. Alegara que, embora estivesse se exercitando mais e comendo menos porque descobrira que pesava um pouco mais do que as garotas que encontrava nos testes, não era nada extremo. Se Kirsten achava que ela não estava comendo, era porque tinham horários completamente diferentes, uma vez que a irmã trabalhava à noite e ela durante o dia. Segundo Whitney, Kirsten não estava só preocupada. Desde que chegara a Nova York, conseguira muito mais trabalhos, e talvez a irmã mais velha não estivesse aceitando isso muito bem. Talvez só estivesse com um pouco de inveja.

— Não estou com inveja! — Ouvi Kirsten dizer, irritada, alguns minutos depois de minha mãe descer. — Você não está entendendo. Ela enganou você. Abra os olhos!

A conversa continuou, claro, mas não consegui ouvir. Quando me chamaram para o jantar, uma hora depois, o que quer que tivesse se passado já havia acabado, e o padrão da família Greene —

fingir que estava tudo bem — prevalecia. Para quem estava de fora, com certeza éramos convincentes.

Foi meu pai quem projetara nossa casa. Na época, era a mais moderna do bairro. Todos a chamavam de "a casa de vidro", embora não fosse toda assim, só a frente. Do lado de fora, dava para ver todo o andar de baixo: a sala, dividida por uma enorme lareira de pedra, a cozinha mais ao fundo e a piscina no quintal. Também dava para ver as escadas e parte do segundo andar — a porta do meu quarto, a do quarto de Whitney e o espaço entre elas, onde ficava a chaminé. O restante ficava mais ao fundo, escondido. Então, embora parecesse que dava para ver tudo, não dava. Só pedaços do que parecia um todo.

A sala de jantar, no entanto, ficava na parte da frente da casa, então, quando estávamos comendo, ficávamos expostos. Do meu lugar à mesa, eu sempre via quando os carros passavam diminuindo um pouco a velocidade, o motorista nos observando, a família feliz reunida para uma refeição calorosa. Mas todo mundo sabe que as aparências podem enganar.

Naquela noite, Whitney jantou; foi a primeira vez, mas certamente não a última, que reparei nisso. Kirsten bebeu muitas taças de vinho, e minha mãe repetiu várias vezes o quanto era maravilhoso estarmos finalmente reunidos. A cena se repetiu pelos próximos três dias.

Na manhã em que elas foram embora, minha mãe sentou com as duas à mesa da cozinha e pediu que fizessem uma promessa. Ela queria que Whitney se cuidasse melhor, dormisse mais e mantivesse uma dieta saudável. E pediu a Kirsten que cuidasse de Whitney e tentasse ser compreensiva com a pressão que ela sofria, morando em uma cidade nova e trabalhando tanto.

— Tudo bem? — perguntou, olhando de uma para a outra.

— Tudo bem — Whitney respondeu. — Prometo.

Mas Kirsten balançou a cabeça.

— O problema não sou eu — ela disse, empurrando a cadeira e levantando. — Eu avisei. Só tenho isso a dizer. Você está escolhendo não me ouvir. Só quero que fique bem claro.

— Kirsten — minha mãe disse, mas ela já tinha saído para a garagem, onde meu pai estava guardando as malas no carro.

— Não se preocupe. — Whitney levantou e beijou minha mãe. — Está tudo bem.

Por um tempo, pareceu estar. Whitney continuou trabalhando muito, fez até um ensaio para a *New York Magazine*, o maior de sua carreira até o momento. Kirsten conseguiu um emprego de hostess em um restaurante famoso, e um comercial para a TV a cabo. Se elas não estavam se dando bem, não ficamos sabendo — em vez de uma ligação semanal em que passavam o telefone uma para outra, passaram a ligar separadamente, Kirsten geralmente pela manhã e Whitney à noite. Então, alguns dias antes de voltarem para o Natal, o telefone tocou durante o jantar.

— Desculpe, o quê? — minha mãe disse com o telefone no ouvido, parada na porta que separava a cozinha da sala de jantar. Meu pai se virou para ela quando tapou a outra orelha com a mão livre para ouvir melhor. — O que você disse?

— Gracie? — Meu pai empurrou a cadeira para trás e levantou. — O que foi?

Minha mãe balançou a cabeça.

— Não sei — ela respondeu, passando o telefone para ele. — Não consigo...

— Alô? — meu pai disse. — Quem está falando? Ah... Entendi... Certo... Bom, deve ser um engano... Espere, vou pegar os dados corretos.

Quando ele largou o telefone, minha mãe perguntou:

— Não consegui entender. O que a mulher disse?

— Deu algum problema com o cartão do plano de saúde da Whitney — ele respondeu. — Parece que ela esteve no hospital hoje.

— Hospital? — A voz da minha mãe atingiu aquele tom trêmulo e assustado que sempre fazia meu coração começar a bater mais rápido. — Ela está bem? O que aconteceu?

— Não sei — meu pai respondeu. — Ela já teve alta, mas houve um problema com a cobrança. Preciso encontrar o cartão novo...

Enquanto meu pai foi até o escritório procurar, minha mão voltou ao telefone para tentar conseguir alguma informação. A mulher não revelou muito por questões de privacidade, mas disse que Whitney tinha chegado de ambulância pela manhã e sido liberada havia algumas horas. Assim que meu pai resolveu o problema da cobrança, ligou para o apartamento delas. Kirsten atendeu.

— Eu tentei avisar — foi tudo o que ela disse. Eu conseguia ouvir a voz dela de onde estava sentada. — Eu tentei.

— Passe o telefone para sua irmã — meu pai respondeu. — Agora.

Whitney começou a falar, e eu podia ouvir sua fala rápida, a voz alta e alegre, enquanto meus pais se aproximavam do telefone, juntos. Ouvi a história que ela contou a eles: não tinha sido nada de mais, só uma desidratação — resultado de uma sinusite persistente —, e ela tinha desmaiado durante um ensaio. Parecia pior do que era, chamaram uma ambulância só porque alguém entrara em pânico. Ela não contara antes porque não queria que ninguém ficasse preocupado. Não era nada, nada mesmo.

— Talvez eu devesse passar uns dias aí — minha mãe disse. — Só para garantir.

"Não", foi o que Whitney respondera. Não havia motivo, elas estariam em casa para o Natal em duas semanas, e tudo de que ela precisava para ficar bem era descansar um pouco e dormir.

—Você tem certeza? — minha mãe perguntou.

Sim. Ela tinha certeza.

Antes de desligar, meu pai pediu para falar com Kirsten de novo.

— Sua irmã está bem? — ele perguntou.

— Não — Kirsten respondeu. — Não está.

Mesmo assim, minha mãe não foi. Esse foi o maior mistério, o que, em retrospectiva, nunca consegui entender. Por algum motivo, ela decidiu acreditar na Whitney. O que foi um erro.

Whitney chegou sozinha para o Natal, porque Kirsten ainda precisava trabalhar alguns dias. Meu pai foi buscá-la no aeroporto. Minha mãe e eu estávamos na cozinha preparando o jantar quando eles chegaram. Quando vi minha irmã, não acreditei no que estava diante dos meus olhos.

Ela estava tão magra. Extenuada. Era óbvio, embora ela usasse mais camadas de roupas, ainda mais largas do que as da última vez. Seus olhos estavam fundos, e dava para ver todos os tendões de seu pescoço, se movimentando como as cordas de uma marionete quando Whitney virava a cabeça. Fiquei só a encarando.

— Annabel — ela disse irritada —, vem me dar um abraço.

Soltei o descascador que estava segurando e atravessei a cozinha, hesitante. Quando a abracei, tive a impressão de que ela ia quebrar, de tão frágil que parecia. Meu pai estava em pé atrás dela, segurando a mala. Quando olhei para ele, percebi que também estava chocado com o quanto ela tinha mudado em apenas um mês.

Minha mãe não demonstrou nada. Quando soltei Whitney, ela se aproximou, sorrindo e puxando-a para perto.

— Ah, querida — disse. — Você passou por dias muito difíceis.

Enquanto encostava a cabeça no ombro da minha mãe, Whitney fechou os olhos devagar. Suas pálpebras pareciam quase transparentes. Senti meu corpo estremecer.

— Vamos cuidar de você — minha mãe continuou. — Começando agora mesmo. Vá deixar as coisas no seu quarto e vamos jantar juntos.

— Não estou com fome — Whitney respondeu. — Comi enquanto esperava o voo.

— Comeu? — minha mãe soou chateada. Ela tinha passado o dia inteiro cozinhando. — Bom, coma pelo menos a sopa de legumes. Fiz especialmente para você. Seu sistema imunológico deve estar precisando.

— Só quero dormir, sério — Whitney respondeu. — Estou muito cansada.

Minha mãe lançou um olhar para meu pai, que ainda observava Whitney, sério.

— Tudo bem, então é melhor você deitar um pouco. Mas vai comer alguma coisa mais tarde. Combinado?

Whitney não comeu mais naquela noite. Dormiu direto, sem nem se mexer quando minha mãe entrou no quarto dela com uma bandeja. Na manhã seguinte, ela acordou bem cedo e disse que já tinha comido quando meu pai, que era quem levantava mais cedo na nossa casa, desceu para preparar o café. No almoço, ela estava dormindo de novo. Finalmente, no jantar, minha mãe conseguiu que ela sentasse à mesa.

No instante em que meu pai começou a fatiar o rosbife e servi-lo, percebi claramente que Whitney, sentada ao meu lado, não conseguia ficar parada. Ela se contorcia, nervosa, puxando o punho do moletom largo. Cruzava e descruzava as pernas, então puxava o punho da blusa de novo. O estresse que ela emanava era visível. Quando meu pai colocou na frente dela um prato com carne, batata, vagem e um pedaço grande do famoso pão de alho da minha mãe, ela perdeu o controle.

— Não estou com fome — Whitney disse rápido, empurrando o prato. — De verdade.

—Whitney, coma — meu pai disse.

— *Não quero* — ela respondeu irritada. Minha mãe parecia tão chateada do outro lado da mesa que eu nem conseguia olhar para ela direito. —Vocês estão fazendo isso por causa da Kirsten, né? Foi ela que mandou.

— Não — minha mãe respondeu. — É por sua causa, querida. Você precisa melhorar.

— Não estou doente —Whitney disse. — Estou bem. Só estou cansada. E não vou comer se não estou com fome. Não vou.Vocês não podem me obrigar.

Ficamos todos parados, observando ela puxar o punho do moletom, os olhos fixos na mesa.

— Whitney — meu pai começou —, você está muito magra. Precisa...

— Não me diga do que eu preciso — ela interrompeu, empurrando a cadeira para trás e levantando. —Você não faz ideia do que eu preciso. Se fizesse, não estaríamos tendo essa conversa.

— Querida, queremos ajudar você — minha mãe disse, com a voz suave. — Queremos...

— Então me deixem em paz! — Ela empurrou a cadeira contra a mesa, fazendo todos os pratos pularem, e saiu batendo o pé. Um segundo depois, ouvi a porta da frente abrir e fechar.

Depois de fazer de tudo para tentar acalmar minha mãe, meu pai pegou o carro e foi procurar Whitney. Minha mãe ficou sentada na varanda, esperando. Tratei de terminar logo meu jantar, então cobri todos os pratos, coloquei na geladeira e fui lavar a louça. Estava terminando quando vi o carro do meu pai entrando na garagem.

Ele e Whitney entraram, mas ela não olhou para ninguém. Ficou com a cabeça abaixada, os olhos fixos no chão, enquanto meu pai explicava que minha irmã ia comer um pouco e dormir, na esperança de que no dia seguinte as coisas fossem mais calmas. Não houve discussão ou explicação de como tinham chegado àquele acordo. Estava decidido.

Minha mãe pediu que eu subisse, então não vi Whitney comendo nem ouvi qualquer conversa que possa ter havido depois. Mais tarde, no entanto, quando a casa estava quieta e todos dormiam, desci. Restava só um prato dos que eu havia coberto. Embora parecesse que alguém tinha mexido na comida, não estava nem de perto vazio.

Comi alguma coisa e fui para a sala de TV, onde assisti a episódios repetidos de um reality show de transformação pessoal e o jornal local. Quando finalmente subi de novo, a lua estava brilhando tanto que atravessava o vidro, iluminando tudo. Era sempre estranho ver tanta luz dentro de casa à noite, então tive que cobrir os olhos.

O corredor que levava para o meu quarto e o da Whitney também estava iluminado. A única parte escura ficava no meio, onde estava a chaminé. Senti cheiro de vapor.

Na verdade, senti o próprio vapor na pele. De repente, o ar parecia diferente, mais pesado e úmido. Por um instante, fiquei ali em pé, só sentindo. O banheiro ficava no fim do corredor, e não havia luz saindo pelo vão da porta, mas, quando me aproximei, o vapor ficou mais denso e ouvi barulho de água correndo. Parecia estranho. Esquecer uma torneira ligada, tudo bem, mas o chuveiro? Por outro lado, Whitney estava tão esquisita desde que chegara que tudo era possível. Fui até a porta e abri.

Ela bateu em alguma coisa e voltou na minha direção. Abri de novo com cuidado e senti o vapor grosso em meu rosto, já condensando em minha pele. Eu não conseguia ver nada, só ouvir o barulho da água, então estiquei o braço para a direita, tateando a parede até encontrar o interruptor.

Whitney estava no chão. Foi em seu ombro que a porta tinha

batido quanto tentei abri-la pela primeira vez. Ela estava encolhida, enrolada em uma toalha, com o rosto no chão. O chuveiro, como eu suspeitava, estava aberto, e a água, saindo num volume que o ralo não conseguia escoar, se acumulava.

— Whitney? — eu chamei, me agachando ao lado dela. Não conseguia imaginar o que ela estava fazendo ali no escuro, sozinha, tão tarde. —Você está...

Então olhei para o vaso. A tampa estava levantada, e lá dentro havia uma gosma amarela com manchas vermelhas que eu soube na hora que eram de sangue.

— Whitney. — Encostei a mão em seu rosto. Sua pele estava quente e molhada. Suas pálpebras tremiam. Estiquei os braços e chacoalhei seus ombros. — Whitney, acorda.

Ela não acordou. Mas se mexeu o suficiente para a toalha se abrir. Então, finalmente, vi o que minha irmã tinha feito consigo mesma.

O primeiro pensamento que me ocorreu foi de que seu corpo era só pele e osso. Ossos e juntas, cada articulação da coluna saliente e visível. Os quadris saltavam, os joelhos estavam magros e pálidos. Parecia impossível estar tão magra e ainda viva, e mais ainda que tivesse conseguido esconder aquilo. Quando ela se mexeu de novo, vi a imagem que ficaria para sempre em minha memória: as omoplatas visíveis em sua pele, parecendo as asas quebradas de um filhote de passarinho morto sem penas que um dia eu encontrara no quintal.

— Pai! — gritei, e minha voz soou muito alta naquele cômodo pequeno. — *Pai!*

Só me lembro de algumas cenas do que aconteceu depois. Meu pai tentando colocar os óculos enquanto corria pelo corredor de pijama. Minha mãe atrás dele, em pé no raio de luz no fim do corredor, iluminada, com as mãos no rosto enquanto me empurrava e se agachava ao lado de Whitney, encostando a orelha em seu peito. A ambulância, as luzes dançantes que faziam a casa parecer um caleidoscópio. E o silêncio quando a ambulância se foi, com Whitney e minha mãe dentro, meu pai seguindo no carro. Me mandaram ficar ali, esperando notícias.

Eu não sabia o que fazer. Voltei para o banheiro e limpei tudo. Dei a descarga sem olhar para o vaso, sequei a água que tinha se espalhado pelo chão, levei as toalhas molhadas para a lavanderia e as coloquei na máquina de lavar. Então fui para a sala, iluminada por aquele luar intenso, e esperei.

Foi meu pai quem finalmente ligou, duas horas depois. O toque do telefone me acordou. Quando tirei o aparelho do gancho, o sol se erguia na frente da casa e o céu estava riscado de rosa e vermelho.

— Sua irmã vai ficar bem — ele disse. — Quando chegarmos em casa, explicamos o que aconteceu.

Depois que desliguei, voltei para o quarto, deitei na cama e dormi por mais duas horas até ouvir a porta da garagem se abrir. Quando desci para a cozinha, minha mãe já estava preparando o café, de costas para mim. Ela estava com as mesmas roupas da noite anterior e o cabelo despenteado.

— Mãe? — chamei.

Ela virou. Quando vi seu rosto, meu estômago embrulhou. Foi exatamente como todos aqueles anos antes: a expressão cansada, os olhos inchados de chorar, o assombro. Um pânico repentino me fez querer abraçá-la, protegê-la do mundo e de tudo o que podia fazer com ela, comigo, com qualquer um de nós.

Foi quando aconteceu. Minha mãe começou a chorar. Seus olhos se encheram de lágrimas e ela olhou para as mãos, que estavam tremendo, então começou a soluçar tão alto que o som preenchia a cozinha. Dei um passo à frente, sem saber como lidar com a situação. Por sorte, não precisei.

— Grace. — Meu pai estava parado no corredor que levava ao seu escritório. — Querida, está tudo bem.

Os ombros da minha mãe tremeram enquanto ela respirava fundo.

— Meu Deus, Andrew. Por que nós...

Meu pai foi até ela e a abraçou. Sua silhueta enorme a envolveu. Ela enterrou o rosto em seu peito, os soluços saindo abafados por sua camisa. Saí dali e sentei na sala de jantar. Ainda ouvia minha mãe chorar. O som era terrível. Mas ver era pior.

Meu pai conseguiu acalmá-la e a levou para cima, para que tomasse um banho e tentasse descansar um pouco. Depois desceu e se sentou à minha frente.

— Sua irmã está muito doente — ele disse. — Ela perdeu muito peso e parece que não vem comendo direito há meses. Seu corpo entrou em colapso ontem.

— Ela vai ficar bem? — perguntei.

Ele passou a mão no rosto e demorou um pouco para responder.

— Os médicos acham que ela precisa ser internada em uma clínica imediatamente. Sua mãe e eu... — Ele parou, olhando além de mim, para a piscina. — Só queremos o que é melhor para ela.

— Então ela não vai voltar para casa.

— Não imediatamente — ele respondeu. — É um processo. Temos que esperar para ver o que acontece.

Olhei para minhas mãos, que estavam esticadas sobre a mesa. Sentia a madeira fria em minhas palmas.

— Ontem à noite — comecei —, quando a encontrei, eu...

— Eu sei. — Ele empurrou a cadeira e se levantou. — Mas agora ela vai receber ajuda. Tudo bem?

Assenti. Claramente, meu pai não estava a fim de discutir o impacto emocional do que tinha acontecido. Ele falou sobre os fatos, o prognóstico, e não iria além daquilo.

Depois de alguns dias no hospital, Whitney foi transferida para um centro de tratamento, que ela odiou a ponto de se recusar a falar com meus pais quando iam visitá-la. Mas estava melhorando, pois ganhava peso pouco a pouco, dia a dia. Kirsten chegou na véspera de Natal e encontrou meus pais exaustos e estressados, eu tentando não atrapalhar e nenhuma esperança de um Natal feliz. O que não a impediu de lançar a própria bomba.

— Tomei uma decisão — ela anunciou quando nos sentamos para jantar aquela noite. — Não vou mais trabalhar como modelo.

Na ponta da mesa, minha mãe largou o garfo.

— O quê?

— Não estou mais a fim — Kirsten respondeu, tomando um gole de vinho. — Para falar a verdade, já faz um tempo. E nem tenho conseguido muitos trabalhos mesmo. Mas decidi oficializar minha decisão.

Olhei para minha mãe. Ela já estava tão cansada e triste, e aquilo não ajudava em nada. Meu pai olhava para ela também quando disse:

— Não tome nenhuma decisão precipitada, Kirsten.

— Não é precipitada. Pensei muito sobre o assunto. — De todos nós, ela era a única que ainda estava comendo. Pegou uma garfada de batata enquanto falava. — Quer dizer, vamos falar a verdade, nunca vou pesar cinquenta quilos ou ter um e oitenta de altura.

— Você já conseguiu bastante trabalho sendo exatamente como é — minha mãe disse.

— Um pouco de trabalho — Kirsten corrigiu. — Não o suficiente para viver. E estou nessa desde os oito anos. Tenho vinte e dois. Quero fazer outra coisa.

— Por exemplo? — meu pai perguntou.

Kirsten deu de ombros.

— Não sei ainda. Estou trabalhando no restaurante e uma amiga tem um salão e me ofereceu o cargo de recepcionista. As contas vão ser pagas, ou quase todas. Estou pensando em voltar a estudar, sei lá.

Meu pai arqueou as sobrancelhas.

— Estudar?

— Não fique tão surpreso — Kirsten respondeu, embora fosse um choque para mim também. Mesmo antes de largar a faculdade, Kirsten nunca tinha sido do tipo acadêmica. Na escola, quando não faltava às aulas por causa dos trabalhos como modelo, faltava porque preferia passar o tempo com o namorado da vez. — A maioria das garotas da minha idade já se formou e tem uma carreira de verdade. Acho que estou perdendo isso, sabe? Quero me formar.

— Você pode estudar e continuar trabalhando como modelo — minha mãe disse. — Não precisa ser um ou outro.

— Precisa, sim — Kirsten respondeu. — Para mim, precisa.

Em outras circunstâncias, meus pais teriam estendido a discussão. Mas eles estavam cansados e, embora a característica mais forte de Kirsten fosse a franqueza, a teimosia vinha logo em seguida. De qualquer forma, aquela decisão nem deveria causar tanto espanto, pois já fazia muito tempo que ela não estava comprometida com o trabalho de modelo. Tão perto do colapso da Whitney, no entanto, significava mais. Principalmente para mim, embora não tivesse percebido na época.

Whitney ficou na clínica por trinta dias, durante os quais ganhou cinco quilos. Ela queria voltar para Nova York assim que foi liberada, em janeiro, mas meus pais insistiram que fosse para casa, pois os médicos consideravam que um retorno ao trabalho colocaria em sério risco qualquer progresso que tivesse feito ou poderia fazer a partir de então. Ela começou a frequentar um programa, se consultando com um terapeuta duas vezes por semana e exercitando seu mau humor conosco. Enquanto isso, Kirsten manteve sua palavra e se matriculou em algumas aulas na faculdade enquanto equilibrava os dois outros empregos em Nova York. O que era surpreendente, levando em consideração sua experiência no colégio, era que ela estava amando voltar a estudar e ligava todo fim de semana alegre, cheia de detalhes sobre as aulas. Mais uma vez, minhas irmãs estavam em pontos totalmente opostos e, ao mesmo tempo, muito parecidos: as duas estavam começando tudo de novo, mas só uma delas tinha feito aquela escolha.

Havia semanas em que parecia que a Whitney estava mesmo melhorando, ganhando peso, claramente no caminho certo. E havia outras em que ela se recusava a tomar café da manhã ou meus pais a pegavam fazendo abdominais no quarto tarde da noite, mas só a ameaça de voltar ao hospital e ser obrigada a comer para engordar a fazia voltar a andar na linha. Por todo aquele tempo, uma coisa permaneceu constante: ela não falava com Kirsten.

Não quando ela ligava. Nem quando veio passar um fim de semana em casa na primavera. No início, Kirsten ficou chateada, depois com raiva, antes de finalmente revidar com seu próprio silêncio. Ficamos presos entre as duas, preenchendo silêncios estranhos com palavra que nunca eram suficientes. Desde então, embora meus pais tivessem ido vê-la várias vezes, ela fez questão de não voltar para casa.

Era estranho. Quando criança, eu sempre detestava quando minhas irmãs brigavam, mas elas nem se falarem era pior. A total falta de comunicação, que completava nove meses, era mais assustadora porque parecia permanente.

As mudanças nas minhas irmãs ao longo do ano anterior eram evidentes e impressionantes. Uma delas chamava a atenção pela aparência, a outra podia ser ouvida de longe, querendo ou não. Eu estava onde sempre estive, presa em algum lugar entre as duas.

Mas eu também tinha mudado, ainda que fosse a única a perceber. Estava diferente. Tão diferente quanto minha família era daquilo que parecíamos na noite em que tudo começara — uma família feliz, com nós cinco compartilhando uma refeição em nossa casa de vidro — para qualquer pessoa que passasse de carro pela rua e olhasse para dentro.

4

Na primeira semana de aula, Sophie me ignorou completamente. Foi difícil, mas, quando ela voltou a falar comigo, percebi que preferia seu silêncio.

—Vagabunda.

Era sempre só isso. Uma palavra dita com clareza e desprezo suficiente para machucar. Às vezes, vinha pelas minhas costas, flutuando por cima do ombro quando eu não esperava. Outras, eu a via chegando, e levava bem na cara. A única coisa que permanecia igual era seu timing impecável. No instante em que eu começava a me sentir um pouco melhor ou tinha um momento perto de decente em um dia quase bom, ela estava bem ali para garantir que a sensação não durasse.

Daquela vez, era hora do almoço e eu estava sentada no muro quando ela passou por mim. Emily estava com ela — ultimamente Emily sempre estava com ela. Não olhei para elas. Fiquei concentrada no caderno no meu colo e no trabalho de história que estava fazendo. Tinha acabado de escrever a palavra "ocupação" e fiquei segurando a caneta na página, escurecendo cada vez mais a letra "o", até as duas passarem.

Havia algo de cármico na situação, embora eu não gostasse de pensar a respeito. A verdade era que pouco tempo antes era eu quem andava ao lado de Sophie enquanto ela fazia aquele tipo de coisa, era eu a pessoa que, embora não participasse da maldade, não fazia nada para impedi-la. Como acontecera com Clarke.

Pensando naquilo, ergui a cabeça, observando o pátio até encontrá-la sentada em uma das mesas de piquenique com algumas amigas. Ela estava no fim de um banco, com um caderno aberto à sua frente, ouvindo distraída a conversa das garotas à sua volta enquanto folheava as páginas. Claramente, sentar sozinha naquele primeiro dia tinha sido opcional. Ela não chegou nem perto do muro ou de mim desde então.

Mas Owen Armstrong continuava ali. Outras pessoas iam e vinham, algumas em grupos, outras sozinhas, mas só eu e ele permanecíamos no mesmo lugar. Quem chegava por último sempre mantinha certa distância — cerca de dois metros — ao sentar. Havia outras constantes. Ele nunca comia, ou pelo menos não que eu visse; eu sempre levava um almoço completo, preparado pela minha mãe. Ele parecia não perceber ou ligar para o que qualquer outra pessoa estava fazendo, enquanto eu passava o intervalo convencida de que todos estavam me encarando e falando de mim. Eu fazia a lição de casa; ele ouvia música. Nós nunca, nunca conversávamos.

Talvez fosse porque eu estava passando muito tempo sozinha. Ou porque só conseguia passar alguns minutos do almoço estudando. Qualquer que fosse o motivo, acabei ficando meio fascinada por Owen Armstrong. Todos os dias, fazia questão de lançar uns olhares para ele, catalogando mais algum aspecto de sua aparência ou de seu comportamento. Tinha juntado algumas informações até então.

Por exemplo, os fones de ouvido. Owen parecia estar *sempre* com eles. Claramente, amava música, e mantinha o iPod no bolso, na mão, ou ao seu lado. Também percebi que suas reações ao ouvir música eram bem variadas. Ele costumava ficar completamente imóvel, a não ser pela cabeça balançando, devagar e quase imperceptível. Mas às vezes batia os dedos nos joelhos e, muito raramente, cantarolava, quase alto o suficiente para que eu ouvisse, mas apenas quando ninguém estava passando por ali. Era quando eu mais me perguntava o que ele ouvia, embora imaginasse que a música fosse igual a ele: obscura, raivosa e alta.

E a aparência. O tamanho, claro, era a primeira coisa que qualquer um veria: a altura, os punhos largos, a enormidade de sua presença. Mas havia as pequenas coisas também, como os olhos quase escuros, que eram verdes ou castanhos, e os dois anéis idênticos — ambos achatados, largos e prateados — que usava no dedo do meio de cada mão.

Quando olhei em sua direção dessa vez, ele estava sentado com as pernas esticadas e a cabeça para trás, encostada nas mãos. Um raio de sol iluminava seu rosto. Ele estava com os fones, a cabeça balançando ligeiramente, os olhos fechados. Uma garota carregando uma cartolina passou por mim, então diminuiu o passo ao se aproximar dele. Fiquei olhando para ela, que passou por cima dos pés dele com cuidado, como o João do pé de feijão passando pelo gigante adormecido. Owen nem se mexeu, e ela apressou o passo.

Eu também tinha reagido daquele jeito ao Owen, claro. Era normal. Mas alguma coisa naquela aproximação diária me fez relaxar, ou pelo menos não pular toda vez que ele olhava na minha direção. Naqueles dias eu estava mais preocupada com Sophie, que era uma grande ameaça, ou até com a Clarke, que tinha deixado claro que ainda me odiava.

Parecia estranho que Owen Armstrong fosse mais seguro do que as duas únicas grandes amigas que já tive. Eu estava começando a perceber que o desconhecido nem sempre era o que mais deveríamos temer. As pessoas que nos conhecem melhor podem ser mais perigosas, porque suas palavras e seus pensamentos podem não apenas ser assustadores, mas verdadeiros.

Eu não tinha nenhum histórico com Owen. Mas com Sophie e Clarke era diferente. Tinha um padrão ali, uma conexão, ainda que não quisesse enxergar. Não parecia justo ou certo, mas eu não podia deixar de pensar que talvez tudo aquilo, a situação em que eu estava, não fosse obra do acaso. Talvez fosse exatamente o que eu merecia.

Depois da noite em que Clarke e eu fomos à casa de Sophie devolver as coisas dela, ela começou a andar com a gente. Não houve um convite formal, Sophie simplesmente se encaixou. De repente, havia uma terceira espreguiçadeira na piscina, mais uma mão no jogo de cartas e mais uma coca para carregar da lanchonete. Clarke e eu éramos melhores amigas havia tanto tempo que era legal ter algo novo, e Sophie certamente era aquilo. Com seus biquínis e toda maquiada, cheia de histórias sobre os garotos com quem tinha saído em Dallas, era totalmente diferente de nós.

Também era corajosa e não tinha medo de conversar com garotos. Ou de vestir a roupa que estivesse a fim. Ou de dizer o que pensava. Era parecida com Kirsten nesse aspecto, mas, enquanto a franqueza da minha irmã costumava me deixar nervosa, a da Sophie era diferente. Eu gostava dela, quase a incentivava. Eu não conseguia dizer o que queria, mas sempre podia contar com ela para fazer aquilo. As coisas que Sophie fazia acontecer — sempre um pouco perigosas, pelo menos para mim, mas ao mesmo tempo divertidas — eram coisas pelas quais eu nunca teria passado sozinha.

Mas havia momentos em que eu me sentia desconfortável com ela, embora não conseguisse entender exatamente o porquê. Por mais que tivesse se tornado parte do meu dia a dia, eu não conseguia esquecer o quanto tinha sido maldosa comigo na primeira vez que nos encontramos na lanchonete. Às vezes eu observava Sophie aos pés da minha cama enquanto contava uma história ou pintava as unhas e me perguntava por que ela tinha feito aquilo. E se voltaria a fazer em breve.

Apesar de toda aquela ousadia, no entanto, eu sabia que Sophie também tinha problemas. Seus pais tinham acabado de se separar e, embora ela falasse muito sobre tudo o que o pai comprava para ela quando morava no Texas — roupas, joias e o que ela quisesse —, um dia ouvi minha mãe conversando sobre o divórcio com uma amiga, e parecia que a coisa tinha sido feia. O pai da Sophie tinha deixado a família para ficar com uma mulher muito mais jovem, e a disputa pela casa em Dallas tinha sido dura. O sr. Rawlins supostamente não mantinha nenhum contato com a Sophie ou a ex-mulher. Mas ela nunca falava disso, e eu não perguntava. Pensava que, se ela quisesse falar sobre a situação, falaria.

Enquanto isso, Sophie parecia não parar de falar sobre qualquer outra coisa. Por exemplo, estava sempre dizendo para mim e para Clarke que éramos imaturas. Tudo, aparentemente, estava errado: nossas roupas (infantis), nossas atividades (chatas) e nossas experiências (inexistentes). Embora se interessasse pelo fato de eu ser modelo e parecesse fascinada com minhas irmãs — que a ignoravam, como faziam comigo —, sempre pegava no pé de Clarke.

— Você parece um garoto — ela disse um dia quando fomos ao shopping. — Ficaria muito bonita se tentasse. Por que não usa maquiagem?

— Não posso — Clarke respondeu, assoando o nariz.

— Por favor — Sophie disse. — Seus pais não precisam saber. Passe logo antes de sair e tire antes de voltar para casa.

Clarke não era assim, e eu sabia. Ela se dava bem com os pais e não mentiria para eles. Mas Sophie não desistia. Quando não era a falta de maquiagem, eram as roupas, ou o fato de Clarke estar sempre espirrando, ou de ter que chegar em casa uma hora antes da gente, o que significava que, qualquer coisa que fizéssemos juntas tinha que acabar antes por causa dela. Se eu tivesse prestado mais atenção, talvez tivesse percebido o que estava acontecendo. Mas imaginei que ainda estávamos nos acostumando uma com a outra e que tudo ficaria bem — pelo menos até aquela noite no início de julho.

Era um sábado, e tínhamos ido dormir na casa da Clarke. Os pais dela tinham ido a um concerto, então a casa era toda nossa. Íamos assar uma pizza congelada e ver filmes. Um sábado normal. Ligamos o forno e Clarke estava vendo os filmes disponíveis quando Sophie chegou com uma minissaia jeans, uma regatinha branca que destacava seu bronzeado e sandálias de salto grosso.

— Uau — eu disse quando ela entrou, com os saltos batendo no chão. —Você está bonita.

— Obrigada — ela respondeu. Fui atrás dela até a cozinha.

—Você está muito arrumada para comer pizza — Clarke disse, e espirrou.

Sophie sorriu.

— Não é por causa da pizza.

Clarke e eu nos encaramos.

— Então qual é o motivo? — perguntei.

— Os garotos — ela disse.

— Garotos? — Clarke repetiu.

— Sim. — Sophie sentou no balcão e cruzou as pernas. — Conheci uns garotos hoje, voltando da piscina. Eles disseram que vão estar lá e nos convidaram para ir também.

— A piscina está fechada — Clarke disse, colocando a pizza na fôrma.

— E? — Sophie respondeu. —Todo mundo vai lá. Não é nada de mais.

Eu sabia que Clarke não ia concordar. Primeiro, porque seus

pais iam matá-la se descobrissem. Segundo, porque ela sempre seguia as regras, mesmo as que todo mundo ignorava, como tomar uma ducha antes de entrar na piscina e sempre sair da água assim que o salva-vidas anunciasse o fechamento da piscina.

— Não sei — eu disse enquanto pensava a respeito. — Acho melhor não.

— Ah, por favor, Annabel — Sophie disse. — Não seja covarde. Além do mais, um deles perguntou de você. Ele nos viu juntas e quis saber se você ia.

— Eu? — perguntei.

Ela assentiu.

— Você. E ele é *gato*. O nome dele é Chris Pen-alguma-coisa. Penner? Penning?

— Pennington — eu disse. Senti Clarke me encarando; ela era a única pessoa que sabia que eu gostava dele desde sempre. — Chris Pennington?

— Isso — Sophie disse, confirmando com a cabeça. — Conhecem ele?

Lancei um olhar para Clarke, que agora fazia questão de prestar atenção na pizza que estava colocando no forno.

— Sabemos quem ele é — eu disse. — Não é, Clarke?

— Ele é *muito* gato — Sophie respondeu. — Disseram que estaria lá com os garotos às oito, e que levariam cerveja.

— Cerveja? — perguntei.

— Meu Deus! Calma — ela disse, rindo. — Vocês não precisam beber se não quiserem.

Clarke bateu a porta do forno.

— Não posso sair — disse.

— Ah, pode sim — Sophie respondeu. — Seus pais nem vão ficar sabendo.

— Eu não *quero* — Clarke concluiu. — Vou ficar.

Olhei para ela, sabendo que devia dizer a mesma coisa, mas, por algum motivo, as palavras não saíram. Provavelmente porque eu só conseguia pensar em Chris Pennington perguntando por mim, para quem tinha passado um milhão de tardes olhando.

— Bom — eu disse, me obrigando a dizer alguma coisa. — Talvez…

— Então eu e Annabel vamos — Sophie interrompeu, pulando do balcão. — Sem problemas. Não é, Annabel?

Clarke finalmente se virou para mim. Seus olhos escuros me estudaram cuidadosamente. De repente senti a assimetria de sermos três. Eu estava no meio e precisava escolher um lado. De um estava Clarke, minha melhor amiga, e toda a nossa rotina, tudo o que sempre fizemos. Do outro lado, estavam não só Sophie e Chris Pennington, mas todo um mundo novo, inexplorado e aberto, pelo menos por uma noite. Eu queria ir.

— Clarke — eu disse, dando um passo em direção a ela —, vamos só um pouquinho, tipo, meia hora. Então voltamos, comemos pizza, vemos um filme e tudo mais. Pode ser?

Clarke não era uma pessoa sentimental. Era estoica e totalmente lógica; analisava problemas, fornecia soluções e seguia em frente. Mas, naquele momento, quando eu disse aquilo, vi algo raro em sua expressão: surpresa, seguida de mágoa. Foi tão inesperado e passou tão rápido que eu nem tive certeza de que tinha mesmo acontecido.

— Não — ela disse. — Eu não vou.

Então, foi até o sofá, sentou e pegou o controle remoto. Um segundo depois, estava zapeando pelos canais, as imagens coloridas brilhando na tela.

—Tudo bem. — Sophie deu de ombros, então virou para mim. —Vamos.

Ela começou a andar em direção à porta. Por um segundo, fiquei parada ali. Tudo na cozinha dos Reynolds e naquela noite era tão familiar: o cheiro da pizza no forno, a coca de dois litros em cima do balcão, Clarke em seu lugar no sofá, o meu lugar esperando por mim ao lado dela. Mas então olhei para Sophie no fim do corredor, que estava parada segurando a porta aberta. Atrás dela, a noite não estava tão escura e as luzes da rua brilhavam. Antes que pudesse mudar de ideia, fui em sua direção e saí.

Anos depois, ainda me lembrava daquela noite muito bem. Do que senti ao passar pelo buraco da cerca da piscina, atravessar o estacionamento e ir em direção a Chris Pennington, que sorriu para mim e disse meu nome em voz alta. Do gosto da cerveja que ele me levou quando dei o primeiro gole, da espuma leve na boca. De como foi beijá-lo mais tarde, quando ele me levou para o outro lado da piscina, sentindo seus lábios quentes contra os meus e o frio da parede atrás de mim. O som da risada de Sophie à distância, sua voz carregada pela superfície da água de onde quer que ela estivesse com o melhor amigo de Chris, um cara chamado Bill que tinha ido embora da cidade no fim daquele verão. Todas essas coisas continuavam registradas, mas o momento do qual me lembrava com especial clareza veio depois, quando olhei além da cerca da piscina e vi alguém do outro lado da rua, embaixo de um poste de luz. Uma garota baixa com cabelo escuro, de bermuda, sem maquiagem, que ouvia nossa voz, mas não conseguia nos ver.

— Annabel — ela chamou. —Vamos, está tarde.

Todos paramos de falar. Vi Chris semicerrar os olhos, tentando enxergar no escuro.

— O que é isso?

— Shhh — Bill respondeu. —Tem alguém lá fora.

— Não é ninguém — Sophie disse, revirando os olhos. — É só Clarke — concluiu com a voz nasalada.

— Quem? — Bill perguntou, rindo.

Sophie tapou o nariz com os dedos.

— Clarke — repetiu, com a voz tão parecida com a dela que fiquei chocada.

Senti uma pontada no peito quando todos riram. Olhei para ela, que sabia que estava ouvindo. Ainda estava lá, do outro lado da rua, embaixo da luz. Tinha certeza de que não se aproximaria, eu é que tinha que ir até ela.

— É melhor eu… — comecei, dando um passo à frente.

— Annabel. — Sophie me encarou. Na época, aquele era um olhar novo, mas depois aprendi a reconhecer aquela expressão, uma mistura de irritação e impaciência. Ela me lançou aquele olhar um milhão de vezes ao longo dos anos, sempre que eu não fazia o que ela queria. — O que você está fazendo?

Chris e Bill ficaram nos encarando.

— É que… — comecei, então parei. — Preciso ir.

— Não — Sophie disse. — Não precisa.

Eu devia ter me afastado de Sophie, de tudo aquilo, e feito a coisa certa. Mas não fiz. Mais tarde, disse a mim mesma que tinha sido porque Chris Pennington estava com a mão na minha cintura e era verão; porque, um pouco antes, com os lábios dele nos meus e as suas mãos no meu cabelo, ele tinha sussurrado que eu era maravilhosa. Mas na verdade tinha sido por causa daquele momento com Sophie, tinha sido o medo do que ia acontecer se eu a afrontasse que me impedira. E me envergonhou nos anos seguintes.

Então fiquei onde estava e Clarke foi embora. Mais tarde, quando tentei voltar para a casa dela, as luzes estavam apagadas e a porta trancada. Bati assim mesmo, mas, ao contrário daquela primeira noite em que fomos até a casa da Sophie, a porta não se abriu. Clarke me deixou esperando, como eu tinha acabado de fazer com ela, e, depois de um tempo, fui embora.

Eu sabia que ela estava brava de verdade, mas imaginei que ficaríamos bem. Foi só uma noite, só um erro; ela ia me perdoar.

Mas, no dia seguinte, quando fui até ela na piscina, Clarke nem me olhou e ignorou quando a cumprimentei, virando para o outro lado quando sentei perto dela.

— Por favor — eu disse. Ela não respondeu. — Fui uma idiota por ter ido ontem. Me desculpa, vai?

Mas ela não desculpou nem olhou para mim. Ficou de lado, olhando para a frente. Ela estava tão brava e eu me sentia tão impotente que não consegui ficar ali, então levantei e saí.

— E daí? — Sophie disse quando fui até a casa dela e contei o que tinha acontecido. — Por que você se importa se ela está brava?

— Clarke é minha melhor amiga — respondi. — E agora ela me odeia.

— Ela é uma criança — Sophie retrucou. Eu estava sentada em sua cama, olhando para ela, em pé na frente da penteadeira. Sophie pegou uma escova e passou algumas vezes no cabelo. — E, pra ser sincera, é meio boba, Annabel. Quer dizer, é assim que você quer passar o verão? Jogando cartas e ouvindo Clarke assoar o nariz? Por favor. Você ficou com Chris Pennington ontem à noite. Devia estar feliz.

— Eu estou — respondi, mas não tinha certeza daquilo.

— Que bom. — Ela largou a escova e virou, olhando para mim. — Agora vamos. Pro shopping ou algo assim.

E foi isso. Anos de amizade, todas aquelas tardes jogando buraco e noites comendo pizza e dormindo na casa uma da outra acabaram em menos de vinte e quatro horas. Pensando em retrospecto, talvez eu e Clarke poderíamos ter ficado bem se eu a tivesse abordado mais uma vez. Mas eu não fiz aquilo. Foi como se a passagem do tempo e minha culpa e vergonha abrissem um abismo cada vez maior entre nós. No início, talvez eu pudesse pulá-lo, mas, de repente, ficou grande demais até para que eu olhasse para o outro lado, imagine então chegar até ele.

Clarke e eu nos encontramos depois desse acontecimento, claro. Morávamos no mesmo bairro, pegávamos o mesmo ônibus, íamos à mesma escola. Mas nunca nos falávamos. Sophie virou minha melhor amiga, mas não rolou mais nada com Chris Pennington. Apesar de todas as coisas que ele me disse naquela noite, nunca mais falou comigo. Quanto a Clarke, ela entrou no time de futebol no outono, virou atacante e encontrou um novo grupo de amigas. Um dia, a distância entre nós tinha crescido tanto e andávamos com pessoas tão diferentes que era difícil acreditar que tínhamos sido próximas um dia. Nos meus álbuns de fotografias, no entanto, havia páginas e mais páginas de provas: nós duas em churrascos no quintal, andando de bicicleta, posando na frente de casa, sempre com um pacote de lenços entre nós.

Antes de Sophie, as pessoas sabiam quem eu era por causa das minhas irmãs e da carreira de modelo, mas eu não chegava a ser popular. Mas quando ficamos amigas, tudo mudou. A ousadia da Sophie era perfeita para enfrentar os grupinhos e os dramas do colégio. As garotas mandonas e os comentários sussurrados que sempre me desanimaram não a incomodavam nem um pouco, e descobri que era muito mais fácil cruzar barreiras sociais quando elas já tinham sido derrubadas por Sophie. De repente, tudo a que sempre assisti e que sempre invejei à distância — as pessoas, as festas e, principalmente, os garotos — não estavam só mais próximos, como eram possíveis, tudo por causa dela. O que fazia com que as outras coisas que eu tinha que aguentar, como o mau humor dela e o que tinha acontecido com Clarke, quase valessem a pena. Quase.

De qualquer forma, tudo aquilo acontecera tempos atrás. Mas, no último verão, tinha pensado muito em Clarke, principalmente quando estava sozinha na piscina. Tanta coisa teria sido diferente se eu não tivesse saído naquela noite, se tivesse sentado ao lado dela e deixado Sophie ir sem mim. Mas havia feito minha escolha, e não tinha como voltar atrás. Às vezes, no entanto, no fim da tarde, quando fechava os olhos e começava a cochilar, ouvindo as crianças pulando na água e o apito do salva-vidas, parecia que nada tinha mudado. Pelo menos até que eu acordava na sombra, sentindo o ar frio, muito depois da hora de ir para casa.

Quando cheguei da escola, minha casa estava vazia e a luz da secretária eletrônica piscava. Peguei uma maçã na geladeira e a limpei na camiseta enquanto atravessava a sala para ouvir as mensagens. A primeira era de Lindy, minha agente.

— Oi, Grace, sou eu, retornando sua ligação. Desculpa ter demorado tanto, meu assistente pediu demissão e tenho um temporário inútil cuidando das ligações, ele é um desastre. De qualquer forma, ainda não tive notícias, mas me chamaram para uma reunião no escritório da Mooshka, então acho que logo vamos saber de alguma coisa. Pode deixar que te mantenho informada. Espero que esteja tudo bem. Manda um beijo pra Annabel. Tchau!

Bip. Eu não pensava no teste da Mooshka havia dias, mas claramente minha mãe não podia dizer o mesmo. Segui para a mensagem seguinte, que era de Kirsten. Ela era famosa por deixar gravações longas e cheias de divagações, e frequentemente tinha que ligar de novo porque estourava o limite de tempo. Assim que ouvi sua voz, puxei uma cadeira.

— Sou eu — ela começou. — Estou ligando só para dizer oi e saber como as coisas estão por aí. Estou indo para a aula agora, o dia está lindo por aqui... Não sei se contei, mas me inscrevi em uma aula de comunicação este semestre, muito recomendada por uma amiga, e estou amando. É ensinada sob um ponto de vista psicológico, e estou aprendendo muito... O professor é incrível. Em outras aulas eu acabo viajando um pouco de vez em quando, mesmo que o assunto seja interessante, mas com o Brian é diferente. Sério. Estou até pensando em me formar em comunicação, de tanto que estou aprendendo com essa disciplina... Mas tem também a de cinema, que é muito interessante, então não sei. Enfim, estou quase chegando na sala agora, espero que todos estejam bem. Sinto saudades. Amo vocês, tchau!

Kirsten estava tão acostumada a ser cortada pela secretária eletrônica que sempre falava mais rápido no fim das mensagens, então praticamente vomitou as palavras da última parte, quase sem tempo. Estiquei o braço, apertei o botão SALVAR e a casa ficou em silêncio de novo.

Levantei, peguei minha maçã e atravessei a sala de jantar. Ao chegar na entrada, parei, como sempre, para olhar para a enorme foto em preto e branco que ficava ali. Era da minha mãe com as três filhas, em pé no cais, perto da casa de veraneio do meu tio. Todas estávamos bronzeadas e vestindo branco: Kirsten de calça e camiseta com gola V, minha mãe com um vestido, Whitney de maiô branco e pantalona, eu de regata e saia longa. A água se espalhava até os cantos da moldura atrás de nós.

A foto havia sido tirada três anos antes, durante as férias da família na praia. O fotógrafo era amigo de um amigo do meu pai. Na época, pareceu espontâneo. Meu pai sugerira a pose como quem não tinha pensado muito naquilo, mas na verdade estava planejando havia semanas como presente de Natal para minha mãe. Me lembrei de como seguimos o fotógrafo, um homem alto e esbelto cujo nome não me lembro, pela areia até o cais. Kirsten subiu primeiro, então estendeu a mão para ajudar minha mãe, enquanto Whitney e eu ajudávamos embaixo. Era difícil andar pelas pedras, e me lembrei de como Kirsten guiou minha mãe pelas mais irregulares até chegarmos a um lugar mais plano.

Na foto, estamos todas abraçadas: os dedos da Kirsten seguram os da minha mãe, Whitney está com o braço sobre seus ombros e eu estou na frente, levemente inclinada em direção à minha mãe e com o braço em volta da sua cintura. Ela está sorrindo, Kirsten também, e Whitney está só olhando para a câmera, estonteante como sempre. Embora eu me lembre de ter sorrido todas as vezes que o flash acendera, não reconheço minha expressão na foto. Meu rosto era algo entre o sorriso largo de Kirsten e a beleza penetrante de Whitney.

Mas a foto era linda, a composição perfeita. As pessoas sempre comentavam, pois era a primeira coisa que viam quando entravam em casa. Nos últimos meses, no entanto, a foto me parecia estranha. Eu simplesmente não conseguia mais ver o contraste do branco e preto, ou o modo como as características se repetiam, em medidas diferentes, nos quatro rostos. Em vez disso, quando analisava a foto, via outras coisas. A proximidade entre Whitney e Kirsten, nenhum espaço entre elas. A expressão diferente no meu próprio rosto, mais relaxada. E minha mãe, pequena, conosco à sua volta, puxando-a para perto, protegendo-a com nossos corpos, como se pudesse voar para longe se não estivéssemos ali.

Dei mais uma mordida na maçã e ouvi o carro da minha mãe entrando na garagem. Um segundo depois ouvi portas se fechando e vozes enquanto ela e Whitney entravam.

— Oi — minha mãe disse quando me viu, largando as sacolas de compras em cima do balcão. — Como foi a escola?

— Tudo bem — respondi, dando um passo para trás quando minha irmã passou rápido e sem me cumprimentar, desaparecendo escada acima. Era uma quarta-feira, o que queria dizer que ela tinha acabado de voltar do psicólogo, o que sempre a deixava de mau humor. Eu achava que a terapia ia fazer com que se sentisse melhor, não pior, mas, aparentemente, era mais complicado do que isso. Tudo era mais complicado com Whitney.

— Lindy deixou uma mensagem — eu disse à minha mãe.

— O que ela falou?

— Que o pessoal da Mooshka não ligou ainda.

Ela pareceu decepcionada, mas só por um instante.

— Bom, tenho certeza de que vão ligar.

Minha mãe foi até a pia, abriu a torneira e lavou as mãos, olhando para a piscina pela janela. À luz da tarde, parecia um pouco cansada — as quartas-feiras eram difíceis para ela também.

— E Kirsten ligou. Deixou uma mensagem longa — continuei.

Ela sorriu.

— Não diga.

— O resumo é que está gostando das aulas.

— Que bom ouvir isso — minha mãe respondeu, secando as mãos em um pano de prato. Ela o dobrou, deixou em cima da pia e veio se sentar ao meu lado. — Me conte alguma coisa que aconteceu no *seu* dia hoje. Uma coisa boa.

Boa. Pensei por um instante em tudo o que estava rolando com a Sophie, em minhas observações sobre Owen Armstrong, no fato de que Clarke ainda me odiava. Nenhuma daquelas coisas era boa, nem de longe. Conforme os segundos foram passando, senti o pânico tomar conta de mim, desesperada por algo que compensasse o pessoal da Mooshka não ter ligado, o humor de Whitney, tudo. Ela ainda estava esperando.

— Tem um cara bonitinho na minha aula de educação física — finalmente consegui falar. — Ele veio falar comigo hoje.

— É mesmo? — ela perguntou, sorrindo. Tinha dado certo. — Qual é o nome dele?

— Peter Matchinsky — respondi. — Está no último ano.

Não era mentira. Peter Matchinsky estava na minha aula de educação física, era bonitinho e estava no último ano. E falara comigo naquele dia, mas só para perguntar o que o professor Erlenbach tinha dito sobre o teste de natação. Eu não costumava distorcer a verdade, mas nos últimos meses tinha aprendido a me perdoar por aquelas pequenas edições, porque elas deixavam minha mãe feliz. Ao contrário da verdade nua e crua, que seria a última coisa que ela gostaria de ouvir.

— Um cara bonitinho do último ano — ela repetiu, se ajeitando na cadeira. — Bom, quero saber mais.

E eu falava mais. Ainda que não houvesse o que dizer. Se precisasse, eu preenchia as lacunas da história, tentando deixá-la do tamanho necessário para saciar aquela necessidade, aquela fome pela minha vida, para ser normal de alguma forma. O pior era que havia coisas que eu gostaria de contar à minha mãe, tantas que eu nem conseguia contabilizar, mas nenhuma delas seria digerida facilmente. Ela tinha passado por tanta coisa com minhas irmãs que eu não podia piorar tudo. Então, fazia o que dava para equilibrar a balança, pouco a pouco, palavra por palavra, história por história, mesmo que não fosse verdade.

Costumávamos ser apenas eu e minha mãe no café da manhã. Meu pai só se juntava a nós se fosse trabalhar mais tarde. Whitney nunca saía da cama antes das onze, se pudesse evitar. Então, quando desci algumas semanas depois e encontrei minha irmã de banho tomado, vestida e sentada na mesa com a chave do meu carro à sua frente, senti que alguma coisa estava acontecendo. E não estava enganada.

— Sua irmã vai levar você à escola hoje — minha mãe disse. — Depois vai ficar com seu carro para fazer umas compras e ir ao cinema. Ela pode buscar você à tarde. Tudo bem?

Olhei para Whitney, que me encarava com a boca tensa.

— Claro — respondi.

Minha mãe sorriu e ficou olhando para nós duas.

— Ótimo — ela disse. — Então está tudo certo.

Ela fez o que pôde para parecer casual, mas seu tom deixava claro que não era. Desde que Whitney tinha saído do hospital, minha mãe preferia mantê-la ocupada e à vista, então sempre levava minha irmã até seus compromissos. Whitney vivia pedindo mais liberdade, mas minha mãe se preocupava que, se cedesse, ela abusaria, fazendo exercícios ou alguma outra coisa proibida. Claramente alguma coisa tinha mudado, mas o que ou por que eu não fazia ideia.

Quando saímos, fui automaticamente na direção do banco do motorista, mas parei quando vi Whitney fazendo a mesma coisa. Por um segundo, ficamos nos encarando. Então ela disse:

— Eu dirijo.

— Tudo bem — respondi. — Sem problemas.

A ida foi estranha. Demorei para perceber que fazia algum tempo que eu não ficava sozinha com ela. Não tinha ideia do que dizer. Podia perguntar o que ela ia comprar, mas poderia trazer à tona questões sobre autoimagem, então tentei pensar em outra coisa. Um filme? O trânsito? Nada. Fiquei sentada em silêncio.

Whitney também. Dava para perceber que fazia um tempo que ela não dirigia. Estava sendo muito cautelosa, ficando um pouco mais do que o necessário nas preferenciais, deixando as pessoas entrarem na nossa frente. Quando parou no farol vermelho, vi dois empresários em uma suv encarando-a. Os dois estavam de terno — um deles tinha uns vinte anos e o outro a idade do meu pai. Fiquei imediatamente na defensiva, como se precisasse protegê-la, ainda que ela teria odiado se soubesse. Então percebi que eles não estavam encarando-a porque era muito magra, mas porque era bonita. Eu tinha me esquecido de que minha irmã era a garota mais linda que eu já vira. O mundo, ou pelo menos algumas pessoas, ainda parecia achar isso.

Estávamos quase chegando quando finalmente decidi tentar dizer alguma coisa.

— Então — comecei —, você está animada?

Ela olhou para mim, depois voltou o olhar para a rua.

— Animada — repetiu. — Por que estaria?

— Sei lá — respondi quando entramos no estacionamento. — Talvez porque vai ter o dia inteiro para você.

Por um instante, ela não respondeu, concentrada em manobrar.

— É só um dia — ela finalmente disse. — Eu costumava ter a vida inteira só para mim.

Eu não soube o que responder. "Tá certo. Vejo você mais tarde!" parecia sem graça e até inapropriado. Então só abri a porta e peguei minha bolsa no banco de trás.

— Vejo você às três e meia — ela disse.

— Tudo bem — respondi.

Ela ligou a seta, olhando por cima do ombro. Fechei a porta, e o carro foi embora.

Praticamente não pensei em Whitney durante o dia, pois tinha prova de literatura à tarde e estava nervosa. Com razão. Embora tivesse estudado quase a noite toda *e* ido à revisão que a sra. Gingher fizera na hora do almoço, tinha travado em algumas perguntas. Não consegui fazer nada além de ficar sentada ali, olhando para elas e me sentindo uma idiota, até que o tempo acabou e tive que entregar a prova.

Enquanto descia as escadas rumo à entrada principal para encontrar minha irmã, tirei as anotações da bolsa e dei uma olhada, tentando entender o que tinha deixado passar. Havia uma multidão em frente ao prédio principal, e eu estava tão absorta que só vi o Jeep vermelho quando estava bem na frente dele.

Em um minuto, estava examinando minhas anotações sobre literatura sulista, tentando encontrar uma citação da qual não tinha nenhuma recordação; no próximo, dei de cara com Will Cash. Daquela vez, ele me viu primeiro. Me encarava fixamente.

Desviei o rosto rápido, apressando o passo quando passei na frente de seu carro. Estava quase na outra calçada quando ele me chamou:

— Annabel.

Eu sabia que devia simplesmente ignorá-lo. Mas minha cabeça já estava virando, como por instinto. Ele estava sentado, com uma camisa xadrez, a barba por fazer, óculos escuros na testa que pareciam que iam cair a qualquer momento.

— Oi — ele disse.

Agora eu estava perto o suficiente do carro para sentir o ar--condicionado saindo pela janela aberta.

— Oi. — Uma única palavra, mas saiu retorcida, se enrolando ao subir forçada pela garganta.

Ele não pareceu notar meu nervosismo quando apoiou o cotovelo na janela, então observou o pátio atrás de mim.

— Não vi mais você nas festas — ele disse. — Tem ido?

Uma brisa passou por mim e fez as pontas das minhas folhas de anotação se debaterem, soando como pequenas asas. Apertei os papéis.

— Não — consegui responder. — Não muito.

Senti um calafrio na nuca e me perguntei se ia desmaiar. Não conseguia encará-lo, então me concentrei no chão. De canto de olho, via sua mão descansando na janela aberta, os dedos longos despreocupados batucando a porta do Jeep.

Shhh, Annabel. Sou só eu.

— Bom — ele disse —, acho que vejo você por aí.

Assenti e, finalmente, comecei a me afastar. Respirei fundo, tentando lembrar que estava cercada de pessoas, segura. Foi quando senti que não era bem assim: meu estômago revirou, dando a única resposta que eu não conseguia controlar. *Ah, meu Deus*, pensei, guardando apressada os papéis de novo na bolsa. Joguei a bolsa sobre o ombro, sem tempo de fechar o zíper, e comecei a andar em direção ao prédio mais próximo, rezando para conseguir segurar até chegar ao banheiro. Ou pelo menos até ficar fora de vista. Mas não cheguei muito longe.

— O que foi aquilo?

Era Sophie. Ela estava bem atrás de mim. Parei de andar, mas a bile continuou subindo. Depois de tanto tempo ouvindo uma única palavra dela, foi avassalador. Sophie não parou por ali.

— O que acha que está fazendo, Annabel? — ela perguntou.

Duas garotas mais novas passaram por mim apressadas, com os olhos arregalados. Agarrei a alça da bolsa, engolindo em seco.

— Aquela noite não foi suficiente? Você quer mais?

De alguma forma, consegui voltar a andar. *Não vomite, não olhe para trás, não faça nada,* fiquei dizendo a mim mesma, mas minha garganta estava seca e eu me sentia tonta.

— Não me ignore — Sophie disse. —Vira pra mim, sua vagabunda!

Tudo o que eu queria — tudo mesmo — era sumir dali. Ir para um lugar pequeno em que me sentisse segura, com as quatro paredes perto de mim, sem ninguém me olhando, apontando para mim ou gritando comigo. Mas eu estava ali, num espaço aberto, à vista de todos. Talvez eu devesse ter me rendido, deixado Sophie fazer o que quisesse, como vinha acontecendo havia semanas, mas ela estendeu o braço e agarrou meu ombro.

E alguma coisa estalou em mim. Alto, como um osso quebrando ou um galho se partindo. Antes mesmo que eu me desse conta do que estava fazendo, me virei e a encarei, erguendo as mãos que nem pareciam minhas para afastá-la, batendo em seu peito com força e a empurrando para trás. Foi puro instinto e surpreendeu nós duas, mas principalmente eu.

Ela perdeu o equilíbrio e arregalou os olhos, mas logo se recompôs e avançou em minha direção de novo. Sophie usava uma saia preta e uma regata amarelo-claro. Seus braços bronzeados estavam tensos e o cabelo caía solto por cima dos ombros.

— Meu Deus — ela disse em voz baixa. Recuei, com os pés firmes no chão. — É melhor você...

A multidão estava se fechando ao nosso redor, os corpos se juntavam. Em meio a tudo, eu ouvia o barulho do carrinho do segurança se aproximando.

— Se afastem — o segurança gritou. — Todos para o estacionamento ou para o ponto de ônibus.

Sophie se aproximou de mim.

—Você é uma putinha — ela disse em voz baixa. Ouvi alguém assoviar, e um "uuuuuh", seguido pela voz do guarda, dando o segundo aviso.

— Fique longe do meu namorado — ela disse com a voz ainda baixa. — Está me ouvindo?

Fiquei parada ali. Ainda sentia a pressão do seu peito contra minhas mãos, a sensação de empurrá-la, algo sólido cedendo.

— Sophie... — comecei.

Ela balançou a cabeça, então deu um passo à frente, passando por mim. Seu ombro bateu no meu, com força. Cambaleei, acertando alguém atrás de mim antes de me equilibrar. Todo mundo estava olhando, o borrão de rostos flutuando que a acompanhava conforme ela avançava de repente se virou para mim.

Passei por entre os corpos à minha volta, cobrindo a boca com uma mão. Ouvia as pessoas falando, rindo, enquanto a multidão abria caminho, pouco a pouco, e finalmente consegui sair dali. O prédio principal estava bem na minha frente, rodeado por arbustos altos que iam até os fundos. Corri na direção deles e senti suas folhas espinhentas raspando nas minhas mãos ao passar. Não cheguei muito longe e tive que torcer para estar fora de vista quando me curvei, com uma mão na barriga, e vomitei na grama, tossindo e cuspindo, ouvindo o som áspero nos meus ouvidos.

Ao terminar, notei que minha pele parecia úmida e havia lágrimas em meus olhos. Foi horrível e vergonhoso, um daqueles momentos em que a gente só quer estar sozinha. Principalmente quando percebe que não está.

Não ouvi os passos. Não vi a sombra. De onde eu estava, agachada no chão, com o verde da grama enchendo meus olhos, a primeira coisa que vi foram mãos, com um anel prateado no dedo do meio. Uma pegava minhas coisas. A outra estava estendida para me ajudar.

5

Owen Armstrong parecia um gigante, com a mão enorme estendida na minha direção. De alguma forma, estendi a minha também, e de repente ele entrelaçou os dedos nos meus e me ajudou a ficar em pé. Me mantive firme por mais ou menos um segundo, até ficar tonta de novo e cambalear.

— Opa — ele disse, estendendo as mãos para me segurar. — Espera. É melhor você sentar.

Ele me fez dar dois passos para trás, então senti os tijolos gelados do prédio atrás de mim. Escorreguei pela parede devagar, até sentar na grama. Daquela posição, Owen parecia ainda maior.

De repente, ele largou a mochila. Ela caiu no chão com um som surdo, então Owen se abaixou e começou a procurar alguma coisa lá dentro. Ouvi objetos batendo uns nos outros enquanto eram remexidos e me ocorreu que talvez devesse ficar preocupada. Finalmente, ele parou de procurar. Observei apreensiva sua mão saindo da mochila, devagar, com... um pacote de lenços. Um pacote pequeno, dobrado e amassado, que ele pressionou contra o peito — o peito enorme, meu Deus —, desamassando antes de tirar um e me oferecer. Aceitei como tinha aceitado a mão estendida — com desconfiança e muito cuidado.

— Pode ficar com tudo se quiser — ele disse.

— Não precisa. — Minha voz saiu rouca. — Só um já está bom. — Pressionei o lenço contra a boca, respirando fundo através dele. Owen deixou o pacote ao lado do meu pé mesmo assim. — Obrigada.

— De nada.

Ele sentou na grama ao lado da mochila. Como tinha ido à revisão para a prova na hora do almoço, não o havia visto o dia todo, mas Owen parecia o mesmo de sempre: calça jeans, camiseta gasta na bainha, coturno preto de sola grossa, fones de ouvido. De perto — mais perto —, percebi que tinha algumas sardas no rosto e que seus olhos eram verdes, não castanhos. Então ouvi vozes vindas do pátio; pareciam flutuar sobre nossas cabeças.

— Então... é... você está bem? — ele perguntou.

Fiz que sim com a cabeça e dei uma resposta instantânea.

— Sim. Só fiquei enjoada de repente, não sei...

— Eu vi o que aconteceu — ele disse.

— Ah — comecei. Senti meu rosto ficar vermelho. Eu *ia* tentar esconder. — É. Aquilo foi... péssimo.

Ele deu de ombros.

— Poderia ter sido pior.

— Você acha?

— Claro. — A voz dele não era retumbante como eu imaginava, mas baixa e uniforme. Quase suave. — Você poderia ter dado um soco nela.

Assenti.

— É — respondi. — Acho que sim.

— Foi bom que não fez isso. Não teria valido a pena.

— Não? — perguntei. Para ser sincera, nem tinha considerado o soco.

— Não. Mesmo que a sensação fosse ser boa na hora — ele respondeu. — Confie em mim.

O mais estranho de tudo era que eu confiava. Olhei para o pacote de lenços que ele tinha me oferecido e peguei mais um. Então, ouvi um zumbido vindo da minha bolsa. Meu celular.

Peguei e vi quem estava ligando. Era minha mãe, e refleti por um segundo se devia atender. Já era bem estranho estar sentada ali com Owen sem aquela ligação. Mas também não era como se eu tivesse algo a perder àquela altura, considerando que ele já tinha me visto vomitar — duas vezes, aliás — e perder o controle na frente de metade dos alunos do colégio. Estávamos além das formalidades. Então atendi.

— Alô?

— Oi, querida! — Ela falava tão alto que me perguntei se Owen poderia ouvir. — Como foi seu dia?

Notei o tom um pouco estridente de quando ela estava preocupada, mas fingia não estar.

— Tudo bem — respondi. — Aconteceu alguma coisa?

— Whitney ainda está no shopping — minha mãe disse. — Ela achou umas promoções muito boas e perdeu a primeira sessão do cinema. Como queria *muito* ver o filme, ligou para dizer que vai ficar lá até mais tarde.

Troquei o celular de orelha porque um emaranhado de vozes surgiu ao nosso lado. Owen olhou na direção das pessoas que estavam ali, e elas foram embora um segundo depois.

— Então Whitney não vem me buscar?

— Bom, parece que não — minha mãe respondeu. Claro que minha irmã ia ultrapassar os limites logo no primeiro dia de liberdade. E claro que minha mãe ia dizer "Ah, sim, fique, tudo bem!" e depois ter um ataque de nervos. — Mas posso buscar você — ela continuou. — Ou talvez você possa pegar uma carona com suas amigas.

Minhas amigas. Ah, claro. Balancei a cabeça e passei a mão pelo cabelo.

— Mãe — comecei, tentando manter a voz calma —, é que já está meio tarde e...

— Ah, tudo bem! Estou indo agora mesmo! — ela me interrompeu. — Chego aí em quinze minutos.

Ela não queria sair, e nós duas sabíamos disso. Whitney podia ligar ou aparecer. Ou, pior, não aparecer. Mais uma vez, eu queria que nós duas pudéssemos dizer o que queríamos. Mas aquilo, como tantas outras coisas, era impossível.

— Não precisa — eu disse. — Consigo uma carona.

— Tem certeza? — ela perguntou, mas percebi que ela já soava mais relaxada, pensando que aquele problema, pelo menos, estava resolvido.

— Sim. Eu ligo se não der certo.

— Ótimo — ela disse. Então, quando eu estava quase irritada, concluiu: — Obrigada, Annabel.

Desliguei e fiquei um tempo parada, segurando o celular. Mais uma vez, tudo girava em torno de Whitney. Talvez fosse um dia qualquer para ela, mas, para mim, tinha sido horrível. E, para completar, ia ter que voltar andando para casa.

Lancei um olhar para Owen. Enquanto contemplava o novo problema, ele já tinha pegado o iPod e estava mexendo nele.

— Então você precisa de uma carona — disse sem olhar para mim.

— Ah, não — respondi rápido, balançando a cabeça. — É só minha irmã... dificultando as coisas.

— Sei bem como é — ele disse. Owen apertou um último botão, colocou o iPod no bolso e levantou, limpando a calça. Então pegou a mochila e a jogou sobre o ombro. — Vamos.

Eu estava acostumada com as pessoas me encarando desde a volta das férias. Mas *nada* se comparava aos olhares que Owen e eu atraímos andando juntos em direção ao estacionamento. Cada pessoa por quem passávamos nos encarava fixamente, a maioria descaradamente, e algumas até cochichavam "Meu Deus, você viu aquilo?", sem se preocupar se podíamos ouvir. Mas Owen pareceu nem perceber enquanto me guiava em direção a uma Land Cruiser azul antiga, com uns vinte CDs no banco do passageiro. Ele sentou atrás do volante, tirou os CDs dali e se esticou para abrir a porta para mim.

Entrei e peguei o cinto de segurança. Ia começar a ajustá-lo quando Owen disse:

— Espere. Está meio quebrado. — Ele fez um gesto para que eu entregasse a fivela para ele. Então segurou o cinto, com a mão a uma distância bastante educada da minha barriga, e puxou em um ângulo preciso. De repente, ele tirou um pequeno martelo do compartimento da porta.

Devo ter parecido assustada, pensando em algo do tipo GAROTA DE 17 ANOS É ENCONTRADA MORTA NO ESTACIONAMENTO DA ESCOLA, porque ele olhou para mim e disse:

— Só assim para funcionar.

Ele bateu na fivela com o martelo três vezes antes de puxar o cinto para ter certeza de que estava preso. Ao perceber que sim, guardou-o de volta no compartimento da porta e deu a partida.

— Uau — eu disse, puxando o cinto, que não soltou. — E pra sair?

— É só apertar o botão — ele respondeu. — Essa parte é fácil.

Quando o carro começou a andar, Owen abriu a janela e apoiou o braço ali. Observei ao redor, analisando o interior do carro. O painel estava batido, o couro dos bancos estava gasto em alguns pontos. Cheirava levemente a fumaça, embora o cinzeiro estivesse parcialmente aberto e cheio de moedas, em vez de bitucas. No banco de trás, havia fones de ouvido, um coturno vermelho-escuro e várias revistas.

Mas o que mais havia eram CDs. *Muitos* CDs. Não só os que ele tinha tirado do banco para que eu pudesse sentar, mas pilhas e pilhas, alguns comprados e muitos claramente gravados em casa, empilhados ao acaso no banco e no chão. Voltei a olhar para o painel à minha frente. Embora o carro fosse antigo, o som parecia novo, moderno, com várias luzes piscando.

Assim que percebi aquilo, chegamos à saída do estacionamento. Owen deu a seta e olhou para os dois lados. Então estendeu a mão em direção ao som, aumentando o volume com o polegar antes de virar à direita.

Mesmo depois de ter passado tantos intervalos analisando o garoto, com todos os detalhes que tinha conseguido reunir, ainda havia algo que eu não sabia: o que ele ouvia. Mas tinha meus palpites, então me preparei para ouvir punk rock, thrash metal, qualquer coisa rápida e alta.

Mas, depois de estática, ouvi... um cricrilar. Momentos depois, ele foi seguido por uma voz cantando em uma língua que eu não entendia. O coro de grilos foi ficando cada vez mais alto, e a voz também, como se estivessem chamando um ao outro. Ao meu lado, Owen dirigia e balançava a cabeça levemente.

Depois de mais ou menos um minuto e meio, minha curiosidade me venceu.

— O que é isso? — perguntei.

Ele olhou para mim.

— Cânticos espirituais maias.

— O quê? — Tive que falar mais alto para que me ouvisse, porque o cricrilar estava bem alto agora.

— Cânticos espirituais maias — ele repetiu. — São passados de geração em geração, como tradição oral.

— Ah — eu disse. O canto agora estava tão alto que era quase um grito. — Onde você conseguiu?

Ele estendeu a mão, abaixando um pouco o volume.

— Na biblioteca da universidade — respondeu. — Na coleção de som e cultura.

— Ah — repeti. Então Owen Armstrong era espiritual. Quem diria? Mas, também, quem diria que eu estaria sentada em seu carro, ouvindo música com ele? Eu não. Nem ninguém. E ali estávamos.

— Então, você gosta *mesmo* de música — eu disse, olhando para as pilhas de CDs.

—Você não? — ele retrucou, trocando de pista.

— Claro — respondi. — Quer dizer, todo mundo gosta, né?

— Não — ele respondeu sem rodeios.

— Não?

Owen balançou a cabeça.

— Algumas pessoas *acham* que gostam, mas não têm ideia do que se trata. Estão só se enganando. Tem as pessoas que levam música muito a sério, mas não ouvem as coisas certas. Estão erradas. E tem as pessoas como eu.

Fiquei parada um instante, analisando o garoto. Ele ainda estava com o braço na janela, completamente relaxado no banco, com a cabeça quase encostando no teto. De perto, percebi que ainda era um pouco intimidador, mas por motivos diferentes. Não só por seu tamanho, mas pelos olhos e pelos braços fortes, além do olhar intenso, que concentrou em mim por um instante antes de voltar a prestar a atenção na rua.

— Pessoas como você — disse. — E que tipo de pessoas são essas?

Ele deu a seta de novo e começou a diminuir a velocidade. Mais à frente, eu via minha antiga escola e um ônibus escolar amarelo saindo do estacionamento.

— Do tipo que vive para a música e está sempre procurando por ela, em todos os lugares possíveis. Que não imaginam a vida sem ela. Pessoas iluminadas.

— Ah — respondi, como se aquilo realmente fizesse sentido para mim.

— Quer dizer, se parar para pensar — ele continuou —, a música une as pessoas. É uma força incrível. Pessoas que discordam em relação a todo o resto podem ter a música em comum.

Assenti, sem saber o que responder.

— Além disso — ele continuou, deixando claro que não precisava da minha opinião —, a música é uma constante. E é por isso que temos uma ligação tão visceral com ela, sabe? Porque uma música pode te levar instantaneamente a um momento, um lugar ou até uma pessoa. Não importa o que tenha mudado em você ou no mundo, aquela música permanece a mesma, exatamente como em outro momento. Isso é bem impressionante.

E era mesmo. Assim como aquela conversa, tão diferente de qualquer uma que eu poderia ter imaginado.

—Verdade — respondi devagar. — É mesmo.

Ficamos um instante em silêncio, só ouvindo o cântico.

— O que eu quero dizer — ele retomou — é que sim, eu gosto de música.

— Entendi.

— E agora — ele disse quando entramos em outro prédio da escola —, peço desculpa antecipadamente.

— Desculpa? Por quê?

Ele diminuiu a velocidade até parar no meio-fio.

— Pela minha irmã.

Havia várias garotinhas paradas na entrada principal da Escola Fundamental Lakeview, e logo comecei a analisar seus rostos, tentando adivinhar qual delas era a irmã dele. A garotinha com um estojo de instrumento musical encostada no prédio, com um livro aberto nas mãos? A loira alta com uma mochila grande e um taco de hóquei bebendo uma coca zero? Ou a aposta mais segura, a de cabelo escuro e curtinho, toda de preto, deitada em um banco perto dali, olhando para o céu de braços cruzados com uma expressão de pesar?

Foi quando ouvi uma batida na janela. Ao virar a cabeça, vi uma garotinha magra de cabelo escuro e toda de rosa: rabo de cavalo com laço rosa, batom rosa brilhante, camiseta rosa, calça jeans e chinelos plataforma rosa. Ela gritou:

— Ah, meu Deus! — Estava ofegante e a janela entre nós abafou sua voz. — É *você*!

Abri a boca para dizer alguma coisa, mas de repente ela desapareceu num borrão rosa. Um segundo depois, a porta de trás se abriu e ela entrou.

— Owen, ah, meu Deus! — ela repetiu, com a voz ainda alta e agitada. — Você não me disse que era amigo da Annabel Greene!

Owen olhou para ela pelo retrovisor.

— Mallory, fale um pouco mais baixo — ele disse.

Virei para cumprimentá-la, mas Mallory já estava inclinando o corpo para a frente, enfiando a cabeça entre meu banco e o de Owen, tão perto de mim que senti seu hálito de chiclete.

— Isso é incrível — ela disse. — Quer dizer, é você!

— Oi — eu disse.

— Oi! — ela gritou, então começou a pular no banco. — Ah, meu Deus! Eu amo seu trabalho. Amo mesmo.

— Trabalho? — Owen perguntou.

— Owen, por favor! — Mallory bufou. — Ela é da Lakeview Models! Fez um monte de comerciais locais. Sabe aquele que eu amo, com a garota vestida de líder de torcida?

— Não — Owen respondeu.

— É ela! Não acredito. Não vejo a hora de contar para Shelley e Courtney. Ah, meu Deus! — Mallory abriu a bolsa e pegou o celular. — Ah, será que você pode dizer oi pra elas? Isso seria tão legal e…

Owen virou para trás.

— Mallory.

— Espera um pouco — ela disse, mexendo no celular. — Só quero...

— Mallory — ele repetiu com a voz mais baixa e séria.

— Espera um pouco, Owen!

Ele estendeu o braço e tirou o celular da irmã. Ela ficou encarando com os olhos arregalados, então se virou para Owen.

— Por favor! Só quero que ela diga oi para Courtney.

— Não — ele respondeu, colocando o celular entre nós dois.

— Owen!

— Coloque o cinto — ele disse enquanto se afastava do meio-fio. — E respire fundo.

Depois de uma breve pausa, Mallory fez as duas coisas, de maneira audível. Quando olhei para trás de novo, ela estava sentada, emburrada, com os braços cruzados sobre o peito. Quando viu que eu estava olhando, a menina se animou imediatamente.

— É uma blusa da Lanoler?

— Uma o quê?

Ela inclinou o corpo para a frente, passando os dedos no cardigã que eu estava vestindo.

— É linda! É da Lanoler?

— Eu não... — comecei.

Ela colocou a mão no meu colarinho e puxou a etiqueta para ver.

— É, sim! Ah, meu Deus! Quero *tanto* uma blusa da Lanoler. Eu sempre...

— Mallory — Owen a interrompeu —, não seja escrava dessas marcas.

A menina abaixou a mão.

— Owen! — ela chamou sua atenção. — R e R.

Owen olhou para ela pelo retrovisor. Então respirou fundo, audivelmente.

— O que eu quero dizer, Mallory — Owen retomou, parecendo irritado —, é que a atenção que você dá para marcas e bens materiais me preocupa.

— Obrigada — ela respondeu. — Entendo sua preocupação e agradeço. Mas, como você sabe, moda é a minha vida.

Olhei para Owen.

— R e R?

— Reformule e Redirecione. — Foi Mallory quem respondeu. — Faz parte do programa de gerenciamento de raiva. Quando meu irmão diz algo exagerado, a gente pode dizer o quanto nos magoa, para que ele repita de outro jeito.

Owen estava olhando para ela pelo retrovisor, com uma expressão apática.

— Obrigado, Mallory — ele disse.

— De nada — a menina respondeu. Então abriu um sorriso largo para mim e deu uns pulinhos no banco.

Por um segundo, ficamos em silêncio, o que me deu tempo para processar — ou pelo menos tentar — todas aquelas informações sobre a vida pessoal de Owen Armstrong. Até então, só o fato de ele participar de um programa de gerenciamento de raiva não era surpresa. Mallory, a música e, claro, o fato de eu ter sido apresentada a ambas eram os maiores choques. Pensando bem, não sei o que estava esperando. Quer dizer, ele tinha que ter uma família e uma vida. Eu só nunca tinha imaginado como seriam. Era como quando uma criança encontra a professora ou a bibliotecária no mercado e fica impressionada, porque não imaginava que ela existia fora da escola.

— Muito obrigada pela carona — eu disse a Owen. — Não sei como teria voltado para casa.

— Não tem problema nenhum — ele respondeu. — Só preciso fazer uma...

Ele foi interrompido pelo barulho de Mallory recuperando o fôlego.

— Ah, meu Deus! — ela disse. —Vou ver a sua casa?

— Não — Owen respondeu secamente.

— Mas vamos levar Annabel pra casa!

—Vou deixar você primeiro — ele disse.

— Por quê? — ela perguntou.

— Porque tenho que passar na rádio — Owen respondeu enquanto atravessávamos um cruzamento, saindo da via principal. — A mamãe pediu para deixar você na loja.

Mallory soltou um suspiro, soando chateada.

— Mas Owen...

— Não tem "mas" — ele disse. — Já está decidido.

Ouvi o barulho quando Mallory se jogou, dramática e deprimida, no encosto do banco de trás.

— Não é justo — ela disse um segundo depois.

— A vida não é justa — Owen respondeu. — É melhor se acostumar.

— R e R! — ela disse.

— Não — Owen retrucou. Então ele estendeu a mão e aumentou o volume do som. O cricrilar recomeçou.

Ficamos alguns minutos ouvindo os cânticos maias, tempo suficiente para que eu começasse a me acostumar com eles. Então, de repente, senti uma respiração no meu ouvido.

— Quando você fez aquele comercial — a garotinha perguntou —, eles deixaram você ficar com as roupas?

— Mallory! — Owen a repreendeu.

— O quê?

—Você não pode só relaxar e ouvir a música?

— Isso não é música! São grilos e gritos. — Então ela disse: — Owen é um ditador musical. Ele não deixa ninguém ouvir nada além das coisas estranhas que toca no programa de rádio dele.

—Você tem um programa de rádio? — perguntei a ele.

— É um negócio local — Owen respondeu.

— É a *vida* dele — Mallory disse, dramática. — Meu irmão passa a semana inteira se preparando para o programa, todo preocupado. Mas vai ao ar quando as pessoas normais ainda nem estão acordadas.

— Não toco músicas para as pessoas normais — Owen disse. —Toco para as...

— Iluminadas, a gente sabe — Mallory completou, revirando os olhos. — Eu ouço a 104z. Eles tocam todas as músicas do top quarenta, músicas que dá pra gente dançar. Gosto da Bitsy Bonds. É minha cantora favorita. Fui ao show dela no verão, com todas as minhas amigas. Foi *tão* divertido. Você conhece "Pyramid"?

— Hã... Não sei — respondi.

Mallory se ajeitou no banco e jogou o cabelo para trás.

— *Empilhe mais alto, mais alto, o sol está acima, cheio de fogo. Me beije aqui então vou saber que é verdade, baby. Estou caindo, pirâmide!*

Owen se contorceu.

— Bitsy Bonds não é uma *cantora*, Mallory. Ela é um produto. É falsa. Não tem alma; não tem um ideal.

— E daí?

— E daí — ele respondeu — que ela é mais famosa pela barriga do que pela música.

— Bom — Mallory disse —, a barriga dela é *maravilhosa* mesmo.

Owen balançou a cabeça, claramente incomodado, enquanto entrava em um estacionamento pequeno. Havia uma fileira de lojas à esquerda, e ele parou na frente de uma que tinha um manequim na vitrine usando um poncho e uma calça larga cor de terra. A placa na porta dizia DREAMWEAVERS.

— Muito bem — ele disse. — Chegamos.

Mallory fez uma careta.

— Que ótimo — respondeu com sarcasmo. — Mais uma tarde na loja.

— Seus pais são os donos? — perguntei.

— Sim — Mallory resmungou enquanto Owen devolvia o celular a ela. — É *tão* injusto. Sou obcecada por roupas e minha mãe tem uma loja, mas só vende coisas que eu jamais usaria, nem em um milhão de anos. Nem se estivesse *morta*.

— Se estivesse morta — Owen disse —, você teria problemas maiores do que suas roupas.

Mallory me encarou com a expressão séria.

— Annabel, sério. Só tem, sabe, tecidos e fibras naturais, batiques tibetanos, sapatos veganos.

— Sapatos veganos? — perguntei.

— São horrorosos — ela sussurrou. — Horrorosos. Nem tem de bico fino.

— Mallory — Owen disse. — Por favor, saia do carro.

— Estou indo, estou indo. — Ela se demorou um pouco pegando a bolsa, tirando o cinto de segurança e destravando a porta. — Adorei conhecer você — disse para mim antes de sair.

— Eu também — respondi.

Ela saiu, fechou a porta atrás de si, e foi em direção à loja. Antes de entrar, olhou para trás e acenou para mim com energia, a mão formando um borrão. Acenei de volta. Owen começou a sair com o carro, que parecia menor e mais silencioso sem Mallory.

— Mais uma vez — ele disse ao parar em um farol fechado —, desculpa.

— Imagina — respondi. — Ela é fofa.

—Você não mora com ela. E não tem que ouvir o que ela ouve.

— 104z — eu disse. — "O top da parada, sem palhaçada."

—Você ouve essa rádio?

— Ouvia — respondi. — Quando tinha a idade dela.

Ele balançou a cabeça.

— Se não tivesse acesso a músicas boas… mas já gravei vários CDs para ela. Mallory nem ouve. Prefere essas porcarias, uma rádio que mal toca música entre um comercial e outro.

— Então seu programa é diferente — eu disse.

— Bom… é. — Ele olhou para mim, trocando a marcha enquanto voltava para a via principal. — Quer dizer, é uma rádio comunitária, então não tem comerciais. Mas acho que a gente tem que ser responsável pelo que disponibiliza para as pessoas. Entre poluição sonora e arte, por que não escolher arte?

Fiquei observando o garoto. Claramente, eu tinha me enganado sobre Owen Armstrong. Não sabia muito bem quem achava que ele era, mas certamente não aquela pessoa sentada ao meu lado.

— Onde você mora? — ele perguntou, trocando de pista quando nos aproximamos de um farol.

— Em Arbors — respondi. — Fica a alguns quilômetros do shopping. Você pode…

— Sei onde é — ele disse. — A rádio é lá perto. Tenho que passar lá rapidinho, tudo bem?

— Claro — respondi. — Sem problemas.

A rádio ficava em um prédio quadrado que costumava sediar um banco. Havia uma torre de metal ao lado e um letreiro meio caído na entrada principal. WRUS lia-se em letras pretas. RÁDIO COMUNITÁRIA: RÁDIO PARA TODOS. Havia uma janela grande na frente, através da qual dava para ver um cara sentado em uma cabine de transmissão usando fones de ouvido e falando em um microfone.

No canto da janela dava para ver um letreiro luminoso que dizia o AR — aparentemente, o N estava queimado.

Owen estacionou bem na frente do prédio e desligou o carro antes de virar para pegar uns CDs que estavam no chão. Ele abriu a porta e disse:

— Já volto.

Assenti.

— Tudo bem.

Quando desapareceu dentro do prédio, comecei a ler os nomes escritos à mão em algumas das caixinhas de CD, sem reconhecer nenhum: THE HANDYWACKS (VARIADAS), JEREMIAH REEVES (PRIMEIROS TRABALHOS), TRUTH SQUAD (ÓPERA). De repente, ouvi um barulho. Quando virei, vi um Honda Civic estacionando na vaga ao lado, o que não seria digno de nota, a não ser pelo fato de que o motorista estava usando um capacete vermelho-vivo.

Não era do tipo que os jogadores de futebol americano usam, mas um maior, com mais proteção. O cara parecia ter minha idade e estava vestindo moletom preto e calça jeans. Ele acenou para mim e eu acenei de volta, apreensiva. Ele abriu a janela.

— Oi — disse. — Owen está lá dentro?

— Sim — respondi devagar. Pelo buraco do capacete dava para ver seus olhos grandes e azuis e seus cílios longos. Ele tinha cabelo comprido, preso em um rabo de cavalo que saía por debaixo do capacete. — Disse que volta rápido.

O garoto acenou com a cabeça.

— Legal — ele disse, se ajeitando no banco. Tentei não ficar encarando, mas era difícil. — Meu nome é Rolly.

— Ah. Oi. O meu é Annabel.

— Prazer. — Ele estendeu a mão para pegar um copo de papelão com um canudo e dar um gole. Estava colocando de volta no lugar quando Owen saiu do prédio.

— Ei — Rolly chamou. — Estava passando e vi seu carro. Achei que você ia trabalhar hoje.

— Às seis — Owen respondeu.

— Ah, beleza — Rolly disse, dando de ombros. — Talvez eu passe aí ou sei lá.

— Legal — Owen respondeu. — Rolly?

— Quê?

—Você sabe que ainda está de capacete, né?

Ele arregalou os olhos, então levou as mãos com cuidado à cabeça. Seu rosto ficou vermelho, quase tanto quanto o capacete.

— Ah — ele disse, tirando o capacete. Seu cabelo estava emaranhado e sua testa, marcada. — É. Valeu.

— Sem problemas. Vejo você daqui a pouco.

—Tá.

Rolly deixou o capacete no banco do passageiro, passando a mão na cabeça enquanto Owen entrava no carro. Quando demos ré, acenei para Rolly mais uma vez, que respondeu sorrindo, seu rosto ainda um pouco corado.

De volta à via principal, ficamos um tempo em silêncio, até que o Owen disse:

— É por causa do trabalho dele. Só para você saber.

— O capacete — eu disse.

— É. Ele trabalha em uma academia de defesa pessoal. É o agressor.

— Agressor?

— A pessoa em quem os alunos praticam — disse. — Depois de aprenderem as técnicas. É por isso que ele usa proteção.

— Ah. Então… vocês trabalham juntos?

— Não. Eu entrego pizza. É aqui, né? — ele perguntou quando chegamos à saída de Arbors. Assenti. Ele deu a seta e entrou. — Rolly faz o programa na rádio comigo.

— Ele estuda na Jackson?

— Não. Na Fountain.

A Fountain era um "espaço de aprendizagem alternativo", também conhecido como "escola hippie". Tinha poucos alunos e focava na experiência pessoal, oferecendo matérias eletivas como batique e ultimate frisbee. Kirsten namorou vários caras de lá.

— Esquerda ou direita? — Owen perguntou quando chegamos a um cruzamento.

— Pode ir reto mais um pouco — respondi.

Enquanto dirigíamos pelo bairro, tive a mesma sensação que tivera com Whitney aquela manhã, de que eu precisava pelo menos tentar estabelecer uma conversa.

— Então — eu disse, finalmente —, como você acabou apresentando um programa de rádio?

— Sempre me interessei por isso — Owen respondeu. — Logo que mudei para cá fiquei sabendo de um curso que eles dão na rádio, ensinando o básico. Depois você pode escrever uma proposta para um programa. Se eles aprovarem, você faz um teste para conseguir uma vaga na programação. Eu e o Rolly conseguimos durante o inverno. Mas aí eu fui preso, o que acabou atrasando um pouco as coisas.

Ele disse aquilo com naturalidade, como se estivesse falando sobre uma visita ao Grand Canyon ou sobre ter ido a um casamento.

—Você foi preso? — perguntei.

— Fui. — Ele diminuiu a velocidade em mais um cruzamento. — Entrei em uma briga em um bar. No estacionamento, na verdade.

—Ah — eu disse. — Tá.

— Ouviu falar?

—Talvez, um pouco.

— Então por que perguntou?

Senti meu rosto esquentar. Quando se fazia uma pergunta ousada, podia-se acabar tendo que responder uma também.

— Sei lá — respondi. —Você acredita em tudo o que dizem?

— Não — ele respondeu. Então me observou por um instante antes de voltar a encarar a rua. — Não acredito.

Certo, pensei. Muito bem. Então não tinha sido a única a ouvir boatos. Mas parecia justo. Eu estava cheia de suposições sobre Owen baseadas no que diziam sobre ele, mas não tinha me ocorrido que também havia histórias sobre mim espalhadas por ali. Ou pelo menos *uma* história.

Passamos por mais alguns cruzamentos em silêncio. Então, finalmente, respirei fundo e disse:

— Não é verdade, se é isso que você está se perguntando.

Owen estava trocando de marcha e o motor rangeu quando ele diminuiu a velocidade para virar uma esquina.

— O quê? — ele perguntou.

— O que você ouviu sobre mim.

— Não ouvi nada sobre você.

—Ah, tá bom!

— Não ouvi — ele disse. — Eu diria se tivesse ouvido.

— É mesmo?

— Sim — ele respondeu. Devo ter parecido desconfiada, porque ele acrescentou: — Eu não minto.

—Você não mente — repeti.

— Foi o que eu disse.

— Nunca.

— Não.

Claro que não, pensei.

— É uma boa política — eu disse. — Se você conseguir cumprir.

— Não tenho escolha — ele respondeu. — Guardar as coisas não funciona para mim. Aprendi isso do jeito mais difícil.

Pensei em Ronnie Waterman caindo no estacionamento, sua cabeça batendo no asfalto.

— Então você é sempre sincero? — perguntei.

—Você não é?

— Não — respondi. A resposta veio tão fácil, tão rápido, que eu deveria ter ficado surpresa. Mas, por algum motivo, não fiquei. — Não sou.

— Bom saber, acho — ele disse enquanto chegávamos a mais um cruzamento.

— Não estou dizendo que sou mentirosa. — Ele arqueou as sobrancelhas. — Não foi isso que eu *quis dizer*, pelo menos.

— O que você quis dizer então?

Eu estava me enrolando e sabia daquilo. Ainda assim tentei me explicar.

— É que… nem sempre digo o que estou sentindo.

— Por que não?

— Porque às vezes a verdade machuca — respondi.

— É — ele concordou. — Mas a mentira também.

— Eu não… — Me interrompi, sem saber muito bem como explicar. — Não gosto de magoar as pessoas. Ou de ser motivo de preocupação. Então, às vezes, eu não digo exatamente o que penso. — A ironia era que, ao dizer isso em voz alta, eu estava sendo mais sincera do que vinha sendo havia um bom tempo. Ou do que jamais tinha sido.

— Mas ainda é mentira — ele disse. — Mesmo que a intenção seja boa.

— Sabe de uma coisa? — respondi. —Acho muito difícil acreditar que você é sempre sincero.

— Pode acreditar. É verdade.

Olhei para ele.

— Então se eu perguntasse para você se pareço gorda com essa roupa e você achasse que sim, ia falar.

— Sim.

— Não ia, não.

— Ia. Talvez eu não dissesse exatamente com essas palavras, mas se eu não achasse que você ficasse bem...

— Duvido — eu disse, seca.

— ... e se você *perguntasse* — ele continuou —, eu diria. Mas não falaria isso do nada. Não sou uma pessoa desagradável. Mas, se pedisse minha opinião, eu daria.

Balancei a cabeça, ainda sem acreditar.

— Olha só, como eu disse, para mim, não dizer o que sinto não dá certo. Então eu digo. Pense assim: posso dizer que você é gorda, mas pelo menos não estou dando um soco na sua cara.

— E só existem essas duas opções? — perguntei.

— Nem sempre — ele respondeu. — Mas às vezes, sim. E é bom saber quais são as opções, não é?

Senti que estava quase sorrindo, o que parecia tão estranho que virei a cabeça para o outro lado quando chegamos a mais um cruzamento. Vi um carro estacionado na rua um pouco mais à frente, na metade da quadra, de frente para nós. Um segundo depois, percebi que era o meu.

— Continuo reto? — Owen perguntou.

— Er... não — respondi, inclinando o corpo para a frente. Com certeza era Whitney atrás do volante. Ela estava com a mão no rosto, cobrindo os olhos.

— Então... para onde? Direita? Esquerda? — Owen perguntou. Ele tirou as mãos do volante. — O que foi?

Olhei para Whitney mais uma vez, me perguntando o que ela estava fazendo com o carro estacionado tão perto de casa.

— É a minha irmã — eu disse, fazendo um gesto com a cabeça em direção ao carro.

Owen inclinou o corpo para a frente, olhando para ela.

— Ela... ela está bem?

— Não — eu disse. Talvez aquela coisa de não mentir fosse contagiosa, porque a resposta saiu automaticamente, antes que eu pudesse escolher outras palavras para explicar. — Ela não está.

— Ah — ele disse. Então ficou em silêncio por um instante. — Bom, você quer...

Fiz que não com a cabeça.

— Não — respondi. — Vire à direita.

Ele virou, e me abaixei um pouco no banco. Quando passamos por Whitney, ficou claro que ela estava chorando, os ombros magros tremendo, a mão ainda no rosto. Senti minha garganta fechar e seguimos em frente, deixando-a para trás.

Sabia que Owen estava me observando quando chegamos no cruzamento seguinte.

— Ela está doente — eu disse. — Já faz um tempo.

— Sinto muito — ele disse.

Era o que ele devia dizer. O que qualquer pessoa diria. O estranho era que, depois de tudo o que Owen tinha acabado de contar, eu sabia que ele sentia mesmo. Era um cara sincero.

— Qual é a sua casa? — ele perguntou, virando na minha rua.

— A de vidro — respondi.

— A de vi... — ele começou, mas logo parou. — Ah. Tá.

Era a hora do dia em que o sol batia no vidro de um jeito que refletia o campo de golfe no segundo andar. No primeiro, vi minha mãe parada no balcão da cozinha. Ela veio em direção à porta da frente quando estacionamos, então parou quando viu que era só eu, não Whitney. Pensei na minha irmã, parada a duas ruas dali, e na minha mãe, preocupada em casa, e senti aquele embrulho familiar no estômago, uma mistura de tristeza e obrigação.

— Cara — Owen disse, olhando para a casa. — É impressionante.

— Quem tem casa de vidro... — eu disse. Olhei de novo para a minha mãe, que ainda nos observava. Me perguntei se ela estava curiosa em relação a Owen ou muito distraída para perceber que eu estava em um carro que ela não reconhecia e ainda por cima com um garoto. Talvez pensasse que era Peter Matchinsky, o cara do último ano que fazia educação física comigo.

— Bom — eu disse, pegando a bolsa. — Obrigada pela carona. Por tudo, aliás.

— Sem problemas — ele disse.

Ouvi um carro se aproximando atrás de nós. Um segundo depois, Whitney estava entrando na garagem. Só depois que saiu do carro, levantou a cabeça e nos viu. Levantei a mão para acenar, mas ela me ignorou.

Já sabia o que ia ver quando eu entrasse. Whitney estaria andando desanimada pela casa, ignorando as perguntas alegres da minha mãe. De repente ela ficaria de saco cheio e subiria para o quarto, batendo a porta. Minha mãe ficaria chateada, mas fingiria que não. Eu ficaria preocupada com ela até meu pai chegar em casa, quando todos sentaríamos para jantar como se estivesse tudo bem.

Pensando naquilo tudo, me virei para Owen.

— Então, quando é? — perguntei. — Seu programa.

— Aos domingos — ele respondeu. — Às sete.

—Vou ouvir — eu disse.

— Da manhã — Owen completou.

— *Sete da manhã?* Sério?

— É — ele respondeu, segurando o volante. — Não é o horário ideal, mas a gente tem que aceitar o que oferecem. Pelo menos os madrugadores ouvem.

— Os madrugadores *iluminados* — eu disse.

Owen ficou me observando por um instante, como se tivesse ficado surpreso ao me ouvir dizer aquilo.

— É — disse, e sorriu. — Exatamente.

Quem diria, pensei. *Owen Armstrong sorrindo*. Naquele dia bizarro, aquele tinha sido o acontecimento mais surpreendente.

— Bom, é melhor eu ir — eu disse.

— Tá bom. A gente se vê.

Assenti e olhei para baixo, para soltar o cinto. Como ele tinha dito, eu estava livre com um clique. Era mais difícil entrar do que sair, ao contrário do que costumava acontecer.

Quando fechei a porta atrás de mim, Owen engatou a marcha e deu uma buzinadinha ao partir. Virei para olhar para minha casa e, como esperado, Whitney estava subindo a escada, dois degraus de cada vez. Minha mãe ainda estava no balcão da cozinha, olhando pela janela dos fundos.

"Eu não minto", Owen dissera, com a mesma certeza de alguém que diz que não come carne ou não sabe dirigir. Eu nem sabia se conseguia imaginar uma coisa daquelas, mas mesmo assim invejava a franqueza fácil dele, a capacidade de se abrir para o mundo em vez de se fechar cada vez mais. Principalmente agora, enquanto entrava em casa, onde minha mãe esperava por mim.

6

— Muito bem, garotas, silêncio. Atenção, por favor! Vamos começar! Vou chamar o nome de cada uma...

Eu era da Lakeview Models desde os quinze anos. Todo verão, eles faziam testes para escolher dezesseis garotas para promoções, como posar com escoteiros em um evento ou entregar balões em uma feira. Também aparecíamos em anúncios impressos, participávamos de desfiles e do calendário do Shopping Lakeview, que era distribuído com a lista telefônica atualizada. Era o que estávamos fazendo agora. Deveríamos ter terminado no dia anterior, mas o fotógrafo se enrolou, então tivemos que voltar em uma tarde de domingo para terminar.

Bocejei e me encostei no vaso de planta atrás de mim, observando ao redor. As garotas mais novas estavam todas juntas em um canto, conversando alto, enquanto algumas que eu conhecia dos anos anteriores fofocavam sobre uma festa. As únicas mais velhas estavam sentadas longe de todas as outras, uma com a cabeça para trás e os olhos fechados, outra com um livro. Finalmente, na minha frente, também sozinha, estava Emily Shuster.

Eu a conheci no calendário do ano anterior. Ela era um ano mais nova do que eu e tinha acabado de mudar para a cidade. Não conhecia ninguém e sentou ao meu lado enquanto esperávamos o ensaio fotográfico. Começamos a conversar e acabamos ficando amigas.

Emily era uma pessoa muito querida. Tinha cabelo vermelho curto e rosto em formato de coração. Eu a convidei para sair comigo e com Sophie naquela primeira noite e ela ficou muito animada. Já estava do lado de fora esperando quando parei o carro na frente de sua casa, as bochechas rosadas por causa do ar frio, como se estivesse ali fazia algum tempo.

Sophie não estava muito empolgada. Ela tinha problemas com outras garotas, principalmente com as bonitas, embora fosse maravilhosa. Sempre que eu tinha algum evento da Lakeview Models ou era escolhida para um trabalho, Sophie ficava de mau humor. Algumas características dela me incomodavam. Como quando estourava comigo e agia como se eu fosse burra, e o fato de não tratar bem os outros a não ser que tivesse um motivo — e às vezes nem assim. A verdade era que nossa amizade era complicada, e às vezes eu me perguntava por que ela era minha melhor amiga, considerando que eu quase nunca podia agir com naturalidade e tinha que ignorar os comentários maldosos. Mas então eu pensava no quanto as coisas tinham mudado para mim desde havíamos nos tornado amigas — daquela noite com Chris Pennington em diante, foram inúmeras as experiências que não teriam acontecido sem ela. E, na verdade, eu não tinha mais ninguém. Sophie fazia de tudo para garantir exclusividade.

Na noite em que conheci Emily, fomos a uma festa na A-Frame, uma casa fora da cidade que tinha sido alugada por uns caras que haviam frequentado a Perkins Day, uma escola particular. Eles tinham uma banda chamada Day After e, depois de se formarem, continuaram na cidade, tocando em festivais e tentando conseguir um contrato com alguma gravadora. Enquanto isso, organizavam festas quase todo fim de semana que atraíam alunos do ensino médio e outras pessoas da cidade.

Assim que entramos, percebi as pessoas olhando para a Emily. Ela era mesmo linda, mas estar com a gente — principalmente com Sophie, que era bem conhecida não só na nossa escola, mas na Perkins — fazia com que chamasse ainda mais atenção. Não tínhamos nem chegado até a cerveja quando Greg Nichols, um garoto bem desagradável, se aproximou.

— E aí, garotas? Tudo bem?

— Sai daqui, Greg — Sophie respondeu por cima do ombro. — Não estamos interessadas.

— Não fale pelos outros — ele disse, sem se abalar. — Quem é sua amiga?

Sophie respirou fundo, balançando a cabeça.

Eu respondi:

— Essa é a Emily.

— Oi — Emily cumprimentou, corando.

— Oi — Greg respondeu. —Vou pegar uma cerveja para você.

— Tá bom — ela respondeu. Quando ele se afastou, sem parar de encarar, Emily virou para mim com os olhos arregalados. — Ah, meu Deus! Ele é um gato!

— Não — Sophie respondeu. — Ele não é. E só está falando com você porque já deu em cima de todas as outras garotas daqui.

Emily desanimou na hora.

—Ah.

— Sophie, por favor! — eu disse.

— O quê? — ela disse, puxando um fio da blusa e analisando a multidão. — É verdade.

Provavelmente era, mas ela não precisava ter dito aquilo. Era típico da Sophie. Acreditava que cada um tinha seu lugar e fazia questão de garantir que você soubesse o seu. Era o que tinha feito com Clarke. Era o que fazia comigo. E, agora, era a vez de Emily. Mas embora eu tivesse ficado quieta anos antes, daquela vez sentia que precisava fazer alguma coisa, especialmente porque a garota estava lá por minha causa.

— Vem — eu disse a Emily. — Vamos pegar uma cerveja. Sophie, você quer uma?

— Não — ela respondeu, seca, e virou para o outro lado.

Quando consegui pegar uma bebida e voltei para procurá-la, Sophie tinha desaparecido. *Ficou brava*, pensei. *Não é nenhuma novidade. Resolvo isso em um segundo.* Mas então Greg apareceu de novo, e eu não quis deixar Emily sozinha com ele. Demoramos vinte minutos para nos livrar dele, então a deixei com umas garotas que ela conhecia e fui atrás de Sophie. Encontrei-a na varanda atrás da casa, fumando sozinha.

— Oi — eu disse, mas ela me ignorou. Bebi um gole de cerveja, olhando para a piscina embaixo do deck. Estava vazia e cheia de folhas, com uma espreguiçadeira no fundo.

— Onde está sua amiga? — ela perguntou.

— Sophie, por favor — respondi.

— O quê? Só fiz uma pergunta.

— Ela está lá dentro — eu disse. — E é sua amiga também.

— Não — ela respondeu bufando. — Não é.

— Por que você não gosta dela?

— Ela está no primeiro ano, Annabel. E ela é… — Sophie se interrompeu, dando mais uma tragada no cigarro. — Olha, se você quer sair com ela, fica à vontade. Mas eu não quero.

— Por que não?

— Só não quero. — Sophie ficou me encarando. — O que foi? Não precisamos andar grudadas, sabia? Você não precisa fazer tudo o que eu faço.

— Eu sei — respondi.

— Sabe mesmo? — Ela soltou o ar e uma nuvem de fumaça pairou entre nós. — Porque, sério, você nunca faz *nada* sem mim.

Desde o dia em que a gente se conheceu, fui eu quem consegui todos os caras, fui eu quem fiquei sabendo de todas as festas. Antes de me conhecer, você não fazia nada além de passar lenços para Clarke Rebbolds.

Tomei mais um gole de cerveja. Odiava quando Sophie agia daquele jeito — desagradável, ríspida. Odiava mais ainda quando achava que a culpa era minha, como naquele caso.

— Olha só — eu comecei —, só convidei a Emily para vir com a gente porque ela não conhece ninguém.

— Ela conhece você — respondeu. — E agora Greg Nichols.

— Muito engraçado.

— Não estou fazendo graça. Só estou mandando a real. Não gosto da Emily. Se quer sair com ela, vá em frente. Mas não estou interessada. — Então ela jogou o cigarro no chão, apagou com a bota, virou e entrou na casa.

Fiquei inquieta vendo Sophie se afastar, nervosa. Pensando que talvez estivesse certa, que eu não seria nada sem ela. Parte de mim sabia que aquilo não era verdade, mas havia uma pontinha de dúvida que me incomodava. Com Sophie era sempre tudo ou nada. Ou você estava com ela — mais especificamente, atrás dela — ou contra ela. Não havia meio-termo. Então, embora não fosse fácil ser sua amiga, ser sua inimiga seria muito, muito pior.

Olhei para o relógio e percebi que Emily precisava ir embora logo. Fiquei andando pela festa até encontrá-la conversando com uma garota da agência. Passei um tempo com elas, enquanto Sophie se acalmava. Quando chegou a hora de ir embora, imaginei que o mau humor já tivesse passado.

Fui procurar por Sophie, mas tinha desaparecido de novo. Não estava na sala ou na cozinha. Finalmente virei em um corredor e a vi na outra extremidade, abrindo uma porta. Ela me viu e virou a cara, entrando no cômodo. Respirei fundo e fui até lá. Bati na porta duas vezes.

— Sophie — chamei. — Está na hora de ir embora.

Não tive resposta. Respirei fundo, cruzei os braços e cheguei mais perto da porta.

—Tudo bem — eu disse. — Sei que você está brava, mas vamos embora e conversamos sobre isso depois, tá?

Nada. Olhei para o relógio de novo. Se não saíssemos logo, Emily chegaria tarde em casa.

— Sophie — repeti, pegando na maçaneta. A porta não estava trancada, então abri, devagar, empurrando e já entrando. — Só...

Parei de falar. E de andar. Fiquei ali, com a porta entreaberta, só observando Sophie, que estava encostada em uma parede com um cara em cima dela. Ele estava com uma mão dentro da camiseta dela, a outra subindo pela coxa, os lábios em seu pescoço. Quando dei um passo para trás, surpresa, ele virou e olhou para mim. Era Will Cash.

— Estamos ocupados — ele disse em voz baixa. Seus olhos estavam vermelhos, os lábios a centímetros do ombro dela.

— Eu... Desculpa...

—Vai pra casa, Annabel — Sophie disse, acariciando o cabelo dele, os dedos passando por onde quase encaracolavam, perto do colarinho. —Vai pra casa.

Dei um passo para trás, fechei a porta e fiquei parada no corredor. Will Cash era um dos caras da Perkins Day. Ele tocava guitarra na banda e estava no último ano. Apesar de ser bonito — muito bonito, o tipo de cara que não havia como não notar —, ele tinha uma reputação de ser meio babaca e galinha. Estava sempre com alguma garota, nunca por muito tempo. Sophie, por sua vez, preferia atletas e arrumadinhos, odiava qualquer garoto que fosse minimamente alternativo. Claramente estava abrindo uma exceção. Pelo menos naquele momento.

Naquela noite, tinha tentado ligar várias vezes, mas ela não atendera. No dia seguinte, por volta do meio dia, quando finalmente ligou, nem citou Emily ou o que tinha acontecido entre nós. Só queria falar de Will Cash.

— Ele é maravilhoso — disse. Deu poucos detalhes antes de anunciar que estava a caminho da minha casa, como se o assunto fosse importante demais para uma simples conversa pelo celular. Estava sentada na minha cama, folheando uma *Vogue* velha. — Conhece todo mundo, é um guitarrista incrível e muito inteligente. Além de tudo, é muito gato. Poderia passar a noite toda beijando o cara.

—Você parecia feliz — eu disse.

— Eu estava. E *estou* — ela respondeu, virando uma página e inclinando o corpo para a frente para examinar um anúncio de sapatos. — Ele é exatamente o que eu preciso.

— Então — eu disse, pensando na reputação do Will —, vocês vão se encontrar de novo?

— Claro — ela respondeu, como se fosse uma pergunta idiota. — Hoje à noite. Eles vão tocar na Bendo.

— Bendo?

Ela respirou fundo e afastou o cabelo do pescoço com uma das mãos.

— A casa de shows, em Finley? — Sophie disse. — Por favor, Annabel, você já ouviu falar da Bendo.

— Ah, sim — concordei, embora não fosse verdade.

— Eles tocam às dez — ela disse, virando outra página. —Você pode vir, se quiser.

Ela não estava olhando para mim ao fazer o convite. Sua voz saiu monótona, sem entonação.

— Não posso — respondi. —Tenho que acordar cedo amanhã.

—Você que sabe — ela disse.

Então, naquela noite, fiquei em casa, enquanto Sophie foi para a Bendo assistir ao show da banda e, depois, foi para a A-Frame e passou a noite com Will. Apesar de toda a falação, ele foi o primeiro. Daquele momento em diante, Sophie dedicou toda sua atenção a Will.

Mas eu não conseguia ver o motivo de tanto encanto. Embora Sophie dissesse que ele era carinhoso, engraçado, gato e inteligente (e milhões de outras coisas), nada disso me vinha à mente quando estávamos frente a frente. Will era muito bonito e incrivelmente popular. Mas também era difícil de decifrar, o tipo de cara que é tão bonito que precisaria de uma personalidade calorosa para se tornar acessível. E ele não era assim. Ao contrário, parecia frio e ao mesmo tempo assustadoramente intenso. Sempre que eu me via obrigada a conversar com ele — no carro, quando Sophie ia pagar a gasolina, ou em festas, quando estávamos procurando por ela —, ficava nervosa por causa do jeito que ele me olhava ou do silêncio pesado que se impunha entre nós.

Para piorar, ele parecia saber que me deixava desconfortável, quase como se *gostasse* daquilo. Eu costumava tentar compensar a inquietação falando demais, muito alto ou os dois. Will mantinha o olhar apático e o rosto sem expressão enquanto eu tagarelava ou gaguejava até parar de repente. Eu tinha certeza de que ele me achava burra. Eu *parecia* burra, como uma garotinha tentando impressionar. De qualquer forma, fazia de tudo para evitá-lo, mas nem sempre era possível.

Outras garotas não pareciam ter o mesmo problema. Por isso, namorar Will era bem trabalhoso, mesmo para alguém tão decidida como Sophie. Desde o início, havia rumores, e parecia que, em todos os lugares onde iam, Will sempre conhecia alguém, geralmente uma garota. Levando em consideração o fato de não ter estudado na nossa escola, as histórias que ouvíamos a respeito de seus olhares e — segundo os boatos — mãos abusados eram ainda mais difíceis de confirmar. Além disso, ele tinha uma banda. Resumindo, Sophie estava com as mãos cheias, e o relacionamento deles logo entrou em um ciclo bem definido: Will interagia com outra garota, surgiam boatos, Sophie ia atrás da garota, depois atrás de Will, eles brigavam, terminavam e voltavam. Então começava tudo de novo.

— Não entendo por que você aceita isso — eu disse uma noite enquanto ela dirigia rápido demais por um bairro que não conhecíamos atrás de mais uma garota que supostamente tinha dado em cima de Will em alguma festa.

— É claro que não — Sophie explodiu, virando com tudo à direita, sem parar. — Você nunca se apaixonou, Annabel.

Não respondi nada, porque era verdade. Eu já tinha saído com alguns caras, mas nunca havia namorado. Enquanto Sophie cantava os pneus em mais uma curva, se aproximando de mim para ver os números das casas com o rosto vermelho, pensei que, se amor era aquilo, talvez não estivesse perdendo muita coisa.

— Will poderia estar com qualquer garota que quisesse — ela disse, diminuindo um pouco a velocidade quando chegamos a uma fileira de casas à esquerda —, mas ele *me* escolheu. Está *comigo*. Jamais vou permitir que uma vagabunda qualquer decida mudar isso.

— Mas eles estavam só conversando — eu disse. — Não é? Quer dizer, não significa nada.

— Conversando sozinhos em uma festa sem ninguém por perto? — ela explodiu de novo. — Se você sabe que o cara tem namorada e, mais ainda, que essa namorada sou eu, não existe nenhum motivo para fazer qualquer coisa com ele que possa ser mal interpretada. É uma escolha, Annabel. Se fizer a escolha errada, você só pode culpar a si mesma pelas consequências.

Me ajeitei no banco e fiquei em silêncio enquanto ela estacionava em frente a uma pequena casa branca. A luz da varanda estava acesa e havia um Jetta na garagem, com um adesivo do time de hóquei na grama da Perkins Day no para-choque. Se eu fosse mais corajosa — ou muito burra, talvez — poderia ter sugerido que não era possível que todas as garotas da cidade estivessem tentando atrapalhar o relacionamento dela, então pelo menos *parte* da culpa dos rumores tinha que ser de Will. Mas olhei para Sophie e alguma coisa em sua expressão me fez lembrar daquele dia na piscina tantos anos antes, quando ela apareceu e imediatamente se concentrou em tentar ser amiga de Kirsten. Não importava se minha irmã a ignorava ou era grossa com ela. Quando Sophie decidia que queria alguma coisa, não havia volta. E, apesar de todo aquele drama, estar com Will fazia com que ela fosse mais invejada do que nunca. Sophie não precisava mais seguir a garota mais popular. *Ela* era a garota mais popular. Por isso, me perguntei se o que sentia pelo Will não seria mais ou menos o que eu sentia por ela; ficar com ele talvez era difícil, ficar sem ele seria muito, muito pior.

Ela saiu do carro, se escondendo nas sombras enquanto se aproximava do Jetta. Eu fiquei no carro de Sophie, tentada a desviar o olhar quando ela segurou uma chave entre os dedos e a arrastou pela lateral vermelha do carro, escrevendo o que aquela garota era para ela. Mas não desviei. Fiquei vendo, como sempre fazia, e só virei o rosto quando ela já estava voltando na minha direção, quando eu já era cúmplice do crime.

A ironia era que, embora eu já tivesse presenciado o drama do relacionamento de Will e Sophie o suficiente para conhecê-lo de cor, fui pega de surpresa quando me vi parte dele. Bastou uma decisão equivocada uma noite e, quando percebi, era *eu* quem estava na mira dela — *eu* era a vagabunda, a excluída não só da sua vida, mas da vida que tinha passado a ser a minha.

— Annabel — a sra. McMurty, diretora da agência, chamou, passando atrás de mim. — Você é a próxima, tudo bem?

Fiz que sim e levantei, me ajeitando. Do outro lado do estúdio, vi uma das garotas mais novas, morena e alta, posando desajeitada com uma bandeja azul da loja de artigos domésticos. Fazer o calendário era sempre meio esquisito. Cada garota fotografava um mês, posando com produtos de uma loja local. No ano anterior, tive o azar de cair com a Rochelle Pneus.

— Estenda o braço como se estivesse oferecendo alguma coisa — o fotógrafo disse, e a garota inclinou o corpo para a frente e esticou o pescoço. — Agora foi demais. — Ela ficou vermelha e diminuiu a pose.

Comecei a andar em direção ao fotógrafo, passando por algumas garotas que estavam apoiadas na parede. Estava quase chegando quando Hillary Prescott entrou na minha frente, bloqueando meu caminho.

— Oi, Annabel.

Hillary e eu entramos juntas na agência. No início éramos quase amigas, mas logo aprendi a manter distância, porque ela era muito fofoqueira. Também era uma provocadora, instigando uma reação depois de fazer a fofoca.

— Oi, Hillary — respondi. Ela desembrulhou um chiclete, colocou na boca e me ofereceu um. Fiz que não com a cabeça. — O que anda fazendo?

— Nada demais. — Ela levantou a mão, enrolando uma mecha de cabelo no dedo e olhando para mim. — Como foi seu verão?

Se tivesse sido qualquer outra pessoa, eu teria dado minha resposta-padrão, um "Normal", sem pensar. Mas, como era a Hillary, levantei a guarda.

— Ótimo — respondi, um pouco seca. — E o seu?

— Muito sem graça — ela respondeu, suspirando. Ficou um

tempo mascando o chiclete, e eu podia ver a massa rosa e brilhante em sua língua. — Então, o que aconteceu entre você e Emily?

— Nada — respondi. — Por quê?

Ela deu de ombros.

— É que vocês estavam sempre juntas. Agora nem se falam. É um pouco estranho.

Olhei para Emily, que estava examinando as unhas.

— Sei lá — eu disse. — As coisas mudam... acho.

Hillary me observava com tanta intensidade que eu conseguia sentir que, apesar das perguntas, ela sabia exatamente o que tinha acontecido, ou a maior parte, pelo menos. Mas eu não ia fornecer os detalhes.

— É melhor eu ir. Sou a próxima.

— Tudo bem — ela respondeu, semicerrando os olhos enquanto eu dava a volta nela. — Até mais.

Encostei na parede enquanto esperava, bocejando. Eram duas da tarde, mas eu estava exausta. A culpa era de Owen Armstrong.

Naquela manhã, por coincidência, tinha acordado e olhado para o relógio às 6h57. Quando estava me virando para o outro lado para voltar a dormir, me lembrei do programa. Tinha pensado muito em Owen no sábado, porque de repente ficara muito ciente de todas as mentirinhas que eu contava, desde o "bom" que respondi quando meu pai perguntara como tinha sido o dia na escola na sexta-feira até o aceno de cabeça que fiz quando minha mãe perguntara se eu estava animada por ir à agência. Somando tudo, parecia muita desonestidade, o suficiente para eu começar a querer cumprir o que dizia sempre que possível. Eu tinha dito a Owen que ia ouvir seu programa, então ia fazer aquilo.

Quando liguei o rádio às sete em ponto, só ouvi estática. Me aproximei do aparelho e estava quase encostando a orelha nele no momento em que houve uma explosão de barulho: a erupção repentina de uma guitarra e o bater de pratos de bateria, seguidos por alguém gritando. Dei um pulo, assustada, dando uma cotovelada no rádio e derrubando-o da cama. O aparelho foi ao chão com um estrondo, mas continuou tocando, agora bem alto.

Whitney começou a bater na parede e eu peguei o rádio do chão, abaixando o volume o mais rápido que conseguia. Quando finalmente aproximei o aparelho do ouvido de novo — com cuidado, dessa vez —, a música ainda estava tocando, mas as palavras que a pessoa cantava (gritava, na verdade) eram indecifráveis. Eu nunca tinha ouvido aquele tipo de música, se é que se podia chamar aquilo de "música".

Finalmente, com uma explosão de pratos, terminou. A música seguinte, no entanto, não era melhor. Era meio eletrônica, consistindo em uma série de bipes, com um homem falando por cima, recitando o que parecia uma lista de compras. Durou cinco minutos e meio. Sei disso porque fiquei o tempo todo olhando para o relógio, rezando para que terminasse logo. Então Owen começou a falar.

— Ouvimos Misanthrope, com "Descartes Dream". Antes, Lipo, com "Jennifer". Você está ouvindo Gerenciamento de Raiva aqui na WRUS, sua rádio comunitária. Agora, Nuptial.

Outra música eletrônica longa, seguida por algo que pareciam velhos recitando poemas sobre navios baleeiros, com vozes grossas e irregulares, depois dois minutos de uma harpa bem melosa. Era uma mistura tão grande que nem cheguei perto de me acostumar. Durante uma hora, fiquei sentada ali, ouvindo música atrás de música, esperando por uma que eu pudesse a) entender ou b) gostar. Não aconteceu. Eu não me sentia iluminada. Só exausta.

— Annabel — a sra. McMurty chamou, me trazendo de volta para o presente. — É a sua vez.

Acenei para ela e me aproximei, ficando na frente do pano

de fundo, que agora estava decorado com várias plantas: clorofitos, samambaias e uma palmeira grande em um vaso com rodinhas. Eu tinha ficado com a Floricultura Laurel. Pelo menos era melhor do que a loja de pneus.

Eu não conhecia o fotógrafo, que não me cumprimentou, parecendo muito ocupado mexendo na câmera enquanto um ajudante empurrava o vaso para perto de mim. Uma folha roçou meu rosto.

O fotógrafo olhou para mim.

— Precisamos de mais plantas — ele disse para a sra. McMurty, que estava em pé ao lado. — Ou vou ter que fotografar bem de perto.

— Nós *temos* mais plantas? — ela perguntou ao assistente.

Ele lançou um olhar para a sala ao lado.

— Alguns cactos — respondeu. — E uma figueira, mas parece meio doente.

Houve um estalo quando o fotômetro disparou. Levantei a mão para tirar a folha que estava na frente do meu rosto.

— Isso — o fotógrafo disse, se aproximando e ajeitando a folha de novo onde estava. — Gostei disso. Tipo uma revelação. Faça de novo.

Fiz, segurando um espirro quando a folha encostava de novo em meu rosto. Atrás do fotógrafo, via as outras garotas me observando — as novas, as experientes, Emily. Embora eu andasse incomodada com pessoas me olhando, naquele cenário era familiar, era o que devia mesmo acontecer. Pelo menos por alguns minutos, eu podia parar de pensar no que estava sentindo por dentro e me concentrar na superfície: um olhar, um gesto, uma expressão. Aquela.

— Ótimo — o fotógrafo disse. Um cacto estava se aproximando na minha visão periférica, mas mantive os olhos no fotógrafo enquanto se movimentava à minha volta, o flash disparando enquanto me dizia para me revelar, de novo e de novo.

★

Naquela noite, depois que minha mãe foi dormir e Whitney já estava trancada no quarto, desci para beber água. Meu pai estava sentado na sala, com a TV ligada e os pés em cima do sofá. Quando acendi a luz, ele virou para mim.

— Ah, é você — disse. — Chegou bem na hora de um documentário ótimo sobre Cristóvão Colombo.

— É mesmo? — perguntei, pegando um copo do armário.

— É fascinante — ele respondeu. — Quer ver comigo? É bem educativo.

Meu pai adorava assistir History Channel.

"É a história do mundo", costumava dizer, quando reclamávamos sobre ter que assistir a mais um programa sobre Ricardo III, a queda do Muro de Berlim ou as pirâmides do Egito. Ele normalmente se rendia, admitindo a derrota, e tinha que assistir a programas de moda ou a vários episódios seguidos de reality shows. Quando estava sozinho à noite, a TV era toda dele, mas sempre parecia querer companhia, como se a história fosse ainda melhor se houvesse alguém com quem compartilhá-la.

Geralmente, aquele alguém era eu. Enquanto minha mãe costumava dormir cedo, Whitney reclamava que era chato e Kirsten falava demais, independente do que estivesse vendo. Meu pai e eu éramos uma boa dupla, sentados juntos enquanto a história se desenrolava diante dos nossos olhos. Mesmo que fosse um programa que já tinha visto antes, ele demonstrava interesse, reagindo com gestos e dizendo "Nossa!" ou "Uau!", como se o narrador não apenas pudesse ouvi-lo, mas precisasse de seu comentário para continuar.

Nos últimos meses, no entanto, eu tinha parado com aquilo. Não sabia bem o motivo, mas, sempre que ele convidava, me sentia muito cansada para acompanhar os acontecimentos mundiais, mesmo que já tivessem passado. Sentia o peso do fardo da história. Achava que não conseguiria mais olhar para trás.

— Não, obrigada — respondi. — Foi um dia longo. Estou muito cansada.

— Tudo bem — ele disse, se ajeitando no sofá e pegando o controle. — Fica pra próxima.

— Com certeza.

Peguei minha água e fui até ele. Meu pai ofereceu o rosto para que eu lhe desse um beijo de boa noite. Ele sorriu e apertou um botão. Ouvi a voz do narrador ficar mais alta enquanto eu subia.

— No século xv, os exploradores ansiavam...

No meio da escada, parei, bebi um gole de água e olhei para ele. O controle remoto agora estava em sua barriga, e a luz da tv brilhava em seu rosto. Tentei me imaginar fazendo o caminho de volta, assumindo meu lugar no sofá, mas não consegui. Então deixei-o sozinho assistindo à história se repetir, vendo os mesmos acontecimentos recontados de novo e de novo.

7

Passei o fim de semana inteiro me perguntando o que esperar da próxima vez em que visse Owen no colégio. Se alguma coisa seria diferente depois do que tinha acontecido sexta-feira ou se voltaríamos a compartilhar o silêncio e a distância, como se nada tivesse acontecido. Alguns minutos depois de sentar, ele decidiu por nós.

— E aí, você ouviu?

Larguei o sanduíche, virando para olhar para ele. Ele estava no lugar de sempre, de calça jeans e camiseta preta. O iPod continuava visível, mas os fones de ouvido estavam pendurados no pescoço.

— O programa?

— É.

— Ouvi, sim — disse, assentindo com a cabeça.

— E?

Apesar de ter passado boa parte do fim de semana atenta a quantas vezes eu omitia as coisas ou simplesmente mentia para evitar conflitos, meu primeiro instinto naquele momento foi fazer exatamente aquilo. A honestidade como princípio era uma coisa. Na cara de alguém era outra.

— Bom... — comecei — É... interessante.

— Interessante — ele repetiu.

— É — eu disse. — Eu... é... nunca tinha ouvido aquelas músicas antes.

Ele me observou, estudando meu rosto pelo que pareceu bastante tempo. Então me surpreendeu ao levantar e dar três passos para diminuir a distância entre nós antes de sentar ao meu lado.

— Tudo bem — ele disse. — Você ouviu mesmo?

— Sim — respondi, tentando não gaguejar. — Ouvi.

— Não sei se você lembra, mas você me disse que mentia.

— Eu não disse isso. — Ele arqueou uma sobrancelha. — Disse que às vezes omito a verdade. Mas não estou fazendo isso agora. Ouvi o programa inteiro.

Ele continuava sem acreditar, era óbvio. E não exatamente surpreendente.

Respirei fundo.

— "Jennifer", Lipo. "Descartes Dream", Misanthrope. Uma música com um monte de apitos...

— Você ouviu *mesmo*. — Ele balançou a cabeça. — Então tá. Agora me diga o que realmente achou.

— Eu disse: achei interessante.

— Interessante não é uma palavra.

— Desde quando?

— É uma muleta. Algo que a gente diz quando não quer dizer outra coisa. — Owen se aproximou um pouco mais. — Olha, se você está preocupada com meus sentimentos, não precisa. Você pode dizer o que quiser. Não vou me ofender.

— Eu disse. Eu gostei.

— Fala a verdade. Diz alguma coisa. Qualquer coisa. Manda ver.

— Eu... — comecei a responder, mas parei. Talvez tenha sido pelo fato de Owen desconfiar claramente de mim. Ou minha consciência repentina de que eu raramente dizia a verdade. De qualquer forma, cedi. — Eu... eu não gostei.

Ele bateu na perna.

— Eu *sabia*! Para alguém que mente tanto, você não faz isso muito bem.

Aquilo era bom. Ou não? Eu não tinha certeza.

— Não sou uma mentirosa — eu disse.

— Certo. Você é *gentil* — ele disse.

— Qual é o problema em ser gentil?

— Nenhum. Só que geralmente envolve não dizer a verdade — ele respondeu. — Agora me diga o que realmente achou.

O que realmente achava era que aquilo era um pouco perturbador, como se, de alguma forma, Owen Armstrong soubesse exatamente quem eu era, enquanto nem eu mesma sabia.

— Gostei do formato do programa — respondi —, mas as músicas eram meio…

— Meio o quê? — Ele fez um gesto agitado com as mãos. — Me dê alguns adjetivos. Além de "interessante".

— Barulhentas — respondi. — Bizarras.

— Tudo bem — Ele acenou com a cabeça. — O que mais?

Examinei seu rosto com cuidado, procurando por sinais de que estivesse ofendido ou incomodado. Não vi nenhum, então continuei.

— Bom, a primeira música foi… difícil de ouvir. E a segunda, do Misanthrope…

— "Descartes Dream."

— Me fez dormir. Literalmente.

— Isso acontece — ele disse. — Continue.

Owen comentou aquilo muito despreocupado, como se não se importasse nem um pouco. Então continuei.

— A música da harpa parecia algo que tocaria em um velório.

— Ah! Tudo bem. Ótimo.

— E odiei as eletrônicas.

— Todas?

— Sim.

Ele balançou a cabeça.

— Tá bom, então. Foi um ótimo feedback. Obrigado.

E foi isso. Ele pegou o iPod e começou a apertar botões. Não houve nenhum escândalo, nenhum sentimento ferido, nenhuma ofensa.

— Então... você não se importa? — perguntei.

— Por não ter gostado do programa? — ele disse, sem levantar a cabeça.

— É.

Owen deu de ombros.

— Claro que não. Quer dizer, seria legal se você tivesse gostado. Mas a maioria das pessoas não gosta. Então não é exatamente uma surpresa.

— E isso não incomoda você — eu disse.

— Não muito. No início eu me decepcionava um pouco. Mas a gente se recupera. Do contrário, estaríamos todos nos pendurando pelo pescoço...

— Oi?

— Ei, e os cânticos do mar? — ele perguntou. — Aqueles caras cantando sobre velejar. O que achou?

— Estranho — respondi. — Muito estranho.

— Estranho — ele repetiu devagar. — Hum. Tá bom.

Então ouvi vozes e passos e virei a tempo de ver Sophie cruzando o pátio com Emily. Estava tão distraída com o que tinha acontecido com Owen na sexta que tinha esquecido o confronto que causara tudo aquilo. Naquela manhã, no entanto, a caminho da escola, o pavor se instalara quando comecei a me perguntar o que ia acontecer. Mas, até então, eu só tinha cruzado com ela uma vez, e Sophie só ficou me encarando e resmungou um "vagabunda" quando nos cruzamos. O mesmo de sempre.

Agora, no entanto, ela me encarou e arregalou os olhos antes de cutucar Emily com o cotovelo. As duas ficaram me encarando, então senti meu rosto vermelho e baixei a cabeça.

Owen, por sua vez, não percebeu nada e largou o iPod, passando a mão no cabelo.

— Então você não gostou das músicas eletrônicas? Tipo, de nenhum aspecto delas?

— Não — respondi, balançando a cabeça. — Desculpa.

— Não peça desculpa, é sua opinião. Não tem certo e errado na música, sabe? Só uma grande área cinzenta.

Nesse momento, o sinal tocou, o que me surpreendeu. Eu estava acostumava com o intervalo parecendo interminável, mas aquele tinha passado voando. Estiquei a mão, embrulhando o que havia restado do meu sanduíche, enquanto Owen levantava, guardava o iPod no bolso e pegava os fones.

— Bom, acho que a gente se vê por aí — eu disse.

— É. — Ele colocou os fones no ouvido enquanto eu pegava a mochila, levantando também. — Até mais.

Enquanto Owen se afastava, olhei de novo para o banco. Sophie e Emily ainda me encaravam, claro. Sophie disse alguma coisa e Emily sorriu, balançando a cabeça. Fiquei imaginando o que elas estavam dizendo sobre nós, que histórias iam inventar. Nenhuma delas seria mais estranha do que a verdade: Owen Armstrong e eu talvez virássemos amigos.

Ao pensar naquilo, observei ao redor e encontrei-o na multidão. Ele estava indo em direção ao prédio de artes, com a mochila pendurada em um dos ombros. As duas o encaravam, mas Owen nem percebia. E, se tivesse percebido, eu tinha quase certeza de que não teria se importado. E, por aquilo, mais que pela sinceridade, pela franqueza e por tudo o mais, eu o invejava.

Não passei no teste da Mooshka. Não era uma surpresa, pelo menos para mim, mas minha mãe parecia decepcionada. Pessoalmente, estava aliviada por ter acabado e pronta para seguir em frente. Mas, no dia seguinte, quando tirei meu almoço da mochila, um bilhete caiu.

Annabel,
Só queria dizer que estou muito orgulhosa por tudo o que conquistou e que não quero que desanime por não ter conseguido a campanha da Mooshka. Lindy disse que foi bastante acirrado e que eles gostaram muito de você. Vamos conversar hoje sobre algumas coisas em que ela está pensando que parecem incríveis. Conto tudo à noite. Tenha um ótimo dia.

— Más notícias?

Dei um pulo, assustada. Quando levantei a cabeça, vi Owen parado na minha frente.

— Oi?

— Você parece estressada — ele disse, indicando o bilhete em minhas mãos com um gesto de sua cabeça. — Algum problema?

— Não — respondi, dobrando o bilhete e colocando embaixo da perna. — Está tudo bem.

Ele se aproximou do muro e sentou não exatamente ao meu lado, como no dia anterior, mas tampouco tão longe como antes. Fiquei observando enquanto tirou o iPod do bolso e apoiou as mãos na grama entre nós, examinando o pátio.

Percebi que eu não tinha sido exatamente honesta na última resposta. Claro que ele jamais saberia. E talvez nem se importasse. Mas, por algum motivo, senti necessidade de Reformular e Redirecionar, por assim dizer.

— É uma coisa com a minha mãe — eu disse.

Ele virou a cabeça e me perguntei se estava me achando louca ou se fazia alguma ideia do que eu estava falando.

— Coisa — ele repetiu. — Só pra você saber, "coisa" é mais uma daquelas muletas.

Claro que é, pensei. Então esclareci.

—Tem a ver com o meu trabalho de modelo

— Modelo? — Ele pareceu confuso. — Ah, é. A Mallory falou disso. Você apareceu em um comercial ou sei lá.

— Faço isso desde que era criança. Minhas irmãs também. Mas ando querendo parar.

Pronto. Aquilo que até então eu só tinha pensado finalmente havia sido dito, e para Owen Armstrong, entre todas as pessoas. Era um passo tão grande para mim que poderia ter parado por ali. Mas, por algum motivo, continuei.

— E, sei lá, é complicado, porque minha mãe é bastante envolvida na minha carreira. Se eu parar, ela vai ficar chateada.

— Mas você não quer mais fazer isso — ele disse. — Certo?

—É.

— Então precisa dizer para ela.

—Você fala como se fosse fácil — respondi.

— E não é?

— Não.

Houve uma explosão de risos vinda das portas à nossa esquerda quando um grupo de alunos do primeiro ano saiu, falando alto demais. Owen lançou um olhar para eles, depois voltou a olhar para mim.

— Por que não? — ele perguntou.

— Porque não entro em confronto.

Ele lançou um olhar na direção de Sophie, que estava sentada no banco de sempre com Emily, então voltou os olhos para mim devagar.

— Não sou *boa* em confrontos — corrigi.

— O que aconteceu entre vocês duas, afinal?

— Entre mim e Sophie? — perguntei, embora soubesse que era sobre isso.

Owen assentiu.

— Foi só... Tivemos um desentendimento durante o verão.

Ele não disse nada; eu sabia que estava esperando mais detalhes.

— Sophie acha que eu transei com o namorado dela — completei.

— E você transou?

Claro que ele ia perguntar, na lata. Mas, mesmo assim, senti que meu rosto ficou vermelho.

— Não — respondi. — Não transei.

— Talvez você devesse dizer isso a ela.

— Não é tão simples assim.

— Hum. Você pode me achar louco, mas estou percebendo um padrão.

Abaixei a cabeça, pensando mais uma vez que eu devia ser muito elementar mesmo para ele deduzir tanta coisa sobre mim em menos de uma semana.

— Então, no meu lugar, você...

— Seria sincero — ele completou. — Nos dois casos.

— Você fala como se fosse tão fácil — eu disse.

— Não é. Mas você consegue. Só precisa de prática.

— Prática?

— No programa de gerenciamento de raiva — ele começou —, a gente fazia várias encenações. Sabe, para se acostumar a lidar com as coisas de um jeito melhor.

— Vocês faziam encenações? — repeti, tentando imaginar aquilo.

— Éramos obrigados. Era a sentença. — Ele respirou fundo. —

Mas tenho que admitir que é útil. Para se e quando alguma coisa acontecer, você ter, tipo, um mapa para lidar com a situação.

— Bom, acho que faz sentido.

— Total. — Ele se aproximou um pouco mais. — Então finja que sou sua mãe.

— Oi?

— Sou sua mãe — ele repetiu. — Agora me diga que você não quer mais ser modelo.

Senti meu rosto ficar vermelho.

— Não posso fazer isso — respondi.

— Por que não? — ele perguntou. — É tão difícil assim de acreditar? Acha que não sou um bom ator?

— Não — eu disse. — É que...

— Porque eu sou. Todos *sempre* queriam que eu fosse a mãe.

Fiquei olhando para ele.

— Eu só... É estranho.

— É difícil. Mas não é impossível. Tente.

Uma semana antes, eu nem sabia de que cor eram os olhos dele. Agora, Owen era minha mãe. Pelo menos temporariamente. Respirei fundo.

— Tá bom — eu disse. — Então...

— Mãe — ele me interrompeu.

— O quê?

— Quanto mais precisa você for, mais eficaz o exercício — ele explicou. — Vai com tudo ou nem adianta.

— Tá bom — eu disse de novo. — Mãe.

— Sim?

Isso é tão estranho, pensei.

— É o seguinte — comecei. — Sei que essa coisa de modelo é muito importante para você...

Ele levantou uma mão fazendo um sinal para eu parar.

— R e R. Reformule e Redirecione.

— Por quê?

— *Coisa.* Como eu disse, muleta, muito vago. Em confrontos, você precisa ser o mais clara possível, para evitar mal-entendidos. — Ele se aproximou ainda mais. — Olha, sei que é estranho — disse —, mas funciona. Eu juro.

Aquilo não ajudou muito, e fui passando de desconfortável a envergonhada.

— Sei que minha carreira de modelo é muito importante para você e que gosta de estar envolvida nela — eu disse.

Owen fez um gesto com a cabeça indicando que eu continuasse.

— Mas, para ser sincera — levantei a mão e ajeitei o cabelo atrás da orelha —, ultimamente tenho pensado muito e sinto que…

A verdade é que eu sabia que era só um jogo. Uma encenação. Não era real. Mas, mesmo assim, sentia algo se apoderando de mim. Era como um motor prestes a falhar. Tinha muita coisa em jogo. Fracassar não apenas confirmaria que eu era péssima em confrontos, mas me faria passar vergonha na frente de Owen.

Ele ainda estava esperando.

— Não consigo — eu disse, e desviei o olhar.

— Mas você estava no caminho certo — ele disse, batendo no muro. — Estava quase conseguindo.

— Desculpa — eu disse, pegando o sanduíche de novo. Minha voz soou tensa. — Eu só… não consigo.

Ele ficou me observando por um tempo, então deu de ombros.

— Tudo bem — disse. — Não faz mal.

Ficamos sentados ali, os dois em silêncio por um instante. Eu não fazia ideia do que tinha acabado de acontecer, mas de repente parecia importante. Então ouvi Owen respirar fundo.

— Olha, vou dizer só uma coisa — ele disse. — Deve ser uma

droga, sabe? Ficar guardando uma coisa dessas. Andar por aí todos os dias com tanta coisa para dizer. Você deve ficar muito irritada.

Eu sabia que ele estava falando sobre meu trabalho de modelo. Mas, ao ouvir aquilo, pensei em outra coisa, naquilo que eu jamais poderia admitir, no maior segredo de todos. O que eu nunca ia contar, porque o menor raio de luz que eu deixasse passar faria com que jamais pudesse ser escondido novamente.

— Preciso ir — eu disse, enfiando o sanduíche de volta na mochila. — Eu... tenho que conversar com o professor de inglês sobre um projeto.

— Ah — ele disse. Senti que estava me encarando e me esforcei para não retribuir. — Claro.

Levantei, pegando a mochila.

— Eu... é... a gente se vê depois.

— Tá bom. — Ele pegou o iPod. — Até mais.

Acenei com a cabeça e, de alguma forma, consegui andar, deixando-o para trás. Esperei até chegar à porta do prédio principal para olhar.

Owen estava sentado ali, com a cabeça abaixada, ouvindo música como se nada tivesse acontecido. Lembrei a primeira impressão que tive dele: de que era perigoso, uma ameaça. Agora eu sabia que não era verdade, pelo menos não como pensara. Mas *havia* uma coisa assustadora em Owen Armstrong: ele era honesto e esperava o mesmo de todo mundo. Aquilo me deixava aterrorizada.

Quando me afastei de Owen, senti um alívio no primeiro momento. Mas não durou.

A verdade, percebi ao longo do dia, era que, embora eu mal o conhecesse, tinha sido mais sincera com ele do que com qualquer outra pessoa havia um bom tempo. Ele sabia o que tinha acontecido entre mim e Sophie, sabia da doença de Whitney e sabia que eu não queria ser modelo. Parecia muito para revelar a alguém de quem, no fundo, eu nem me arriscava a ser amiga. Mas só percebi isso ao encontrar Clarke.

Foi depois da sétima aula, no corredor, quando ela estava abrindo o armário. Ela tinha duas tranças no cabelo e estava de calça jeans, camiseta preta e tênis. Uma garota que eu não conhecia passou atrás dela e a chamou. Clarke virou, sorriu e cumprimentou. Tudo muito normal, um momento qualquer em um dia qualquer, mas alguma coisa chamou minha atenção e eu voltei no tempo, até aquela noite na piscina. Outro momento em que tive medo do conflito, medo de ser sincera, medo de falar. Perdi uma amiga naquele dia. A melhor amiga que já havia tido.

Era tarde demais para tentar mudar o que havia acontecido entre mim e Clarke, mas ainda havia tempo de mudar outras coisas. Talvez até eu mesma. Então fui atrás de Owen.

Em uma escola com mais de dois mil alunos, era fácil se perder, e mais fácil ainda perder outra pessoa. Mas Owen se destacava na multidão, então, quando não consegui encontrá-lo e não vi a Land Cruiser azul, achei que já tinha ido embora. Ao pegar meu carro e entrar na rua principal, avistei-o de longe. Ele estava a pé, andando pelo canteiro, com a mochila pendurada em um dos ombros e o fone nas orelhas.

Só quando já estava bem perto dele percebi que podia estar cometendo um erro. Mas temos poucas chances de corrigir as coisas na vida, poucas chances de mudar o futuro, e não podemos mudar o passado. Então diminuí a velocidade e abri a janela.

— Ei — gritei, mas ele não me ouviu. — Owen! — Nada. Apertei a buzina com força. Finalmente, ele virou a cabeça.

— Oi — Owen disse. O carro atrás de mim buzinou e me ultrapassou, irritado. — E aí?

— O que aconteceu com seu carro? — perguntei.

Ele parou de andar e tirou os fones.

— Fiquei na mão — ele respondeu.

É agora, eu disse a mim mesma. *Fale alguma coisa. Qualquer coisa. Anda.*

— Sei bem como é — eu disse. Então estiquei o braço e abri a porta do passageiro. — Entra.

8

A primeira coisa que Owen fez ao entrar no carro foi bater a cabeça no teto — que até aquele momento eu não tinha percebido que era tão baixo.

— Ai — ele disse, esfregando a testa enquanto batia o joelho no painel. — Cara, como esse carro é pequeno.

— É? — perguntei. — Nunca tinha reparado, e tenho um e setenta e dois de altura.

— Você acha muito?

— Achava — respondi, olhando para ele.

— Bom, tenho um e noventa e três — ele disse, tentando empurrar o banco, que já estava afastado ao máximo, para mais longe do painel. Então levantou o braço e tentou apoiá-lo na janela, mas não cabia. Ele ainda tentou cruzar os braços, antes de finalmente posicioná-los ao lado do corpo. — Acho que é relativo.

— Tudo bem aí? — perguntei.

— Tudo — ele disse, sem parecer se importar, como se aquele tipo de coisa acontecesse o tempo todo. — Obrigado pela carona.

— Sem problemas — respondi. — Para onde está indo?

— Para casa. — Ele mexeu o braço de novo, ainda tentando se ajeitar no banco. — É só seguir reto. Não vamos virar por um tempo.

Ficamos em silêncio por alguns minutos. Eu sabia que era hora de dizer o que estava pensando, de me explicar. Respirei fundo para me preparar.

— Como você *aguenta*? — ele perguntou.

Pisquei, sem entender.

— Oi?

Ele continuou.

— Esse silêncio. Esse vazio.

— Do que está falando?

— Disso — ele respondeu, gesticulando. — Dirigir sem música.

— Bom — respondi devagar —, para ser sincera, nem tinha percebido.

Ele se recostou, batendo a cabeça no banco.

— Para mim, esse silêncio é estrondoso.

Aquela frase era muito profunda ou muito contraditória, eu não tinha certeza.

— Bom — eu disse —, meus CDs estão aqui, se você...

Mas Owen já estava abrindo o compartimento entre nós e tirando uma pilha deles. Quando começou a examinar as capas, olhei para ele. De repente fiquei nervosa.

— Não são meus preferidos — eu disse. — São os que eu tenho aqui agora.

— Hum — ele disse, sem levantar a cabeça. Voltei a olhar para a rua, ouvindo as caixas batendo enquanto ele escolhia um. — Drake Peyton, Drake Peyton... Então você gosta desse rock certinho meio hippie?

— Acho que sim — respondi. Aquilo não devia ser bom. — Vi ao vivo no penúltimo verão.

— Hum — ele disse de novo. — Mais Drake Peyton... e Alamance. É country alternativo, né?

— É.

141

— Interessante — ele disse. — Porque eu não imaginava que você... Tiny? É o álbum mais recente?

— Comprei nas férias — respondi, parando em um farol fechado.

— Então é. — Ele balançou a cabeça. — Quer saber? Preciso admitir que estou surpreso. Jamais teria imaginado que você era fã de Tiny. De rap em geral, para falar a verdade.

— Por que não?

Ele deu de ombros.

— Não sei. Acho que imaginei errado. Quem gravou isso aqui pra você?

Olhei para o CD que ele estava segurando e reconheci imediatamente a letra torta.

— Minha irmã, Kirsten.

— Então ela gosta de rock clássico — ele disse.

— Desde a escola — respondi. — Tinha um pôster do Jimmy Page no quarto.

— Hum. — Ele analisou as músicas. — Ela tem bom gosto. Quer dizer, tem Led Zeppelin aqui, mas pelo menos não é "Stairway to Heaven". Aliás — ele disse, parecendo surpreso —, "Thank You" é minha música favorita deles.

— É mesmo?

— É. Tem uma coisa de balada melosa meio irônica, meio honesta. Posso colocar?

— Claro — respondi. — Obrigada por perguntar.

— A gente tem que perguntar — ele disse, esticando o braço. — Só um babaca toma liberdades com o som dos outros. É coisa séria.

A música começou a tocar, baixinho. Owen esticou a mão em direção ao botão do volume e olhou para mim. Quando assenti, ele aumentou. Ao ouvir os primeiros acordes, senti uma pontada de saudade de Kirsten, que, durante o último ano da escola, caracterizado pela rebeldia, tinha desenvolvido uma paixão por rock dos anos 70, que em seu auge a tinha feito ouvir *Dark Side of the Moon*, do Pink Floyd, sem parar por semanas.

Ao me lembrar daquilo, olhei para o Owen, que batucava o próprio joelho. Kirsten jamais hesitaria em dizer o que pensava. Com o CD dela tocando, decidi seguir seu exemplo. Ou pelo menos tentar.

— Então — eu disse. Owen se virou para mim. — Preciso pedir desculpa pelo que aconteceu hoje.

— O que aconteceu hoje?

Fixei os olhos na estrada à minha frente, sentindo o rosto ficar vermelho.

— Quando estávamos fazendo a encenação. Eu surtei e me afastei.

Fiquei esperando um "Tudo bem" ou um "Não se preocupe". Em vez disso, ele perguntou:

— Aquilo foi você surtando?

— Bom, acho que sim — respondi. — Foi.

— Hum — ele disse. — Tá bom.

— Não queria ter ficado tão chateada — expliquei. — Como eu disse, não sei lidar com confrontos. Acho que isso ficou claro. Então... desculpa.

— Tudo bem. — Ele tentou se ajeitar no banco de novo e bateu o cotovelo na porta. — Na verdade...

Esperei que ele terminasse o raciocínio. Como não aconteceu, perguntei:

— O quê?

— É que, para mim, aquilo não foi um surto.

— Não?

Ele confirmou com a cabeça.

— Para mim, surtar é levantar a voz. Gritos. Veias pulsando. Bater num cara num estacionamento. Esse tipo de coisa.

— Não faço isso — respondi.

— Não estou dizendo que devia fazer. — Ele passou a mão no cabelo; o anel que usava no dedo do meio brilhou por um segundo, refletindo a luz. — Só estou falando. Vire na próxima à direita.

Entrei em uma rua bem arborizada. Todas as casas eram grandes, com varandas largas. Passamos por um grupo de crianças jogando hóquei em uma rua sem saída, depois por algumas mães em uma esquina, reunidas em volta de carrinhos de bebê.

— É aqui — ele disse. — A casa cinza.

Parei. A casa era linda, tinha uma varanda larga com um balanço e flores cor-de-rosa em vasos ao lado dos degraus. Um gato amarelo estava deitado na entrada, esticado ao sol.

— Uau — eu disse. — Bela casa.

— Bom, não é de vidro — ele disse. — Mas é bonita.

Ficamos em silêncio por um instante, a situação contrária em relação ao outro dia, quando era ele quem esperava que eu entrasse.

— Olha só — eu disse finalmente —, só queria dizer que você estava certo. É meio difícil ficar segurando tudo. Mas para mim... às vezes é mais difícil ainda falar.

Eu não entendia minha necessidade de falar daquilo de novo. Talvez para finalmente me explicar. Para Owen. Ou para mim.

— É — ele respondeu. — Mas você precisa libertar essas coisas. Ou só vão piorar e, um dia, você vai explodir.

— Não consigo lidar com isso — eu disse. — Não suporto lidar com a raiva das pessoas.

— Raiva não é ruim — ele disse. — É humana. E, de qualquer maneira, se a pessoa está chateada não significa que ela vai ficar assim pra sempre.

Olhei para o volante, cutucando-o.

— Não sei — respondi. — Sempre que as pessoas próximas a mim ficaram chateadas comigo foi o fim. Pra sempre. Tudo mudou.

Owen não disse nada por um instante. Ouvi um cachorro latindo em uma casa no fim da rua.

— Bom — ele finalmente falou —, talvez você não fosse tão próxima delas como imaginava.

— O que você quer dizer com isso?

— Quero dizer que se a pessoa é realmente próxima de você, ficar chateada com ela ou ela ficar chateada com você é normal, ninguém muda por causa disso. Faz parte do relacionamento. *Acontece.* Vocês lidam com a situação.

— Lidar com a situação — repeti. — Não sei nem como fazer isso.

— Bom, faz sentido — ele disse. — Levando em consideração que nunca tentou.

Agora uma música do Rush tocava, e uma minivan passou por nós, levantando algumas folhas caídas das árvores. Eu não fazia ideia de quantos minutos fazia que estávamos ali. Parecia bastante tempo.

—Você parece ter muitas respostas — eu disse.

— Não tenho — ele respondeu, girando um dos anéis no dedo. — Só faço o melhor que posso, considerando as circunstâncias.

— E como está se saindo? — perguntei.

Ele olhou para mim.

— Bom, você sabe — Owen respondeu. — Um dia de cada vez.

Eu sorri.

— Gosto dos seus anéis — disse, fazendo um gesto com a cabeça em direção a eles. — São idênticos.

— Quase. — Ele tirou o que estava na mão esquerda e me entregou. — São tipo um antes e depois. Rolly fez para mim. O pai dele é joalheiro.

O anel pesou em minha mão. A prata era grossa.

— Ele fez isso?

— Não o anel — Owen respondeu. — A gravação. Dentro.

— Ah. — Virei um pouco o anel, para olhar dentro. Ali, em letras maiúsculas, com uma fonte elegante e formal, estava escrito FODA-SE. — Legal.

— Coisa fina, né? — ele disse, e fez uma careta. — Esse sou eu antes da prisão. Eu estava um pouco...

— Raivoso?

—Vamos dizer isso. Este aqui ele fez quando terminei o programa de gerenciamento de raiva. — Owen tirou o outro anel do dedo e segurou em frente ao meu rosto. Com a mesma fonte, do mesmo tamanho, estava escrito OU NÃO.

Dei risada.

— Bom — eu disse, devolvendo o anel para ele. — É sempre bom saber quais são as opções.

— Exatamente.

Então ele sorriu para mim e senti meu rosto ficando vermelho de novo, mas não de vergonha ou ansiedade... era outro tipo de sentimento. Que eu nunca imaginei que fosse sentir por Owen Armstrong. Jamais. Mas o momento foi interrompido por uma voz.

— Annabel! — Olhei para a direita e vi Mallory. Ela tinha aparecido na janela de Owen, de onde acenava com um sorriso largo. — Oi!

— Oi — respondi.

Fez um gesto para que o irmão abrisse o vidro. Ele obedeceu, devagar, claramente relutante. Assim que possível, ela enfiou a cabeça dentro do carro.

— Ai, meu Deus, amei sua camiseta! É da Tosca?

Olhei para baixo.

— Pode ser — respondi. — Minha mãe comprou para mim.

—Você é tão sortuda! Amo a Tosca. É, tipo, minha loja favorita no mundo inteiro. Vai entrar?

— Entrar? — perguntei.

— Em casa. Vai jantar com a gente? Ah, você *precisa* jantar com a gente!

— Mallory — Owen disse, esfregando a mão no rosto. — Por favor, pare de gritar.

Ela o ignorou, enfiando a cabeça ainda mais para dentro do carro.

—Você pode ver o meu quarto — ela disse, com os olhos arregalados, bastante animada. — E meu armário! Posso mostrar...

— Mallory — Owen repetiu. — Se afaste do carro.

—Você gostou da minha roupa? — ela perguntou, então deu um passo para trás para que eu pudesse ver: camiseta branca básica, colete curto por cima, calça jeans dobrada na barra e botas com solas grossas. Depois de dar uma voltinha, enfiou a cabeça pela janela de novo. — Me inspirei na Nicholls Lake, que é minha cantora favorita agora. Ela é, tipo, punk.

Owen jogou o corpo para trás, batendo a cabeça no apoio.

— Nicholls Lake *não é* punk — ele disse em voz baixa.

— É, sim — Mallory respondeu. — E agora eu também sou! Viu?

— Mallory, já conversamos sobre isso. Lembra? Não falamos sobre a real definição de punk? — Owen perguntou. — Você ouviu o CD que eu te dei?

— Era muito pesado — ela respondeu. — Nem dá pra cantar junto. A Nicholls Lake é melhor.

Owen respirou fundo.

— Mallory — ele disse. — Será que você pode...

Então, uma mulher alta com cabelo escuro, que eu imaginei que fosse mãe do Owen, apareceu na porta da casa, chamando Mallory. A menina lançou um olhar irritado para a mãe.

—Tenho que entrar — ela anunciou, então se enfiou mais para dentro do carro, ficando a centímetros do rosto do irmão. — Mas você vem de novo outro dia, né?

— Claro — respondi.

—Tchau, Annabel.

—Tchau.

Ela sorriu e endireitou o corpo, acenando para mim. Acenei de volta. Owen e eu ficamos observando enquanto subia os degraus e entrava em casa, virando para nos olhar entre um passo e outro.

— Uau — eu disse. — Então agora ela é punk…

Owen não respondeu. Só respirou fundo várias vezes.

— Esse é você surtando? — perguntei.

Ele soltou o ar.

— Não. Este sou eu irritado. Não sei qual é o problema. As irmãs têm uma coisa que… conseguem deixar a gente louco.

— Sei bem como é — eu disse.

Mais um silêncio. Cada vez que aquilo acontecia, eu dizia para mim mesma que ele ia sair do carro e seria o fim. E, a cada vez, eu queria menos que aquilo acontecesse.

Então, ele falou:

—Você diz muito isso, sabia?

— O quê?

— "Sei bem como é."

—Você disse primeiro.

— Disse?

Assenti.

— Naquele dia, atrás da escola.

— Ah. — Owen ficou em silêncio por um tempo. — Sabe, se a gente parar pra pensar, é estranho. Quer dizer, devia ser uma coisa empática, né? Mas meio que não é. É como se a gente dissesse pra pessoa que não tem nada de especial no que ela está dizendo.

Pensei nisso enquanto umas crianças de patins passaram pelo carro, com tacos de hóquei sobre os ombros.

— É, mas tem outro jeito de encarar isso — finalmente respondi. — É como se a gente estivesse dizendo que, por pior que as coisas estejam para a outra pessoa, se identifica.

— Então você está dizendo que se identifica comigo — ele disse.

— Não. Não mesmo.

— Legal. — Ele riu, virando a cabeça para olhar pela janela. Observei Owen de perfil e me lembrei dos dias em que o analisara à distância.

— Tá bom — eu disse. — Talvez um pouco.

Ele se virou para mim e mais uma vez senti. Outra pausa, longa o suficiente para que eu me perguntasse o que estava acontecendo. Então Owen abriu a porta.

— Obrigado de novo pela carona.

— Sem problemas. Eu estava te devendo uma.

— Imagina — ele disse, então se mexeu no banco. — A gente se vê amanhã, ou sei lá.

— É. A gente se vê.

Owen saiu, fechou a porta, jogou a mochila sobre o ombro e começou a subir os degraus. Fiquei observando até que entrasse em casa.

Ao sair dali, a tarde pareceu estranha, surreal. Havia tanta coisa na minha cabeça, tanta coisa que eu não conseguia entender. Enquanto dirigia, de repente percebi que tinha outra coisa me incomodando: o CD acabara. Antes, eu nem teria notado, mas agora o silêncio quase ensurdecedor parecia me distrair. Eu não sabia o que aquilo queria dizer. Mas estendi o braço e liguei o rádio.

9

A Bela e a Fera. Shrek e Fiona. O moinho da fofoca estava à toda. Nas semanas que se seguiram, inventaram vários nomes para o que quer que eu e Owen estivéssemos fazendo todos os dias no muro na hora do almoço. Para mim, era mais difícil definir. Não estávamos juntos, mas não éramos estranhos. Como quase tudo na vida, estávamos em algum lugar no meio do caminho.

De qualquer forma, algumas coisas agora estavam subentendidas. Primeiro, que sentaríamos juntos. Segundo, que eu sempre encheria o saco dele por não comer nada — ele confessou que sempre gastava o dinheiro do almoço com música — antes de dividir o que quer que eu tivesse trazido. Terceiro, que brigaríamos. Não, não brigaríamos exatamente. *Discutiríamos.*

No início, era só sobre música, o assunto preferido de Owen e o que ele levava mais a sério. Quando eu concordava com ele, Owen me considerava brilhante e iluminada. Quando discordava, tinha o pior gosto do mundo. Normalmente, as conversas mais agitadas aconteciam no início da semana, quando discutíamos o programa dele, que agora eu ouvia todos os domingos. Era difícil acreditar que um dia tivesse ficado tão nervosa de dizer o que tinha achado. Agora, saia naturalmente.

—Você só pode estar brincando! — ele disse uma segunda-feira, balançando a cabeça. — Não gostou do Baby Bejesuses?

— Aquela que era só um telefone discando?

— Não era só um telefone discando — ele respondeu, indignado. — Tinha outros sons também.

— Como o quê?

Owen ficou me encarando por um tempo, segurando metade do meu sanduíche de peru.

— Como... — Ele deu uma mordida, para enrolar. Depois de mastigar e engolir lentamente, disse: — Os caras inovaram o gênero.

— Pra isso eles teriam que compor uma música usando outras coisas além de um telefone.

— Isso — ele disse, apontando para mim com o sanduíche — é Ling-In. Cuidado.

Ling-In significava Linguagem Inflamatória. Como o R e R e as muletas, já fazia parte do meu vocabulário diário. Era só passar um tempo com Owen para ter um curso de gerenciamento de raiva grátis.

— Olha só, você sabe que não gosto de música eletrônica — eu disse. — Então, talvez devesse parar de pedir minha opinião sobre o assunto.

— Você está generalizando! — ele respondeu. — Como pode excluir um gênero musical inteiro? Está tirando conclusões precipitadas.

— Não, não estou — respondi.

— O que está fazendo, então?

— Sendo sincera.

Ele ficou me observando por um tempo. Então respirou fundo e deu mais uma mordida no sanduíche.

— Tá bom — disse, mastigando. — Vamos em frente. O que achou do thrash metal do Lipswitches?

— Muito barulhento.

— É pra ser barulhento! É thrash metal!

— Eu não ia me incomodar com o barulho se a música tivesse outras qualidades. Mas é só alguém gritando o máximo que pode.

Ele lançou o último pedaço de pão na boca.

— Então nada de música eletrônica e nada de thrash metal — Owen disse. — O que sobra?

— Todo o resto? — respondi.

— Todo o resto — ele repetiu devagar, ainda não convencido.

— Tá bom. E a última música que eu toquei, a do metalofone?

— Metalofone?

— É. Da Aimee Decker. Tinha um contrabaixo acústico e iodelei no início, e...

— Iodelei? — perguntei. — Então era isso?

— O quê? Agora você vai me dizer que também não gosta de iodelei?

E assim por diante. Às vezes, a discussão esquentava, mas nunca ao ponto de eu não aguentar. A verdade era que eu esperava ansiosa a hora do almoço, mais do que queria admitir.

Entre as discussões sobre o início do punk, big bands, swing e as qualidades questionáveis da música eletrônica, eu o conhecia cada vez mais. Agora sabia que, embora sempre tivesse sido apaixonado por música, só depois que seus pais se divorciaram, um ano e meio antes, se tornara "obcecado", como ele mesmo dizia. Aparentemente, o divórcio tinha sido feio, com acusações de ambos os lados. A música, ele dissera, era uma válvula de escape. Tudo à sua volta estava acabando e mudando, mas ela era um recurso vasto, infinito.

— Basicamente, quando eles não se falavam, eu era o intermediário — Owen disse um dia. — E, é claro, achavam que o *outro* sempre estava sendo horrível e egoísta. Se eu concordasse, estava ferrado, porque o *outro* se ofendia. Se eu discordasse, estava tomando partido. Não tinha como ganhar.

— Deve ter sido difícil — eu disse.

— Era uma droga. Foi quando comecei a me interessar de verdade por música, e pelas mais obscuras. Se ninguém tivesse ouvido, não ia poder me dizer o que achar. Não haveria certo e errado. — Ele encostou no muro, espantando uma abelha que voava entre a gente. — Além disso, na mesma época, comecei a ouvir uma rádio universitária de Phoenix, a KXPC. Tinha um cara que apresentava um programa bem tarde nos fins de semana... ele tocava umas coisas bem obscuras. Tipo música tribal, punk bem underground, cinco minutos seguidos de uma torneira pingando... Coisas assim.

— Uma torneira pingando... — repeti. Ele assentiu. — Isso é música?

— Obviamente não para todo mundo — Owen respondeu, me observando de canto de olho. Eu sorri. — Mas esse era meio que o objetivo. Entrar em território inexplorado. Comecei a anotar o que ele tocava e procurar em lojas e na internet. Era uma coisa em que eu podia me concentrar, com tudo o que estava acontecendo em casa. E era útil quando precisava abafar os gritos que vinham do andar de baixo.

— Sério? Gritos?

Ele deu de ombros.

— Não era tão ruim assim. Definitivamente os dois surtaram um pouco. Mas, para ser sincero, o silêncio era pior.

— Pior que os gritos? — perguntei.

— Muito pior — ele disse, confirmando com a cabeça. — Quer dizer, pelo menos em uma discussão você sabe o que está acontecendo. Ou tem uma ideia. O silêncio é... pode ser qualquer coisa. É...

— Muito alto — completei por ele.

Owen apontou para mim.

— Exatamente.

Então ele odiava o silêncio. Estava na lista das coisas de que ele não gostava: manteiga de amendoim (muito seca), mentirosos (autoexplicativo) e pessoas que não davam gorjeta (aparentemente, entregadores de pizza não ganhavam muito bem). Eram as coisas que eu sabia até então. Talvez por causa de sua passagem pelo programa de gerenciamento de raiva, Owen era muito franco quanto a tudo o que o irritava.

— Você não é? — ele perguntou um dia, quando comentei aquilo.

— Não — respondi. — Quer dizer, acho que sou com algumas coisas.

— O que deixa você irritada?

Instintivamente, olhei para a Sophie, que estava no banco de sempre, falando no celular. Em voz alta, respondi:

— Música eletrônica.

— Rá — ele exclamou. — Sério.

— Não sei. — Tirei um pedaço da casca do meu sanduíche. — Minhas irmãs, acho. Às vezes.

— O que mais?

— Não consigo pensar em nada.

— Por favor! Vai me dizer que as únicas coisas que irritam você são suas irmãs e um gênero musical? Pode parar. Você não é humana?

— Talvez eu não sinta tanta raiva quanto você.

— Ninguém sente tanta raiva quanto eu — ele respondeu, sem se importar. — Fato. Mas deve ter alguma coisa que tira você do sério.

— Deve ter. Eu só... não consigo pensar em nada agora. — Ele revirou os olhos. — Aliás, como assim ninguém sente tanta raiva quanto você? E o gerenciamento de raiva?

— O que tem?

— O objetivo do programa não era fazer com que você não sentisse raiva?

— Não.

— Sério?

— Sério. — Ele reforçou, assentindo. — A raiva é inevitável. O gerenciamento de raiva é exatamente isso: ajudar a lidar com ela. Expressar a raiva de um jeito mais produtivo do que, digamos, batendo nas pessoas em estacionamentos.

Se no início eu duvidava, agora não mais: Owen era mesmo sempre sincero. Quando perguntava alguma coisa para ele, sempre vinha uma resposta. Por um tempo, testei isso, pedindo a opinião dele sobre várias coisas, como minhas roupas ("Não é o melhor tom pra você", ele disse sobre uma camiseta pêssego nova), a primeira impressão que teve de mim ("Muito perfeita e inacessível") e sua vida amorosa ("No momento, inexistente").

— Existe alguma coisa que você não diria? — finalmente perguntei um dia, depois de ele ter dito que, embora meu novo corte de cabelo estivesse bonito, ele gostava mais do anterior.

—Você perguntou o que eu achava — ele destacou, pegando um salgadinho do pacote que estava entre nós. — Por que fez isso, se não queria que eu fosse sincero?

— Não estou falando do meu cabelo. Digo em geral. — Ele me olhou desconfiado, lançando o salgadinho para dentro da boca. — É sério, em algum momento você pensa "talvez eu não devesse dizer isso"? Ou "talvez não seja a coisa certa a fazer"?

Ele refletiu por um instante.

— Não — respondeu finalmente. — Eu já disse. Não gosto de mentirosos.

— Mas não estou falando de mentir. Só de não falar.

—Você acha que tem diferença?

— Tem — respondi. — Um é enganar ativamente. O outro é só não dizer algo em voz alta.

— É, mas… — Ele pegou outro salgadinho. — Ainda assim você está enganando alguém. Você mesmo, no caso. Não é?

Fiquei observando Owen, considerando aquela ideia.

— Não sei — respondi devagar.

— Na verdade — ele continuou —, é pior do que mentir, se parar pra pensar. Quer dizer, no mínimo, você devia dizer a verdade a si mesma. Se não confia em si mesma, em quem vai confiar? Entende?

Eu jamais seria capaz de dizer aquilo a Owen, mas ele me inspirava. Agora eu estava ciente das pequenas mentiras que contava diariamente, das coisas que guardava para mim mesma cada vez que não era totalmente sincera. Também reconhecia o quanto era bom poder dizer o que pensava para alguém. Mesmo que fosse só sobre música. Ou não.

Um dia, no almoço, Owen colocou a mochila entre nós, abriu e tirou uma pilha de CDs.

— Aqui — disse, me passando a pilha. — Pra você.

— Pra mim? — perguntei. — O que é?

— Um apanhado geral — ele explicou. — Eu queria trazer mais, mas meu gravador não estava funcionando direito. Então só consegui gravar alguns.

Pelo visto, para Owen, "alguns" CDs queria dizer dez. Analisando os primeiros, vi que cada um tinha um título — HIP HOP DE VERDADE, CÂNTICOS E CANTIGAS (VÁRIOS), JAZZ SUPORTÁVEL, CANTORES DE VERDADE CANTANDO DE VERDADE —, com as faixas listadas embaixo. Pensei que talvez fosse por causa de uma discussão intensa que tivéramos no dia anterior, quando Owen decidira que possivelmente meu conhecimento sobre música fosse tão "engessado e insuficiente" (nas palavras dele) devido a uma falta de exposição. Então aquele era o remédio: uma cartilha, dividida em capítulos.

— Se você gostar de alguma coisa, posso gravar mais — ele disse. — Quando estiver pronta para ir mais fundo, sabe?

Peguei a pilha de CDs e li os outros títulos. Tinha um de country, um de rock inglês, um de folk. Quando cheguei ao último, no entanto, vi que a capa estava em branco, com exceção de duas palavras: SÓ ESCUTE.

Imediatamente, fiquei desconfiada.

— É música eletrônica? — perguntei.

— Não acredito que você pensou isso — ele disse, ofendido.

— Meu Deus!

— Owen — eu disse.

— Não é música eletrônica.

Fiquei encarando-o.

— Na verdade — Owen disse, enquanto eu balançava a cabeça —, todos os outros são listas definidas, conceitos. Um curso, se você preferir chamar assim. Devem ser ouvidos primeiro. Depois, quando você terminar e achar que estiver pronta, pronta mesmo, pode escutar esse. É um pouco mais... ousado.

— Tá bom — eu disse. — Estou *oficialmente* com o pé atrás.

— Talvez você odeie — ele admitiu. — Ou não. Pode ser a resposta para todas as suas perguntas. Essa é a beleza da coisa. Entende?

Observei o CD de novo, analisando a capa.

— Só escute — li em voz alta.

— É. Não pense ou julgue. Só escute.

— E depois?

— E depois — ele disse — você pode chegar a uma conclusão. É justo, não acha?

Realmente parecia. Fosse uma música, uma pessoa ou uma história, havia muitas coisas que a gente não tinha como avaliar com um único trecho ou uma olhada rápida.

— Acho — respondi, colocando o CD de volta no fundo da pilha. — Tá certo.

— Grace — meu pai chamou, olhando para o relógio de novo. — Está na hora.

— Eu sei, Andrew. Estou quase pronta. — Minha mãe atravessou a cozinha, pegou a bolsa e pôs no ombro. — Annabel, deixei dinheiro para vocês pedirem uma pizza hoje à noite. Amanhã vocês podem fazer o que quiserem. Fui ao mercado hoje, então tem bastante comida em casa. Tudo bem?

Assenti, enquanto meu pai ia até a porta.

— O que eu fiz com a minha chave? — minha mãe perguntou.

— Você não precisa dela — meu pai respondeu. — Eu vou dirigir.

— Vou ficar em Charleston o dia todo amanhã e metade de segunda-feira enquanto você estiver na conferência — ela disse, tirando a bolsa do ombro e procurando a chave. — Vou querer sair um pouco do hotel.

Meu pai, que pelas minhas contas estava na porta que dava para a garagem havia uns vinte minutos, se apoiou no batente e respirou fundo. Era sábado de manhã e eles já deviam ter saído para passar o feriado na Carolina do Sul, onde ele participaria de uma conferência.

— Você pode usar a minha — ele disse, mas minha mãe o ignorou e começou a tirar coisas da bolsa, jogando a carteira, um pacote de lenços e o celular sobre o balcão. — Grace, vamos. — Ela não saiu do lugar.

Quando meu pai tinha proposto a viagem, a vendera como uma visita a uma das cidades de que eles mais gostavam. Enquanto ele estivesse na conferência, ela poderia fazer compras e passear; à noite, comeriam nos melhores restaurantes e passariam um tempo juntos. Eu tinha achado ótimo, mas minha mãe hesitara, pois não queria nos deixar sozinhas. Principalmente porque Whitney estava com um humor pior do que o normal desde a semana anterior, quando começara a participar de um novo grupo de terapia. Contra sua vontade. Como se fosse, nas palavras dela, uma "aberração".

— Whitney, por favor — minha mãe disse uma noite durante o jantar, quando o assunto surgira pela primeira vez. — O dr. Hammond acha que esse grupo pode ajudar você.

— O dr. Hammond é um idiota — Whitney respondeu. Meu pai lançou um olhar para ela deixando claro que não tinha gostado, mas, se minha irmã percebeu, ela o ignorou. — Conheço pessoas que se trataram com essa mulher, mãe. Ela é louca.

— Acho difícil acreditar nisso — meu pai disse.

— Ela nem é psiquiatra de verdade. Vários médicos do programa acham que é totalmente fora da casinha. Seus métodos não são nada convencionais.

— Em que sentido? — ele perguntou.

— O dr. Hammond — minha mãe disse, e dessa vez Whitney revirou os olhos ao ouvir o nome — disse que essa Moira Bell teve muito sucesso com muitos pacientes exatamente por ter uma abordagem diferente.

— Ainda não entendi o que essa mulher tem de tão diferente — meu pai comentou.

— Ela faz vários exercícios práticos — minha mãe disse. — Não é só sentar e falar.

— Você quer um exemplo? — Whitney largou o garfo. — Janet, uma garota que conheço do hospital, teve que aprender a fazer fogo.

Minha mãe pareceu confusa.

— Fazer fogo?

— É. Moira deu dois gravetos e ela teve que esfregar até conseguir fazer uma fogueira consistente. Foram vários encontros.

— E qual era exatamente o objetivo desse exercício? — meu pai perguntou.

Whitney deu de ombros, pegando o garfo de novo.

— Janet disse que tinha alguma coisa a ver com ser autossuficiente. Ela também acha que essa mulher é louca.

— Parece mesmo diferente — minha mãe disse. Ela pareceu preocupada, como se estivesse imaginando Whitney colocando fogo na casa.

— Só estou dizendo que é uma perda de tempo — Whitney continuou.

— Experimente — meu pai disse. — Depois pode decidir por si mesma.

Mas ela claramente já tinha se decidido, pelo menos foi o que deu para perceber no restante daquela noite, em que bater portas, bufar e o mau humor se mostraram levemente aguçados. No dia seguinte, depois da sessão em grupo, ela voltou com uma das piores caras que eu já havia visto. Whitney já tinha ido a duas outras sessões e, embora ainda não tivesse colocado fogo na casa, minha mãe continuava nervosa. Eu também estava um pouco, já que ia ficar sozinha com ela.

Meu pai, no entanto, achava que estava na hora de dar mais responsabilidades a Whitney. Ela nunca seria independente se minha mãe estivesse sempre em cima, ele dissera, e os dois só ficariam fora dois dias. Ele até ligou para o dr. Hammond, que concordou. Mas minha mãe ainda não estava convencida, e aquele era o motivo de toda a enrolação. No momento, ela vasculhava a bolsa mais uma vez enquanto meu pai olhava para o relógio.

— Não entendo — ela disse, abrindo mais a bolsa. — Eu estava com a chave ontem, não consigo imaginar onde possa estar...

Nesse momento, ouvi a porta da frente bater. Um segundo depois, Whitney apareceu, vestindo legging, camiseta e tênis, com o cabelo preso em um rabo de cavalo. Em uma mão, segurava uma sacola de uma loja de decoração. Na outra, a chave da minha mãe.

— Ah — meu pai disse, andando em direção à minha mãe. — Mistério resolvido. — Ele pegou a bolsa, jogando tudo o que estava no balcão nela. — Vamos, antes que a gente perca mais alguma coisa.

Finalmente, eles saíram, e eu fiquei na mesa da cozinha observando o carro ir embora. A última imagem foi da minha mãe virando para olhar a casa mais uma vez.

Empurrei a cadeira para trás e levantei. Olhei para a Whitney, que estava com a sobrancelha franzida enquanto analisava o que quer que tivesse comprado.

— Bom, acho que somos só nós duas — eu disse.

— O quê? — ela disse, sem olhar para mim.

À minha volta, a casa parecia vazia. Quieta. Seria um fim de semana longo.

— Nada — respondi. — Deixa pra lá.

Por sorte, eu tinha outras coisas para fazer além de ser ignorada pela minha irmã. Bom, *uma* coisa, na verdade.

O desfile de moda do Shopping Lakeview aconteceria no fim de semana seguinte. Naquela tarde, eu tinha uma reunião. Cheguei à Kopf no meio de uma típica tarde de sábado agitada, com a visita de uma cantora pop chamada Jenny Reef, que estava participando de uma promoção da (imagine só!) Mooshka Surfwear. O departamento infantil estava lotado de meninas — uma fila longa ia até o setor de lingerie e uma canção pop dançante tocava repetidamente em uma caixa de som ali perto.

— Annabel!

Virei e dei de cara com Mallory Armstrong. Ela estava com um sorriso largo e vinha rápido na minha direção, apesar do pôster, do CD e da câmera que carregava. Atrás dela, em um ritmo mais tranquilo, vinha a mãe, que reconheci do dia em que deixei Owen em casa.

— Oi! — Mallory disse. — Não acredito. Você também é fã da Jenny Reef?

— Er... — Uma multidão de garotas com pressa passava por nós para entrar na fila — Na verdade não. Tenho uma reunião...

— Da agência?

— Sim — respondi. — Tenho um desfile no próximo fim de semana.

— Da coleção de outono. Eu sei! Estou tão animada. Vou com certeza — ela disse. — Acredita que a Jenny Reef está aqui? Ela assinou meu pôster!

Mallory desenrolou o pôster para que eu pudesse ver. E ali estava Jenny Reef, com um visual bem surfista e californiano, na praia. Havia uma guitarra enfiada na areia de um lado e uma prancha de surf do outro. Embaixo, de canetinha preta, estava escrito: PARA MALLERY. ENTRE NA ONDA COMIGO E COM A MOOSHKA SURFWEAR. COM AMOR, JENNY.

— Uau — eu disse, quando sua mãe chegou onde estávamos. — Que legal.

— E eu ganhei um CD e uma foto! — Mallory disse, dando pulinhos. — Também queria uma blusinha da Mooshka, mas...

— Mas você já tem mil blusinhas — a mãe terminou por ela. Logo vi de quem Owen tinha puxado a altura: a mãe dele era maior que eu. Estava com o cabelo escuro preso em um rabo de cavalo baixo e vestia uma calça jeans e um tricô. Dei uma olhada rápida para seus sapatos, percebi que não tinham bico fino e me perguntei se eram veganos. — Oi — ela me cumprimentou. — Meu nome é Teresa Armstrong. E o seu?

— Mãe! — Mallory fez um gesto de reprovação com a cabeça. — Ela é Annabel Greene! Não acredito que você não a reconheceu.

— Desculpe — a sra. Armstrong respondeu. — Deveria ter reconhecido?

— Não — respondi.

— *Sim* — Mallory corrigiu, virando para a mãe. — Annabel fez o comercial da Kopf. Aquele que eu, tipo, amo!

— Ah — ela respondeu, sorrindo educadamente. — Claro.

— E ela é amiga do Owen. *Bem* amiga.

— É mesmo? — a sra. Armstrong perguntou, parecendo surpresa, então sorriu para mim. — Que legal.

— Annabel vai participar daquele desfile que eu falei que vai acontecer no próximo fim de semana — Mallory explicou. Depois disse para mim: — Minha mãe não se interessa muito por moda. Estou tentando ensinar algumas coisas a ela.

— E eu — a sra. Armstrong disse, soltando um suspiro — estou tentando fazer com que Mallory se interesse por questões mais sérias que cantoras pop e roupas.

—Vai ser difícil — eu disse.

— Quase impossível. — Ela ajeitou a bolsa no ombro. — Mas estou fazendo o que posso.

Uma voz surgiu de repente de um alto-falante.

— Olá, clientes da Kopf! Obrigado por comparecerem à visita exclusiva de Jenny Reef à nossa loja, patrocinada pela Mooshka Surfwear! Por favor, se juntem a nós em alguns minutos, à uma hora da tarde, para a apresentação do single "Becalmed" no Café Kopf, ao lado do departamento masculino. Nos vemos lá!

—Você ouviu isso? Ela vai cantar! — Mallory agarrou a mão da mãe. — A gente *tem* que ficar.

— Não podemos — a sra. Armstrong respondeu. —Temos que estar no centro de mulheres à uma e meia.

— Mãe — Mallory resmungou. — Por favor, hoje não. Por favor?

— Participamos de um grupo de discussão para mães e filhas — a sra. Armstrong me explicou. — Somos seis mães e seis garotas e nos reunimos uma vez por semana para discutir questões relacionadas a nosso crescimento pessoal. O grupo é liderado por uma professora de estudos femininos maravilhosa, Boo Connell. É muito...

— Chato — Mallory completou por ela. — Semana passada eu dormi.

— Infelizmente. O tópico era menstruação — a sra. Armstrong disse. — É a manifestação de muitas mudanças para as mulheres... A discussão foi incrível.

Mallory ficou em choque.

— Mãe! Você não vai falar sobre menstruação com Annabel Greene!

— Você não precisa ter vergonha disso, querida — ela disse enquanto Mallory ficava com o rosto cada vez mais vermelho. — Tenho certeza de que até as modelos menstruam.

A menina cobriu o rosto com uma mão.

— Ah, meu Deus! — Ela fechou os olhos, como se quisesse desaparecer ou fingisse já ter desaparecido.

— Preciso ir — eu disse, quando a voz no alto-falante ressurgiu. — Foi... um prazer conhecer você.

— O prazer foi meu — a sra. Armstrong respondeu.

Sorri para a Mallory, que continuava parada ali, mortificada.

— Até mais — eu disse.

Ela acenou com a cabeça.

— Tchau, Annabel.

Comecei a andar em direção à sala de conferências. Tinha dado só alguns passos quando ouvi Mallory resmungar:

— Mãe, não acredito que você fez isso comigo.

— O quê?

— Você me *humilhou* — Mallory respondeu. — Pede desculpa.

— Querida... — a sra. Armstrong disse, soltando um suspiro. — Não estou entendendo qual é o problema. Talvez se você...

Não consegui ouvir o resto, porque, quando passei pelo departamento de cosméticos, onde uma multidão de mulheres estava participando de uma transformação, as vozes abafaram todo o resto. Ao chegar à sala de conferências e virar, no entanto, vi que as duas ainda estavam no mesmo lugar. A sra. Armstrong tinha se abaixado na frente da filha e a ouvia falar, concordando com a cabeça de vez em quando.

Lá dentro, ouvi a sra. McMurty pedindo que todos se acalmassem, porque já estava na hora de começar. Mesmo assim, fiquei mais um tempo onde estava, assistindo à sra. Armstrong finalmente levantar e ir com Mallory em direção à saída. A menina não parecia muito feliz, mas, alguns passos depois, quando a mãe estendeu a mão para pegar na dela, não recusou. Elas apertaram o passo e saíram pela porta juntas.

Quando cheguei em casa mais tarde, encontrei Whitney nos degraus da entrada. Havia quatro vasinhos de flores enfileirados à sua frente e um pacote de terra ao lado deles. Ela estava sentada ali, com uma pá em uma das mãos e uma expressão irritada no rosto.

— Oi — cumprimentei, enquanto andava em direção a ela. — O que está fazendo?

Whitney não me respondeu no início, só abriu o pacote e enfiou a pá na terra. Então, quando passei e segui em direção à porta, ela disse:

— Tenho que plantar ervas.

Parei onde estava.

— Ervas?

— É. — Ela tirou um pouco de terra do pacote e jogou dentro

de um dos vasinhos, deixando cair um pouco no chão. — Para a cretinice da terapia em grupo.

— Por que ervas?

— Quem é que sabe? — Ela encheu mais um vasinho, tão desajeitada quanto antes, então levantou a cabeça, enxugando o rosto. — É para isso que nossos pais estão pagando Moira Bell: para ela me mandar plantar a porcaria de um alecrim. — Ela pegou uma pilha de pacotinhos de sementes que estavam ao seu pé. — E manjericão. E orégano. E tomilho. Dinheiro bem gasto, né?

— Parece mesmo um pouco estranho — eu disse.

— Porque *é* estranho — ela respondeu, pegando mais uma pá de terra para o terceiro vasinho. — Também é idiota, uma perda de tempo e não vai funcionar. Estamos quase no inverno. Essas coisas não crescem no inverno.

— Você disse isso?

— Tentei dizer. Mas ela não deu bola. A única coisa que importa é garantir que a gente pareça idiota. — Whitney jogou terra no último vaso, fazendo-o balançar, mas ele não caiu. — "Você pode deixá-los dentro de casa", ela disse, toda alegre. "Perto de uma janela ensolarada." Ah, tá bom! Vou matar todas elas em poucos dias. E, mesmo que não mate, o que é que eu vou fazer com um monte de ervas?

Fiquei observando enquanto ela pegou o pacotinho de sementes de manjericão, abriu e jogou algumas sementes na palma da mão.

— Bom, você pode usar para cozinhar, sei lá — eu disse.

Whitney estava quase plantando as sementes, então levantou a cabeça e me encarou sem expressão, com o rosto ilegível.

— Cozinhar — ela repetiu. — Claro.

Senti meu rosto ficar vermelho. Mais uma vez, consegui dizer algo inapropriado, ainda que achasse que não havia sido nada de mais. Felizmente, o telefone começou a tocar dentro da casa e fui atender, agradecendo por ter um motivo para fechar a porta entre nós duas.

Quando cheguei à cozinha, já tinha caído na secretária. Ouvi um *bip* e Kirsten começou a falar.

— Alô? — ela disse, com a voz alta de sempre. — Tem alguém aí? Sou eu, atendam se estiverem em casa... Meu Deus, cadê todo mundo? Tenho uma boa notícia...

Peguei o telefone.

— Qual é a boa notícia?

— Annabel! Oi! — A voz dela subiu algumas oitavas, um contraste marcante em relação ao tom monótono de Whitney. Sentei e procurei me acomodar; se as mensagens da Kirsten já eram longas, conversar com ela ao telefone podia levar uma tarde inteira. — Estou tão feliz que atendeu! Tudo bem?

— Tudo — eu disse, arrastando a cadeira um pouco para a direita. Olhando para o outro extremo da sala de jantar, dava para ver Whitney concentrada, jogando sementes nos vasinhos, com as sobrancelhas franzidas. — E você?

— Estou ótima. — Claro. — Sabe a disciplina de cinema que eu disse que estava fazendo este semestre?

— Sei — respondi.

— Bom — ela continuou —, a gente teve que fazer um curta de cinco minutos para a avaliação bimestral, né? E eles escolhem dois para exibir em uma... é... uma mostra para todos os alunos e professores. E o meu foi escolhido!

— Que legal — eu disse. — Parabéns.

— Obrigada. — Ela riu. — Sabe, eu sei que é só uma coisa da faculdade, mas estou tão animada. Essa aula e a de comunicação... Elas mudaram o modo como eu vejo as coisas. Como o Brian sempre diz, estou aprendendo a contar, mas também a mostrar. E eu...

— Espera — interrompi. — Quem é Brian?

— O monitor da aula de comunicação. Ele ajuda o professor e lidera o grupo de discussões de que participo às sextas. É um cara incrível, tão inteligente... Meu Deus! Enfim, estou muito orgulhosa do meu curta, mas agora todo mundo vai ver no próximo fim de semana. Estou tão nervosa, você nem imagina.

— Nervosa? — De todos os adjetivos que eu poderia usar para descrever minha irmã, aquele nunca seria um. — Você?

— É — ela respondeu. — Annabel, vou ter que levantar e falar sobre meu filme na frente de estranhos.

— Você levantava e andava na frente de estranhos — observei.

— De biquíni, até.

— Ah, é diferente — ela disse.

— Diferente como?

— É que... — ela parou, respirando fundo. — Isso é pessoal. É de verdade. Entende?

— Acho que sim — respondi, embora na verdade não tivesse certeza.

— Bom, é daqui a uma semana. Me mande vibrações positivas, tá?

— Claro — eu disse. — Sobre o que é?

— Meu curta?

— É.

— Ah. Bom, é um pouco difícil de explicar — ela disse antes de começar a fazer exatamente aquilo, claro. — Basicamente, é sobre mim. E Whitney.

Lancei outro olhar para minha irmã, que estava abrindo outro pacote de sementes, me perguntando como ela reagiria àquilo.

— É mesmo? — perguntei.

— Quer dizer, é ficção, claro — ela disse. — Mas me baseei naquela vez em que ela caiu da bicicleta e quebrou o braço. Lembra? Quando ela foi para casa sentada no meu guidão?

Pensei por um instante.

— Lembro — respondi. — Não era...

— Seu aniversário — Kirsten completou. —Você estava fazendo nove anos. Papai perdeu a festa porque teve que levar Whitney para o hospital. Ela voltou com o gesso em tempo de cortar o bolo.

—Verdade. Lembro, sim.

— Bom, é basicamente sobre isso. Mas diferente. É difícil explicar. Posso mandar por e-mail, se quiser. Quer dizer, ainda estou fazendo uns ajustes, mas dá para ter uma ideia geral.

— Eu ia adorar — respondi.

— Mas você vai ter que me dizer se achar horrível.

—Tenho certeza de que não é.

— Acho que vou descobrir sábado. — Ela respirou fundo. — Enfim, preciso ir. Só queria contar isso a vocês. Está tudo bem por aí?

Olhei para Whitney mais uma vez. Ela tinha jogado mais uma camada de terra nos vasos e semicerrava os olhos enquanto os molhava com a mangueira.

— Sim — respondi. —Tudo bem.

Quando desliguei o telefone, ouvi a porta da frente abrir. Um instante depois, Whitney estava ajeitando os vasinhos na janela da sala de jantar. Fiquei na porta, observando enquanto ela os enfileirava no parapeito, tirando a terra da borda com os dedos. Ela levantou e colocou as mãos na cintura.

— Bom, tudo isso para nada — disse.

— Ou não — respondi.

Whitney olhou para mim e me perguntei se ia retrucar ou fazer um comentário sarcástico.

—Veremos — disse, então abaixou as mãos e foi em direção à cozinha.

Enquanto abria a torneira e começava a lavar as mãos, fui até a janela para ver os vasinhos. A terra estava escura e cheirava à lama, e dava para ver gotas de água aqui e ali, brilhando ao sol. Talvez fosse um exercício idiota, talvez as ervas não pudessem crescer no inverno. Mas tinha alguma coisa naquelas sementes, enterradas tão fundo, com uma chance pelo menos, que chamava minha atenção. Ainda que não conseguisse ver sob a superfície, moléculas estavam se unindo, a energia surgia lentamente, enquanto elas se esforçavam, sozinhas, para crescer.

10

Até aquela tarde, minha mãe já tinha deixado duas mensagens: uma avisando que tinham chegado ao hotel e outra lembrando onde tinha deixado o dinheiro para a pizza, uma insinuação sutil para garantir que nós (ou seja, Whitney) não deixássemos de jantar. *Mensagem recebida*, pensei enquanto ia até a cozinha. O dinheiro estava em cima do balcão com uma lista de pizzarias. Minha mãe era muito precavida.

— Whitney? — chamei. Nenhuma resposta do andar de cima. O que não significava que ela não estivesse lá, provavelmente só não queria responder. — Vou pedir a pizza. Pode ser de muçarela?

Silêncio de novo. *Tudo bem*, pensei. *Vai ser de muçarela.* Escolhi uma pizzaria qualquer e fiz o pedido.

Fui até o quarto ouvir os CDs que Owen tinha gravado, começando pelo MÚSICAS DE PROTESTO (ACÚSTICO E FOLK). Ouvi três sobre sindicatos antes de cochilar e acordei com a campainha.

Sentei e vi Whitney passar pelo quarto e descer as escadas para atender. Depois de escovar os dentes, fui atrás dela. A porta estava aberta. Ouvi vozes do lado de fora.

— ... as músicas novas não muito, mas os primeiros álbuns — ela disse. — Ganhei alguns importados ótimos de uma amiga.

— É mesmo? — uma voz mais grave, masculina, respondeu. — Da Inglaterra ou de outro lugar?

— Da Inglaterra, acho. Tenho que confirmar.

Talvez fosse pelo fato de eu ter acabado de acordar, mas alguma coisa me parecia familiar naquela cena, embora eu não soubesse exatamente o quê.

— Quanto é a pizza mesmo? — Whitney perguntou.

— Onze e oitenta e sete — o cara respondeu.

— Aqui tem vinte. Pode me voltar só cinco.

— Obrigado. — Dei mais um passo à frente. Agora eu tinha certeza de que conhecia aquela voz. — Para gostar de Ebb Tide — ele continuou —, tem que ouvir algumas vezes.

— Com certeza — Whitney respondeu.

— Quer dizer, a maioria das pessoas nem...

Saí e, claro, vi Owen ali. Parado no capacho, com os fones de ouvido pendurados no pescoço, devolvendo o troco para minha irmã. Ela concordava com a cabeça enquanto Owen falava, olhando para ele com uma expressão muito mais calorosa do que a que usava comigo fazia mais de um ano. Quando me viu, ele sorriu.

— Aqui temos um exemplo — ele disse para Whitney. — Annabel *não gosta* de Ebb Tide. Aliás, ela odeia música eletrônica.

Whitney olhou para mim, então de volta para o Owen, claramente confusa.

— Odeia?

— Sim. Apesar de eu ter me esforçado para fazer com que mudasse de ideia — ele disse. — Ela é muito teimosa. Supersincera, cheia de opinião. Mas você já deve saber disso.

Whitney ficou me encarando enquanto ele dizia isso, e eu sabia que ela estava pensando que eu não era assim, nem de longe. Eu concordava com ela, mas, por algum motivo, sua desconfiança me incomodou.

— Enfim — Owen disse, se abaixando para pegar a pizza na caixa térmica que estava aos seus pés. — Aqui está. Bom apetite.

Whitney acenou com a cabeça, ainda olhando para mim, e eu peguei a pizza.

— Obrigada — ela disse. — Tchau.

— Tchau — Owen respondeu enquanto Whitney saía, atravessando a sala em direção à cozinha.

Dei um passo à frente enquanto Owen enfiava o dinheiro no bolso e pegava a caixa térmica do chão. Ele estava de calça jeans e uma camiseta vermelha com o nome da pizzaria. De todos os números de pizzaria que minha mãe tinha deixado, eu havia ligado justamente para aquela. Quem diria? Mas tinha que admitir que estava feliz em vê-lo.

— Sua irmã é fã de Ebb Tide. Tem CDs *importados*.

— Isso é bom?

— *Muito* bom — ele respondeu. — Quase iluminado. Dá trabalho conseguir CDs importados.

— Você fala sobre música com todas as pessoas que encontra?

— Não — ele respondeu, olhando para mim. Ouvi Whitney ligar a TV. — Bom, nem sempre. Neste caso, ela perguntou o que eu estava ouvindo, por causa dos fones.

— E por coincidência era uma banda que ela conhece e ama.

— É a universalidade da música — ele disse animado, trocando a caixa térmica de braço. — Cria laços. Aproxima as pessoas. Amigos e inimigos. Velhos e jovens. Eu e a sua irmã. E...

— Eu e sua irmã — completei por ele. — E sua mãe.

— Minha mãe? — ele perguntou.

— Conheci sua mãe no shopping hoje. No evento da Jenny Reef.

Ele fechou a cara.

— Você foi ver a *Jenny Reef*?

— Eu *amo* a Jenny Reef — eu disse, e ele estremeceu. — É muito melhor do que Ebb Tide.

— Isso *não* é engraçado — ele disse com a voz séria.

— O que tem de errado com a Jenny Reef? — perguntei.

— Tudo! — ele retrucou. *Aqui vamos nós*, pensei. — Você *viu* o pôster que ela autografou para Mallory? Citando o nome do produto? Quer dizer, é repugnante que alguém que se considere uma artista se venda tão completamente para o mundo corporativo, pelo amor de…

— Tá bom, tá bom, calma — eu disse, achando melhor desmentir aquilo antes que uma veia dele estourasse. — Não fui ver a Jenny Reef. Tive uma reunião da agência na Kopf.

Ele respirou fundo, balançando a cabeça.

— Graças a Deus. Você me deixou preocupado.

— Achei que não tinha certo e errado na música… — eu disse. — Ou isso não se aplica a cantoras pop adolescentes?

— Se aplica — ele respondeu sem rodeios. — Você tem direito a ter sua opinião sobre Jenny Reef. Mas eu ficaria decepcionado se fosse mesmo fã dela.

— Mas você deu uma chance a ela? Lembre — eu disse, levantando a mão —: não julgue. Só escute.

Owen fez uma careta.

— Eu *já ouvi* Jenny Reef. Não exatamente por escolha própria, mas ouvi. E minha opinião é que ela se vende e permite que sua música, se é que podemos chamar assim, seja comprometida em nome do materialismo e dos negócios.

— Bom — eu disse —, desde que você não se importe demais com isso.

De repente ouvi um zumbido baixo, e ele colocou a mão no bolso de trás. Tirou o celular de lá e olhou para a tela.

— Preciso ir — ele disse, colocando a caixa térmica embaixo do braço. — Sabe, por mais que você queira, não posso ficar aqui discutindo música a noite toda.

— Não? — perguntei.

— Não. — Ele deu um passo para trás. — Mas, se quiser continuar essa discussão outra hora, vai ser um prazer.

— Terça?

— Pode ser. — Ele começou a descer os degraus. — Nos vemos terça, então?

Fiz que sim com a cabeça.

— Tchau.

— E não se esqueça do programa amanhã! — ele disse por cima do ombro enquanto andava em direção ao carro. — Vai ser todo sobre música eletrônica. Uma hora de torneira pingando.

— Você está brincando?

— Talvez. Vai ter que ouvir para saber.

Sorri e fiquei parada ali, vendo Owen entrar na Land Cruiser. Ele ligou o rádio primeiro, depois engatou a marcha. Claro.

Quando cheguei à sala, Whitney estava sentada no sofá, bebendo uma garrafinha de água. A pizza estava no balcão. Ela não disse nada, apenas manteve os olhos na TV. Estava passando alguma reportagem sobre uma atriz que teve um problema com cocaína. Peguei um prato e uma fatia e sentei à mesa da cozinha.

— Você... — comecei, então parei. — Não está com fome?

Ela não tirou os olhos da TV para responder.

— Já vou.

Tudo bem, pensei. Minha mãe não ficaria feliz, mas ela não estava em casa. E eu estava morrendo de fome. Comecei a comer, então Whitney abaixou o volume da TV e perguntou:

— De onde você conhece aquele cara?

— Ele estuda comigo — respondi, engolindo um pedaço de pizza. Ela continuou me encarando, então completei: — Somos amigos.

— Amigos — ela repetiu.

Pensei no sorriso surpreso da sra. Armstrong quando tinha ouvido a mesma coisa, horas antes.

— É — eu disse. — Às vezes almoçamos juntos.

Ela assentiu.

— Ele é amigo da Sophie também?

— Não — respondi. Não sei por que, mas imediatamente fiquei na defensiva, querendo saber por que ela estava perguntando aquilo. Ou, na verdade, por que estávamos conversando, já que Whitney vinha sendo tão resistente a minhas tentativas de conversa o dia todo. Mas então lembrei da cara que ela fez quando Owen me descreveu como sincera, no quanto ela pareceu surpresa, e completei: — Eu e Sophie não somos mais amigas.

— Não?

— Não.

— O que aconteceu?

Por que você quer saber?, era o que eu queria perguntar. Em vez disso, respondi:

— Brigamos antes das férias. Foi meio feio... Não estamos nos falando.

— Ah — ela disse.

Fiquei olhando para o prato, me perguntando por que tinha decidido compartilhar aquilo logo com Whitney, do nada. Parecia um erro, e fiquei esperando que ela fizesse um comentário sarcástico ou malicioso, o que não aconteceu. Minha irmã só virou de novo para a TV e, um instante depois, aumentou o volume.

Na tela, a atriz estava contando sua história enquanto secava os olhos com um lenço. Observei Whitney, que estava sentada na poltrona do meu pai. Quem diria que era fã de Ebb Tide, que tinha CDS importados, que era, pelo menos na opinião do Owen, iluminada? Mas ela também não me conhecia tão bem assim. Talvez pudéssemos mudar aquilo durante o fim de semana, mas não era o que estávamos fazendo. Ficamos sentadas ali, juntas, mas na verdade separadas, assistindo a um programa sobre uma estranha e todos os seus segredos, enquanto guardávamos os nossos para nós mesmas, como sempre.

Na manhã seguinte, Owen começou o programa com uma música eletrônica que durou, literalmente, oito minutos e meio. Fiquei o tempo todo dizendo a mim mesma que tinha todo o direito de voltar a dormir, mas, por algum motivo, não consegui fazer isso.

— Ouvimos Prickle com "Velveteen" — ele disse, quando a música finalmente acabou. — Do seu segundo disco, *The Burning*, que é provavelmente um dos melhores álbuns de música eletrônica já lançados. Difícil acreditar que algumas pessoas nem gostam desse gênero, não é? Você está ouvindo Gerenciamento de Raiva. Tem um pedido? Ligue para nós, 555-WRUS. Seguimos com Snakeplant.

Revirei os olhos, mas não virei para o outro lado e dormi. Em vez disso, ouvi o programa inteiro, como fazia sempre agora, enquanto Owen tocava rockabilly, canto gregoriano e uma música em espanhol que ele descreveu como: "parece Astrid Gilberto, mas não muito". O que quer que aquilo significasse. Finalmente, pouco antes das oito, ouvi as primeiras notas de uma música que parecia familiar. Mas não entendi exatamente qual era até a voz dele surgir de novo.

— Este foi o Gerenciamento de Raiva aqui na nossa rádio comunitária, WRUS, 89,9. Vamos finalizar hoje com uma canção dedicada a uma ouvinte a quem queremos dizer: não sinta vergonha das músicas que ama. Ainda que, na nossa humilde opinião, nem se trate de música de verdade. Sabemos o motivo real pelo qual você foi ao shopping ontem. Até a próxima semana!

Só então percebi: era Jenny Reef, a mesma música que estava

tocando sem parar na loja no dia anterior. Enquanto tocava, sentei e peguei o telefone.

— Rádio Comunitária wrus.

— Não fui ao shopping ver Jenny Reef — falei. — Eu disse isso ontem.

— Está gostando da música?

— Pra falar a verdade, estou — respondi. — É melhor do que quase todas as outras que você tocou.

— Engraçadinha.

— Não estou brincando.

— Tenho certeza disso — ele disse. — O que, sinceramente, é triste.

— Quase tão triste quanto você tocar Jenny Reef no seu programa. Que programa é esse, aliás? "O top da parada, sem palhaçada?"

— Era para ser irônico!

Sorri, ajeitando uma mecha de cabelo atrás da orelha.

— Está tentando se convencer disso?

Ele soltou um suspiro alto e o som encheu meu ouvido.

— Chega de falar sobre Jenny Reef. Me responda uma coisa: o que você acha de bacon?

— Bacon? — repeti. — Que música é essa?

— Não é uma música. É uma comida. Conhece? Bacon? De porco? Chia na frigideira?

Tirei o telefone da orelha, olhei para ele e coloquei de novo na orelha.

— O que me diz? Está a fim? — Owen perguntou.

— A fim do quê?

— Café da manhã.

— Agora? — perguntei, olhando para o relógio.

— Por quê? Já tem planos?

— Bom, não, mas...

— Legal. Passo aí em vinte minutos.

Ele simplesmente desligou. Coloquei o telefone de volta na base e virei, olhando para meu reflexo no espelho em cima da cômoda. *Vinte minutos*, pensei. *Tudo bem.*

Em dezenove minutos e meio, consegui tomar banho, me vestir e ir para a varanda. Já estava esperando quando Owen parou o carro na entrada da garagem. Whitney ainda estava dormindo e isso me permitiu sair sem dar explicações, o que foi bom, porque eu não tinha uma. Enquanto andava em direção ao carro, o garoto que estava no banco do carona abriu a porta e saiu para passar para trás.

—Você lembra do Rolly, né? — Owen perguntou.

— Lembro — respondi, enquanto ele me cumprimentava com a cabeça. — Mas você não precisa mudar de lugar, posso sentar atrás.

—Tudo bem — ele disse.— Quero conferir se estou com todo o meu material.

— Material? — perguntei, entrando no carro e fechando a porta. Owen fez um gesto indicando que eu colocasse o cinto de segurança e deixei que ele batesse o martelo para prendê-lo.

— Para o trabalho. Tem aula hoje — Rolly explicou. Quando virei para trás, vi que ele estava segurando o mesmo capacete vermelho que usava na primeira vez que o vi. Em cima do banco havia vários protetores de diversos tamanhos: um grande que parecia algo que um árbitro de beisebol usaria, vários em formato de tubo e luvas grossas. — É uma aula de nível intermediário. Preciso estar bem protegido.

— Claro — eu disse, enquanto Owen engatava a ré e deixava a entrada da garagem. — Como você arranjou esse emprego?

— Como a maioria das pessoas — ele respondeu, largando o protetor que tinha nas mãos. —Vi um anúncio. No início, eu só ajudava atendendo o telefone e fazendo matrículas. Mas aí um cara lesionou a virilha e teve que sair, então fui promovido a agressor.

— Ou rebaixado — Owen disse. — Depende de como você encara a coisa.

— Ah, não — Rolly respondeu, balançando a cabeça. Ele tinha uma expressão muito simpática. Enquanto Owen era grande e largo, mais parecido com um agressor, Rolly era menor e mais magro, com olhos azul-claros. — Atacar é *muito* melhor do que trabalhar na secretaria.

— É mesmo? — perguntei,

— Claro. Quer dizer, para começar, é mais animado — ele disse. — Além disso, você estabelece uma relação mais profunda com as pessoas. Um vínculo é criado quando alguém está enchendo você de porrada.

Olhei para Owen, que estava trocando de marcha com uma mão e mexendo no rádio com a outra.

— Você pode me olhar o quanto quiser — ele disse, concentrado na rua. — Não vou comentar isso.

— Lutar aproxima as pessoas — Rolly disse. — Na verdade, várias garotas que participam das aulas vêm me abraçar depois. As pessoas criam uma conexão comigo. Já aconteceu várias vezes.

— Mas só uma delas importa pra ele — Owen completou.

Rolly soltou um suspiro.

— Verdade — disse.

— Como assim? — perguntei.

— Rolly é apaixonado por uma garota que deu um soco na cara dele — Owen explicou.

— Não na cara — Rolly corrigiu. — No pescoço.

— Parece que ela tem um ótimo gancho de direita — Owen me disse.

— Foi impressionante — Rolly concordou. — Montamos uma

mesa no shopping uma vez e as pessoas podiam se inscrever para uma aula gratuita. Tipo, bater em mim por diversão.

Owen deu a seta, balançando a cabeça.

— Enfim — Rolly continuou —, ela chegou com umas amigas. A Delores, minha chefe, começou a falar sobre as aulas e perguntou se queriam bater em mim. As amigas não quiseram, mas ela aceitou na hora. Encarou meus olhos. E *bam*! Bem aqui.

— Mas você estava usando os protetores, né? — perguntei.

— É claro — ele respondeu. — Sou um profissional. Mas, mesmo assim, dá para perceber quando a pessoa tem um soco bom. E aquela garota tinha. Além disso, era linda. Uma combinação letal. Antes que eu pudesse dizer alguma coisa, ela sorriu para mim, agradeceu e saiu. Sumiu. Desapareceu. Eu nem sei o nome dela.

Estávamos entrando na via expressa agora e o carro pegava velocidade.

— Uau — eu disse. — É uma história e tanto.

— É — ele respondeu, concordando com uma expressão solene. Rolly colocou as mãos sobre o capacete que estava em seu colo, cruzando-as devagar. — Eu sei.

Owen abriu a janela, deixando o ar entrar, então respirou fundo.

— Ah, sim — disse. — Estamos quase chegando.

Virei para a frente e só vi mais estrada.

— Onde?

— Duas palavras — Owen respondeu. — Bacon duplo.

Cinco minutos depois, entramos no estacionamento do Mundo dos Waffles, uma lanchonete vinte e quatro horas que ficava na saída da interestadual. *Eles gostam mesmo de café da manhã*, pensei. Então a direção do vento mudou e de repente senti: bacon. O cheiro era forte, pesado e inevitável.

— Meu Deus! — eu exclamei enquanto entrávamos. Owen e

Rolly respiraram fundo várias vezes, um à minha direita e outro à minha esquerda. — Isso é…

— Incrível, eu sei — Owen disse. — Não era assim. Quer dizer, eles serviam bacon, mas não assim. Mas aí abriu um lugar novo do outro lado da rodovia…

— O Café Matinal — Rolly disse, fazendo uma careta. — Bem mais ou menos. Servem panquecas meio cruas.

— Eles tiveram que ficar mais competitivos. Então agora todo dia é dia de bacon duplo. — Ele deu um passo à frente, abrindo a porta para mim. — Incrível, né?

Assenti e entrei. A primeira coisa que percebi foi que o cheiro ficou mais forte, o que não parecia possível. A segunda foi que o saguão, que era pequeno e abarrotado de mesas, era muito gelado.

— Ah — Owen disse quando se virou para mim e viu que eu estava me abraçando. — Esqueci de avisar sobre o frio. Toma. — Ele tirou a jaqueta e estendeu para mim. Quis recusar, mas ele continuou: — Eles deixam gelado assim pras pessoas não ficarem muito tempo. Acredite, se está com frio agora, vai congelar em dez minutos.

Peguei a jaqueta e vesti. Ficou enorme em mim, com os punhos cobrindo completamente minhas mãos. Ajustei-a em volta do corpo enquanto seguimos uma garçonete alta e magra cujo crachá dizia DEANN até uma mesa perto da janela. Atrás de nós, uma mulher estava amamentando, com a cabeça abaixada. Do outro lado, havia um casal mais ou menos da nossa idade comendo waffles, os dois com roupas de corrida. A garota era loira e estava com um elástico no pulso, e o garoto era mais alto e mais moreno, com parte de uma tatuagem visível embaixo da manga da camiseta.

— Recomendo as panquecas com gotas de chocolate — Rolly me disse depois que Deann tinha trazido café e nos deixado ver o cardápio. — Com muita manteiga e calda. E bacon.

— Argh — Owen reagiu. — Prefiro o básico: ovos, bacon e pão. Só isso.

O bacon parecia uma exigência, então, quando Deann voltou, pedi waffle e bacon. Mas não tinha certeza de que realmente precisava: parecia que já tinha comido uma pratada só de respirar ali.

— Então vocês fazem isso toda semana — eu disse, bebendo um gole de água.

— Sim — Owen respondeu, confirmando com a cabeça. — Desde o primeiro programa. É uma tradição. Rolly sempre paga.

— Essa parte não é tradição — ele disse. — Mas perdi uma aposta.

— Até quando você tem que pagar?

— Para sempre — ele respondeu. — Tive minha chance e estraguei tudo. Agora estou pagando por isso. Literalmente.

— Não é para sempre — Owen corrigiu, batendo a colher no copo de água. — É só até você falar com ela.

— E quando isso vai acontecer? — Rolly perguntou.

— Na próxima vez que se encontrarem.

— É — ele concordou, triste. — Na próxima vez.

Olhei para Owen.

— A garota do gancho de direita — ele explicou. — Em julho, nós a vimos em um bar. Nunca tinha acontecido. Rolly falava sem parar nessa garota desde o dia do soco...

Ele ficou vermelho.

— *Sem parar*, não.

— Aquela era a chance — Owen completou. — Mas ele não conseguiu fazer nada.

— É que eu acredito no momento perfeito — Rolly começou a explicar. — O que não acontece com frequência.

O pensamento profundo foi pontuado — ou interrompido, dependendo de como se encara a coisa — por Deann chegando com nossa comida. Eu nunca tinha visto tanto bacon na vida; estava amontoado em cima do waffle, literalmente caindo do prato.

— Então lá estava eu — Rolly continuou, começando a passar manteiga nas panquecas —, tentando pensar em um jeito de abordar a garota, quando o casaco dela cai no chão. Era como se estivesse escrito, sabe? Mas congelei. Não consegui.

Ao meu lado, Owen já tinha colocado um pedaço de bacon na boca e mastigava enquanto temperava os ovos.

— O problema é que — Rolly continuou —, quando você finalmente tem uma chance de fazer aquilo que mais deseja, ou que mais precisa, morre de medo.

Ele me passou a calda e eu joguei um pouco no meu waffle.

— Total — comentei.

— E foi por isso — Owen prosseguiu por Rolly — que eu disse que, se ele pegasse o casaco e falasse com ela, eu pagaria nosso café da manhã pra sempre. Mas, se ele *não fizesse isso*, ficaria com a conta.

Rolly deu uma garfada na panqueca.

— Cheguei a levantar e começar a andar até lá. Mas aí ela virou e...

— Ele travou — contou Owen.

— Entrei em pânico. Ela me viu, fiquei nervoso e só segui em frente. Agora tenho que pagar pelo café da manhã por toda a eternidade. Ou até cumprir a aposta, o que é improvável, porque nunca mais nos vimos.

— Uau — eu disse. — Que história.

Ele assentiu com a mesma expressão que fizera no carro.

— É — disse. — Eu sei.

Quando fomos embora, uma hora depois, tinha comido todo o bacon e estava tão cheia que sentia que ia explodir. No carro, peguei o cinto de segurança, puxei e esperei Owen bater com o martelo para mim. Suas mãos estavam na minha cintura quando ele deu o golpe, a cabeça perto do meu ombro. Olhei para seu cabelo escuro, as sardas perto da orelha, os cílios longos. De repente ele terminou e se afastou.

Voltando à cidade, fiquei observando Rolly pelo retrovisor, enquanto vestia as proteções: primeiro a grande no peito, depois os tubos em volta dos braços e das pernas. Ele ficava cada vez maior e mais irreconhecível diante dos meus olhos. Vestiu o capacete quando chegamos ao centro comercial onde ficava a EMPOUderamento!

— Obrigado pela carona — ele disse, abrindo a porta e saindo devagar. A proteção das pernas era tão grossa que ele tinha que dar passos curtos e lentos, com os braços estendidos ao lado do corpo. — Depois a gente se fala.

— Tá bom — Owen respondeu.

Enquanto íamos para minha casa, com a paisagem passando pela janela, pensei em como tinha parecido estranho estar com ele naquele primeiro dia. Agora era quase normal. A vizinhança estava silenciosa. Alguns irrigadores funcionavam e um homem de roupão ia até a calçada pegar o jornal. Me peguei pensando no que Rolly tinha dito sobre o momento perfeito. Aquele parecia um, a hora certa para dizer alguma coisa para Owen. Para agradecer, talvez, ou dizer o quanto sua amizade tinha significado naquelas últimas semanas. Mas, enquanto eu reunia coragem para falar, ele se adiantou.

— Então, você ouviu algum dos CDs que eu gravei?

— Sim — eu disse quando viramos na minha rua. — Comecei o de músicas de protesto ontem.

— E?

— Dormi — respondi. Ele estremeceu. — Mas eu estava muito cansada. Vou tentar de novo e depois digo o que achei.

— Sem pressa — ele disse, estacionando na frente de casa. — Essas coisas levam tempo.

— Nem me fale. Você me deu muitas músicas para ouvir.

— Dez CDs não é muita coisa — ele respondeu. — Só uma pincelada.

— Owen. São umas cento e quarenta músicas. No mínimo.

— Se você quer realmente se educar — ele continuou, ignorando meu comentário —, não pode ficar esperando a música vir até você. Tem que ir até a música.

— Está sugerindo algum tipo de peregrinação?

Eu estava brincando, mas, a julgar pela expressão séria, ele não.

— Dá pra chamar assim — ele disse.

— Ah, não — eu disse, me encostando no banco. — Que nome *você* daria?

— Ir ao show de uma banda — ele respondeu. — Uma banda boa. Ao vivo. No próximo fim de semana.

A primeira coisa que surgiu na minha cabeça foi uma pergunta. *Você está me chamando para sair?* A segunda, logo em seguida, foi que, se eu perguntasse, ele responderia com toda a sinceridade, e eu não sabia se queria saber. Se ele dissesse que sim, seria… O quê? Incrível. E assustador. Se ele dissesse que não, eu ia me sentir uma idiota.

— Uma banda boa — repeti. — Segundo a opinião de quem?

— Minha, é claro.

— Ah.

Ele arqueou uma sobrancelha.

— E de *outras pessoas* — disse. — É a banda do primo do Rolly.

— Eles tocam…

— Não, não é música eletrônica — ele respondeu sem rodeios. — Estão mais para um rock solto, músicas originais, meio engraçadinhas, mas definitivamente alternativa.

— Uau — eu disse. — É uma descrição e tanto.

— Isso não significa nada. É a música que importa — ele disse. — E você vai gostar. Confie em mim.

— É o que vamos ver — eu disse, e Owen sorriu. — Então, quando essa banda de rock-solto-com-músicas-originais-meio-engraçadinhas-mas-definitivamente-alternativa vai tocar?

— Sábado à noite — ele respondeu. — É um evento na Bendo, aberto pra menores. Outra banda vai abrir, então devem começar por volta das nove.

— Tá bom.

— Quer dizer que você vai?

— Sim.

— Legal.

Sorri e, atrás dele, dentro de casa, vi Whitney aparecer no topo da escada. Ela estava de pijama, bocejando com uma mão cobrindo a boca. Começou a descer, com sua sombra se estendendo na parede. Ao chegar no fim da escada, atravessou a sala de jantar e foi até os vasinhos na janela da frente. Depois de um tempo, estendeu a mão, pressionado a terra em um deles e virou outro em direção à luz. Então se agachou, com as mãos nas pernas, e analisou todos.

Olhei para o Owen, que também a observava, e me perguntei o que ele achava. Visto de fora, devia parecer diferente do que era. Olhando para a casa ao lado, se via outra coisa, outro vislumbre, outra história. Aquela história nem era minha, mas, por algum motivo, quis contar.

— São ervas — eu disse ao Owen. — Ela plantou ontem. É… parte da terapia.

Ele assentiu.

— Você disse que sua irmã estava doente. O que ela tem? Se não se importar de responder.

— Um distúrbio alimentar — contei.

— Ah.

— Ela está bem melhor — completei. Era verdade. Whitney

tinha comido duas fatias de pizza na noite anterior. Muito depois de eu já ter comido e só depois de tirar qualquer vestígio de gordura e cortar em pedaços pequenos. Mas havia comido, o que era importante. — Quando descobrimos, estava bem grave. Ela ficou um tempo internada.

Whitney levantou e afastou uma mecha de cabelo do rosto. Me perguntei se de repente ela parecia diferente para ele, como se saber aquilo mudasse o modo como a enxergava. Estudei sua expressão, mas não cheguei a nenhuma conclusão.

— Deve ter sido difícil — Owen disse, e Whitney virou, dando a volta na mesa da sala de jantar — ver sua irmã passar por isso.

Ela desapareceu pela porta da cozinha. Um segundo depois, surgiu em frente ao balcão central. Eu sempre esquecia aquele aspecto da nossa casa: do lado de fora, parecia que dava para ver tudo, mas algumas coisas ficavam escondidas.

— É — respondi. — Foi. Fiquei bem assustada.

Daquela vez, não percebi que estava falando a verdade. Não me senti dando aquele passo, ousando ser sincera. Simplesmente aconteceu. Owen virou para mim e engoli em seco. Então, como costumava fazer quando tinha sua atenção, continuei:

— Whitney sempre foi muito fechada. A gente nunca sabia se ela tinha algum problema. Kirsten é o oposto, o tipo de pessoa que revela *demais*. Então, tipo, quando ela não estava feliz, a gente sabia mesmo que não quisesse. Mas com Whitney era preciso arrancar a informação. Ou perceber de algum jeito.

Owen se voltou para a casa, mas Whitney tinha desaparecido de novo.

— E você? — ele perguntou.

— O que tem?

— Como sabem quando você tem algum problema?

Não sabem, pensei, mas não queria dizer aquilo. Não podia.

— Não sei — respondi. — Acho que você teria que perguntar a eles.

Uma suv passou por nós, levantando algumas folhas de árvores que estavam amontoadas no meio-fio. Enquanto dançavam no para-brisa, voltei a olhar para dentro da casa e vi a Whitney subindo as escadas de novo, com uma garrafa de água na mão. Ela olhou para fora. Quando nos viu, diminuiu o ritmo.

— Acho melhor eu entrar — eu disse, estendendo a mão para soltar o cinto. — Obrigada mais uma vez pelo café.

— Imagina — ele respondeu. — Não se esqueça da peregrinação, tá? Sábado. Às nove.

— Estarei lá.

Abri a porta, desci do carro e voltei a fechá-la atrás de mim. Enquanto dava a volta pela frente do carro, ele ligou o motor e acenou. Só quando estava na metade do caminho percebi que não tinha devolvido a jaqueta. Owen já estava virando a esquina, era um borrão azul desaparecendo. Tarde demais.

Abri a porta da frente, entrei e tirei e jaqueta, dobrando-a. Senti alguma coisa no bolso de fora e coloquei a mão lá dentro, tateando até encontrar algo sólido. Mesmo antes de tirar do bolso, já sabia o que era: o iPod. Estava todo arranhado, com a tela rachada e os fones enrolados em volta. Apesar do frio que estava dentro do Mundo dos Waffles, senti o iPod quente em minha mão.

— Annabel?

Levei um susto e olhei para cima. Whitney estava no topo da escada, me observando.

— Oi — respondi.

—Você levantou cedo.

— É. Eu… fui tomar café da manhã.

Ela me encarou, semicerrando os olhos.

— Quando você saiu?

— Faz um tempinho — respondi, começando a subir a escada. Whitney deu só um passinho para o lado quando cheguei lá em cima, então tive que me apertar para passar por ela. Eu a ouvi fungar. E de novo. *O bacon*, pensei.

— Vou fazer a lição de casa — eu disse, indo em direção ao quarto.

— Tá bom — ela respondeu devagar. Mas ficou onde estava, ainda me observando enquanto eu fechava a porta.

Como eu nunca tinha visto Owen sem o iPod, imaginei que ele logo notaria sua ausência. Então, quando o telefone tocou naquela tarde, atendi esperando que fosse Owen em abstinência. Mas não era ele, era minha mãe.

— Annabel! Oi!

Quando ela ficava nervosa, o quociente de alegria em sua voz aumentava exponencialmente. A linha quase caiu com toda aquela animação forçada.

— Oi — respondi. — Como está a viagem?

— Boa — ela disse. — Seu pai está jogando golfe e eu acabei de fazer as unhas. Estamos bem ocupados, mas pensei em dar uma ligadinha. Como vão as coisas?

Era a terceira ligação em trinta e seis horas, mas fiquei na minha.

— Tudo bem — respondi. — Não tem muita coisa acontecendo.

— E Whitney?

— Ela está bem.

— Está aí agora?

— Não sei — eu disse. Levantei e fui até a porta. — Posso ver...

— Ela saiu? — minha mãe perguntou.

— Não tenho certeza — respondi. *Meu Deus*, pensei. — Espera um pouco. — Fui para o corredor e apertei o telefone contra o peito, ouvindo os barulhos da casa. Não ouvi a TV ou qualquer som vindo do andar de baixo, então fui até a porta da Whitney, que estava entreaberta. Bati devagar.

— Oi?

Quando abri, ela estava sentada na cama, com as pernas cruzadas, escrevendo em um caderno em seu colo.

— É a mamãe no telefone — eu disse.

Ela respirou fundo e estendeu a mão, com a palma para cima. Dei um passo à frente e entreguei o telefone.

— Alô? Oi… Sim, estou aqui… Estou bem… Está tudo bem. Você não precisa ficar ligando.

Então minha mãe disse alguma coisa e Whitney se recostou na cabeceira. Enquanto ela ouvia e dava respostas monossilábicas, fiquei olhando pela janela. Embora meu quarto fosse ao lado do dela, a vista do campo de golfe, onde um homem com calça xadrez praticava a tacada, parecia completamente diferente, como se fosse outro lugar.

— Sim, tudo bem — ela estava dizendo, enquanto passava a mão pelo cabelo. Olhando para ela, pensei de novo no quanto era bonita, deslumbrante até, mesmo de calça jeans e camiseta, sem maquiagem. Tanto que era difícil acreditar que ela pudesse se ver de qualquer jeito que não aquele. — Vou falar pra ela… Tá bom… Tchau.

Whitney tirou o telefone da orelha e desligou.

— A mamãe disse que vê você amanhã — ela disse. — Eles voltam a tempo para o jantar.

— Ah — respondi enquanto me devolvia o telefone. — Tá.

— E podemos comer macarrão hoje no jantar ou sair. — Ela se ajeitou, puxando as pernas até o peito. Então se virou para mim.

— O que você quer fazer?

Hesitei, me perguntando se era uma pegadinha.

— Tanto faz — respondi. — Pode ser macarrão.

— Tá bom. Vou preparar daqui a pouco.

— Tá. Posso ajudar, se quiser.

— Tá — ela disse. — Depois a gente vê.

Ela inclinou o corpo para a frente, pegou a caneta que estava ao lado do pé e tirou a tampa. Vi que tinha escrito alguma coisa na parte de cima da página do caderno e me perguntei o que era. Depois de um tempo, ela me encarou.

— O que foi?

— Nada — respondi, percebendo que ainda estava ali, olhando para ela. — Eu... até daqui a pouco.

Voltei para o quarto, sentei na cama e peguei o iPod de Owen. Parecia estranho e talvez um pouco errado que o aparelho estivesse no meu quarto, nas minhas mãos. Ainda assim, desenrolei os fones e apertei o botão. Depois de um segundo, a tela acendeu. Quando o menu apareceu, selecionei MÚSICAS.

Havia nove mil, novecentas e oitenta e sete. *Meu Deus*, pensei, enquanto rolava a lista por um tempo e os títulos passavam em borrões. Lembrei o que ele tinha dito sobre abafar as coisas. Era o que tinha feito durante o divórcio e continuava fazendo todos os dias, percebi, ao andar por ali com os fones. Dez mil músicas podiam preencher bastante silêncio.

Voltei para o menu principal e fui até PLAYLISTS. Outra lista longa apareceu: PROGRAMA 12/8, PROGRAMA 19/8, CÂNTICOS (IMPORTADAS). De repente: ANNABEL.

Tirei o dedo do botão. *Deve ser algum dos CDs que ele gravou para mim*, pensei. Como antes, no carro, hesitei, querendo e não querendo saber. Mas, daquela vez, fui em frente.

Quando apertei o botão, a tela mudou e uma lista de músicas apareceu. A primeira era "Jennifer", de uma banda chamada Lipo. Pareceu um pouco familiar. Assim como "Descartes Dream," do

Misanthrope, a segunda música. Logo reconheci: Owen tinha tocado as duas no primeiro programa que eu ouvira. Não tinha gostado, mas ouvira. E discutira a respeito com ele depois.

Estavam todas ali. Cada música sobre a qual já tínhamos conversado ou discutido, listadas em uma ordem cuidadosa. Os cânticos maias da primeira carona que ele tinha me dado. "Thank You", do Led Zeppelin, de quando havia retribuído a carona. Muita música eletrônica, thrash metal. Até a da Jenny Reef. Enquanto ouvia um pouquinho de cada, pensei em todas as vezes que vi Owen com os fones de ouvido e me perguntei o que ele estava ouvindo e no que estaria pensando. Quem diria que poderia ser em mim?

Olhei para o relógio — quatro e cinquenta e cinco. Owen já devia ter sentido falta do iPod. Eu poderia simplesmente levar o aparelho até a casa dele. Fácil.

Enquanto descia a escada, ouvi um barulho, seguido de um "merda" sussurrado. Quando espiei dentro da cozinha, Whitney estava enfiando uma frigideira de volta no armário.

— Tudo bem? — perguntei.

— Tudo. — Ela levantou, afastando o cabelo do rosto. No balcão central à sua frente, havia um vidro de molho, um pacote de alface e uma tábua com um pimentão vermelho e um pepino. — Você vai sair?

— Eu ia… — comecei a responder. — Rapidinho. A não ser que você queira…

— Não, não precisa. — Ela pegou uma caixa de macarrão, semicerrando os olhos ao ler as instruções.

— Ah. Tudo bem — respondi. — Bom, eu volto antes das…

— É que… — Ela largou a caixa. — Não sei qual panela usar.

Deixei a jaqueta do Owen sobre uma cadeira e fui até o armário ao lado do fogão.

— Esta — eu disse, pegando uma espagueteira. — É mais fácil de escorrer.

— Ah, sim — ela disse. — Claro.

Levei a panela até a pia, enchi de água e coloquei no fogão. Senti Whitney me observando enquanto acendia a boca.

— Vai demorar um pouco — eu disse. — Se tampar, vai mais rápido.

Ela assentiu.

— Tá bom.

Voltei para a cadeira onde tinha deixado a jaqueta e fiquei ali, observando enquanto ela tirava uma panela menor do armário e colocava em cima do fogão. Whitney pegou o pote de molho, abriu a tampa e jogou dentro da panela. Fez tudo isso com muito cuidado, como se estivesse separando átomos. Normal, já que ela quase nunca cozinhava. Minha mãe monitorava todas as suas refeições, preparava seus lanches e sanduíches, e até o cereal que ela comia no café da manhã. Percebi que, se achava estranho assistir, ela devia estar achando ainda mais estranho fazer. Principalmente sozinha.

— Você quer ajuda? — perguntei enquanto ela pegava uma colher de dentro da gaveta ao lado do fogão e enfiava no molho, mexendo meio sem jeito. — Não me importo.

Por um instante, ela não disse nada, e me perguntei se tinha ficado ofendida. Mas então, sem virar para mim, Whitney respondeu:

— Claro. Quer dizer, se quiser ajudar.

Então, naquela noite, pela primeira vez, preparei o jantar com minha irmã. Não conversamos muito, a não ser por perguntas ocasionais que ela fizera (a que temperatura para assar o pão de alho ou quanto macarrão fazer) e minhas respostas (cento e oitenta graus e o pacote inteiro). Arrumei a mesa enquanto ela preparava a salada daquele jeito metódico e devagar, cortando os vegetais com muito cuidado e agrupando-os por cor na tábua. Quando ficou pronto,

Whitney e eu nos sentamos na sala de jantar, só nós duas. Lancei um olhar para os vasinhos na janela.

— Ficaram bem ali — eu disse, enquanto ela sentava.

— Acho que sim — ela respondeu, pegando o guardanapo. Em seu prato havia principalmente salada, com só um pouquinho de macarrão, mas eu não disse nada, principalmente porque seria o que minha mãe faria. — Agora elas só precisam crescer.

Enrolei um pouco de macarrão no garfo e coloquei na boca.

— Ficou bom — eu disse. — Perfeito.

— É macarrão — ela respondeu, dando de ombros. — É fácil.

— Nem sempre — respondi. — Se não cozinhar o suficiente, fica meio duro. Se cozinhar demais, fica muito mole. Não é tão difícil errar.

— É mesmo? — ela disse.

Assenti. Por um instante, ficamos em silêncio, só comendo. Olhei para os vasinhos de novo e para o campo de golfe, tão verde que parecia de mentira.

— Obrigada — Whitney disse.

Eu não tinha certeza se ela estava agradecendo pelo elogio ao macarrão, por não ter falado da salada, ou simplesmente por ter ficado com ela. Não me importei. Fiquei feliz em aceitar o agradecimento, independente do motivo.

— De nada — respondi, e ela assentiu. Lá fora, um carro passou e reduziu a velocidade. O motorista olhou para nós antes de seguir em frente.

11

— É a Annabel!

Eu não tinha nem tirado o dedo da campainha da casa do Owen, mas, de alguma forma, Mallory já estava do outro lado da porta. A maçaneta girou e a porta se abriu.

No início, quase não a reconheci, de tanta maquiagem que usava: base, delineador e sombra, muito blush e cílios postiços, um deles com uma ponta descolada, tocando sua sobrancelha. Ela estava com um vestido preto justo tomara que caia e sandálias de salto bem alto, sobre as quais cambaleava agarrada à maçaneta.

Em volta dela, havia quatro garotas, todas arrumadas, maquiadas, olhando para mim: uma baixinha de cabelo escuro e óculos de grau com um vestido preto e salto plataforma, duas ruivas idênticas de olhos verdes e sardas e uma loira mais cheinha em um vestido que parecia de formatura. O cheiro de spray de cabelo era avassalador.

— Annabel! — Mallory gritou, dando vários pulinhos. O cabelo dela, com um penteado alto que parecia um moicano, nem se mexeu. — Oi!

— Oi — cumprimentei. — Cadê seu...

Antes que eu pudesse terminar a pergunta, ela estendeu a mão, agarrando a minha e me puxando para dentro.

— Gente — disse, enquanto as outras garotas davam um passo para trás, ainda olhando para mim — Essa é a Annabel Greene, vocês acreditam?

A loira de vestido de formatura me analisou com os lábios cor-de-rosa contraídos e disse:

—Você fez aquele comercial.

— Dã! — Mallory respondeu. Ela levantou a mão, finalmente arrumando o cílio torto. — Ela é a garota Kopf. E modelo da Lakeview Models.

— O que você está fazendo aqui? — uma das ruivas perguntou.

— Bom, eu estava aqui perto e... — comecei a responder.

— Ela é amiga do meu irmão. E *minha* amiga. — Mallory apertou minha mão de novo e senti sua palma quente na minha. — Você chegou bem na hora do nosso ensaio. Pode nos ajudar com as poses!

— Na verdade, não posso ficar — respondi. — É só uma passadinha.

Era o que eu tinha dito a Whitney depois do jantar. Que precisava levar uma coisa para um amigo e voltaria em uma hora. Ela só assentira, embora me olhasse de um jeito meio estranho, como se estivesse se perguntando se eu voltaria para casa cheirando a bacon.

— Gostou da minha roupa? — Mallory perguntou, com uma mão atrás do pescoço enquanto olhava para o teto. Ela manteve a pose por um instante, então a desfez. — Vamos fotografar vários looks. O meu é "noite festa".

— O nosso é "dia casual" — uma das ruivas disse, grudando uma mão na cintura. A irmã, que tinha mais sardas, assentiu, sem expressão.

Olhei para a morena de óculos.

— "Escritório" — ela resmungou, repuxando o vestido preto.

— E eu — a loira anunciou, girando para que o vestido rodasse — sou "noivado dos sonhos".

— Não é, não — Mallory disse. —Você é "noite formal".

— "Noivado dos sonhos" — a loira insistiu, girando mais uma vez. Então disse para mim: — Este vestido custou...

— Quatrocentos dólares, a gente já sabe — Mallory disse irritada. — Ela se acha grande coisa só porque a irmã foi debutante.

— Quando vamos tirar as fotos? — uma das ruivas perguntou. — Estou cansada de ser "dia casual", quero usar um vestido.

— Daqui a pouco! — Mallory explodiu, irritada. — Primeiro Annabel tem que ver meu quarto. Depois ela pode nos ajudar com os looks.

Ela começou a me puxar em direção à escada, e as outras vieram atrás.

— Owen está aqui? — perguntei.

— Em algum lugar — ela respondeu quando começamos a subir. A garota de cabelo escuro estava ao meu lado agora, me analisando com uma expressão séria enquanto as outras três cochichavam atrás de mim.

— Você precisa ver as fotos que tiramos na última vez na casa da Michelle, ficaram muito boas! Um dos meus looks foi "estilo europeu". Era incrível.

— "Estilo europeu"? — perguntei.

Ela confirmou com a cabeça.

— Usei uma boina e uma saia xadrez e posei com uma baguete francesa. Ficou ótimo.

— Quero ser "estilo europeu" — a garota de preto disse. — Este vestido é muito sem graça. E por que você sempre é "noite de festa"?

— Espera só um pouco! — Mallory a repreendeu quando chegamos a uma porta fechada. Ela parou na frente da porta e juntou as mãos no peito. — Muito bem — disse. O cílio postiço soltou de novo. — Se prepara para uma experiência de moda incrível.

Não parecia muito promissor. Olhei para trás e vi que as outras garotas ainda me observavam. Virei para Mallory.

— Tá bom — eu disse, devagar.

Ela estendeu a mão, virou a maçaneta e abriu a porta.

— Aqui está! Você acredita?

Não acreditei. A parede à minha frente, assim como a da minha esquerda e a da minha direita, estava coberta de fotos de revista. Modelos e mais modelos, anúncios e mais anúncios, celebridades e mais celebridades. Loiras, morenas, ruivas. Alta costura, moda festa, moda casual, moda comercial. Um rosto lindo e de maçãs proeminentes atrás do outro, com uma pose de um jeito, uma de outro, todas possíveis. Eram tantas fotos cortadas com as bordas sobrepostas que não dava para ver a parede atrás delas.

— Então? — Mallory perguntou. — O que achou?

Eu já estava estarrecida antes de ela me empurrar para a frente, apontando para um rosto específico. Só quando me aproximei percebi que era eu.

— Viu? — ela perguntou. — Esta é do calendário da Lakeview Models do ano passado, quando você era abril e posou com os pneus. Lembra?

Fiz que sim com a cabeça. Mallory empurrou para a direita e apontou de novo. Enquanto isso, as outras garotas tinham se espalhado. As ruivas estavam jogadas na cama, onde folheavam revistas, enquanto a loira e a morena brigavam por uma cadeira em frente à penteadeira.

— E este — Mallory disse, com o dedo a centímetros da parede — é um anúncio da Boca Tan que estava no programa de um jogo de basquete universitário que vi ano passado. Seu cabelo parece mais loiro, não?

— Parece — respondi. Meu bronzeado estava meio alaranjado. Era tão estranho. Eu tinha esquecido completamente aquele anúncio. — É verdade.

Outro puxão, e as fotos borraram quando nos movemos de novo, daquela vez na direção oposta.

— Mas estas — ela disse — são minhas favoritas. Por isso ficam bem perto da minha cama.

Me aproximei. Era uma colagem de imagens do comercial de volta às aulas da Kopf: eu com o uniforme de líder de torcida, no banco com as garotas atrás de mim, em uma mesa, nos braços do cara bonito de terno.

— Onde conseguiu essas fotos? — perguntei.

— São capturas de tela — ela respondeu orgulhosa. — Gravei o comercial em DVD, passei para o computador e salvei as imagens. Legal, né?

Inclinei o corpo para a frente, analisando mais de perto e lembrando, como sempre acontecia quando via o comercial, daquele dia em abril em que fora gravado. Eu era tão diferente naquela época; tudo era.

Mallory largou minha mão e se aproximou da parede.

— Amo esse comercial — ela disse. — No início, era por causa do uniforme, porque eu queria muito ser líder de torcida. Mas, depois, foi por causa das roupas e da história... É incrível.

— Da história... — eu repeti.

— É — ela virou para olhar para mim. — Sabe, você é aquela garota que volta para a escola depois de um verão incrível.

— Ah, claro — respondi.

— No começo tem, tipo, todas as coisas que acontecem logo que a gente volta pra escola. Como as líderes de torcida em um jogo importante. E estudar para as provas e curtir com as amigas.

Curtir com as amigas, pensei. *É*.

— Depois — ela continuou —, tem o primeiro baile, e você fica com o cara gato, o que significa que o *resto* do ano vai ser ainda melhor. — Ela suspirou. — É como se você tivesse uma vida incrível e fizesse um monte de coisas legais. Tudo o que a escola deveria ser. Você é, tipo…

Olhei para ela de novo. Seu rosto estava a centímetros das fotos. Mallory continuava olhando para elas.

— A garota que tem tudo — eu disse, me lembrando das palavras do diretor.

Ela virou para mim, concordando.

— *Exatamente* — disse.

Eu queria dizer a ela, bem ali, que aquilo não era verdade. Que eu estava longe de ser a garota que tinha tudo; que nem era mais aquela garota das fotos, se era que já tinha sido. Ninguém tinha aquela vida, um momento glorioso após o outro, muito menos eu. Uma série de imagens da minha experiência real de volta às aulas seria completamente diferente: a bela boca de Sophie proferindo uma palavra feia, Will Cash sorrindo para mim, eu sozinha atrás do prédio vomitando na grama. Aquela era a verdade sobre minha volta às aulas. A história da minha vida real.

Ouvi passos pesados no corredor, depois um suspiro pesado.

— Mallory, eu já disse, se você quer que eu tire as fotos, vamos fazer isso logo. Preciso montar o programa e não…

Endireitei a postura; Owen estava parado na porta. Quando me viu, arregalou os olhos.

— … tenho a noite toda — completou. — Oi. O que você está fazendo aqui?

— Ela veio pra minha festa — Mallory respondeu.

Owen semicerrou os olhos.

— Você veio para isso?

— Você está ajudando? — retruquei.

— Não — ele respondeu. — Eu só...

— A gente precisava de um fotógrafo para as fotos em grupo — Mallory explicou. — E agora também temos uma estilista. É perfeito! — Ela bateu palmas. — Muito bem, todos desçam e assumam suas posições.Vamos fazer as fotos em grupo primeiro, depois as individuais. Quem está com a lista?

A garota de cabelo escuro levantou da cadeira em frente ao espelho, colocou a mão no bolso e tirou um papel dobrado.

— Eu — disse.

— Então — Owen disse enquanto Mallory pegava o papel —, por que está aqui?

— Moda é minha vida — respondi. — Sabe disso.

Mallory limpou a garganta.

— "Dia casual" primeiro — disse, apontando para as ruivas. — Depois "escritório", "noite festa" e "noite formal".

— "Noivado dos sonhos" — a loira corrigiu.

— Lá pra baixo! — Mallory disse. —Vamos!

As ruivas levantaram e foram em direção à porta, seguidas pela garota de cabelo escuro e vestido preto. A loira não se apressou, me olhando de um jeito estranho ao passar.

— Oi, Owen — ela disse, com a barra do vestido arrastando no carpete.

Ele a cumprimentou sem expressão.

— Oi, Elinor.

Ao ouvi-lo dizer seu nome, a menina ficou vermelha e acelerou. Foi recebida no corredor com risadinhas.

Mallory foi atrás das amigas, então parou na porta e virou para a gente.

— Owen, vou precisar de você lá embaixo em cinco minutos, pronto para fotografar. Annabel, você pode cuidar dos looks e supervisionar.

— Olha como fala, Mallory — Owen respondeu. — Ou vocês vão ter que tirar selfies.

— Cinco minutos! — ela disse. Então atravessou o corredor, subindo o tom de voz para dar ordens às amigas.

— Uau — eu disse, quando a voz delas foi sumindo. — É uma produção e tanto.

— Nem me fale — ele respondeu, sentando na beirada da cama. — E, escute o que estou dizendo, vai acabar em lágrimas. Sempre acaba. Não tem meio-termo com essas garotas.

— Como assim?

— É uma ideia do programa de gerenciamento de raiva — ele explicou enquanto eu sentava ao seu lado. — Significa não pensar só em extremos. Tipo, ou eu consigo ou nem quero tentar. Ou estou certo ou errado.

— Ou sou "noivado dos sonhos" ou "noite formal" — completei.

— Isso. É perigoso pensar assim, porque as coisas nunca são preto no branco — ele disse. — A não ser, aparentemente, quando você tem treze anos.

— A "noivado dos sonhos" parece um pouco difícil.

— Elinor? — Ele respirou fundo. — Ela é uma figura.

— Parece gostar de você.

— Para — ele disse, lançando um olhar de repreensão. — Isso é Ling-In. Das bravas.

— Sabe aquela história de fotógrafo e modelo se pegando? — provoquei, encostando o joelho nele. — É praticamente obrigatório.

— O que você veio fazer aqui mesmo?

— Só vim te entregar isso. — Mostrei a jaqueta. — Esqueci de devolver hoje de manhã.

— Ah — ele disse. — Obrigado. Mas você podia ter esperado até terça se quisesses.

— Eu teria esperado — respondi, colocando a mão no bolso e tirando o iPod —, se não fosse por isso.

Ele arregalou os olhos.

— Cara... — Owen disse, pegando o iPod. — Disso eu teria sentido falta.

— Pensei que já tivesse sentido.

— Ainda não — ele respondeu. — Mas logo ia começar a preparar o programa da semana que vem, então... Obrigado.

— De nada.

Um barulho veio do andar de baixo. Parecia alguém comemorando ou reclamando.

—Viu? — Owen perguntou, apontando para a porta aberta. — Lágrimas. Certeza. Não tem meio-termo.

—Talvez a gente devesse ficar aqui escondido — eu comentei.

— Pode ser mais seguro.

— Não sei — ele disse, observando ao redor. — Essas fotos me dão arrepios.

— Pelo menos você não está nelas — eu disse.

— Sério? Tem fotos suas aqui?

Apontei para as fotos do comercial. Ele levantou e foi observar mais de perto.

— Não é nada de mais — murmurei. — Mesmo.

Owen analisou as fotos tempo suficiente para que eu começasse a me arrepender de ter mostrado.

— É estranho — ele finalmente disse.

— Uau. Muito obrigada.

— Não, quer dizer, não parece você, sei lá. — Ele parou, se aproximando ainda mais. — É familiar, mas definitivamente não parece a mesma pessoa.

Fiquei em silêncio por um instante, me sentindo um pouco estranha, porque era isso o que eu pensava quando via os comerciais antigos que tinha feito, principalmente o comercial da Kopf. Aquela garota *era* diferente de mim agora, mais inteira, intacta e melhor do que a que eu via no espelho. Mas eu achava que era a única que percebia.

— Sem ofensa — Owen disse.

Balancei a cabeça.

—Tudo bem.

— Quer dizer, é uma foto bonita. — Ele se aproximou para olhar de novo. — Mas acho que você está melhor agora.

No início, achei que tivesse ouvido errado.

— Agora? — perguntei.

— É. — Ele se virou para mim. — O que você achou que eu estava dizendo?

— Eu não... — Fiz uma pausa. — Deixa pra lá.

— Que você fica melhor nas fotos?

— Bom, você costuma ser honesto — eu disse.

— Mas não sou um idiota — ele respondeu. —Você está bonita nas fotos. Só não parece você. Parece... diferente.

— Diferente pior — eu disse.

— Diferente diferente.

— Muito vago — observei. — Muleta. Muleta *dupla*.

—Tem razão — ele disse. — O que eu quero dizer é que, olhando para essas fotos, eu penso: *Hum, essa não é a Annabel. Não tem nada a ver com ela.*

— O que tem a ver comigo?

— Isso — ele disse, apontando para mim. — Não conheço você como uma pessoa que tira fotos com um uniforme de líder de torcida. Ou como modelo, ponto. Essa não é você pra mim.

Quis pedir que ele explicasse melhor, que dissesse o que, exatamente, eu era para ele. Mas percebi que talvez tivesse acabado de explicar. Eu já sabia que Owen me achava sincera, direta, engraçada, até — coisas que eu nunca pensei que fosse. O que mais eu poderia ser? Que tipo de potencial existia nas diferenças entre a garota das fotos e a que ele via agora? Eram muitas as possibilidades.

— Owen! — Mallory gritou da escada. — Estamos prontas!

Ele revirou os olhos. Então veio até mim e estendeu a mão para me ajudar a levantar.

— Muito bem — disse. — Vamos.

Olhando para ele, percebi que também fazia parte da minha volta às aulas real: ao lado de Sophie, Will e de todas as coisas horríveis, estava Owen, estendendo a mão para mim. E agora, quando estendia a mão de novo, estava mais agradecida do que nunca por finalmente ter algo a que me agarrar.

Owen estava certo quanto às lágrimas. Em uma hora, houve um surto.

— Não é justo! — a garota de cabelo escuro, que agora eu sabia que se chamava Angela, disse, com a voz vacilante.

—Você está bonita — Mallory disse a ela, ajeitando seu boá. — Qual é o problema?

Eu sabia. Na verdade, era bem óbvio. Enquanto Mallory e as outras alternavam "noite de festa" e "noite formal" (ou, dependendo do ponto de vista, "noivado dos sonhos"), Angela ficava com "escritório", que era claramente o look menos aclamado. Ela estava observando a saia e a camisa pretas e o sapato sem salto.

— Quero ser "noite de festa" — ela protestou. — Quando vai ser minha vez?

— Owen! — Elinor, a loira, chamou, puxando a blusa preta para cobrir a barriga. — Está pronto para mim?

— Não — ele resmungou enquanto ela ia em sua direção, jogando o cabelo e colocando uma mão na cintura. — Nem um pouco.

O ensaio era uma produção e tanto. As garotas não só tinham arrastado os móveis da sala e pendurado um lençol branco na lareira para servir como fundo como haviam montado uma área de troca de roupas e maquiagem (o camarim) e colocado música ambiente (principalmente Jenny Reef, Bitsy Bonds e 104z; a oferta de Owen de cuidar da trilha tinha sido rejeitada com veemência).

— Logo vai ser sua vez — disse Mallory, que agora estava vestindo um maiô dourado e um sarongue, com o boá sobre os ombros. — Mas "escritório" é muito importante. Alguém precisa fazer.

— Então por que você não faz?

Mallory soltou um suspiro, soprando a franja do rosto.

— Por que combino mais com os looks para noite — ela explicou enquanto as ruivas, que agora estavam em trajes de banho, ensaiavam as poses para as fotos de praia jogando uma bola de uma para a outra. — Como você usa óculos, fica melhor com os visuais mais sérios, corporativos.

Olhei para a Angela, cujo lábio superior tremia um pouco.

— Talvez ela possa tirar os óculos — eu disse.

— Estou pronta — Elinor disse a Owen. — Vamos! Tire a foto!

Owen, que agora estava em pé na frente do sofá, fez uma careta ao posicionar a câmera. Por experiência própria, sabia que as modelos nunca mandavam no fotógrafo, mas aquele obviamente não era o caso. Owen ficava com o dedo no botão quase sem parar, tirando fotos e mais fotos enquanto as garotas faziam todas as poses possíveis. Parecia chocado enquanto Elinor jogava um beijo para a câmera e para ele.

As meninas disseram que, como estilista, eu deveria ficar no camarim e supervisionar os looks, uma pilha de roupas e sapatos jogados pelos móveis, pelo chão e pela escada. Como minhas primeiras sugestões — menos decote e menos maquiagem, para começar — foram completamente ignoradas, fiquei basicamente observando Owen e tentando não rir.

— Sabe de uma coisa? — ele disse, quando Elinor se jogou no chão e começou a se contorcer em direção a ele, com os cotovelos batendo contra o piso de madeira. — Acho que terminamos.

— Mas nem tiramos as fotos em grupo! — Mallory respondeu.

— Então é melhor andar logo — ele disse. — A estilista e o fotógrafo recebem por hora, e vocês não vão poder pagar se ficarmos muito mais tempo.

— Tá bom — Mallory resmungou, jogando o boá por cima de um dos ombros. — Todas juntas na frente do lençol, agora!

As ruivas pegaram a bola e foram, enquanto Elinor levantava e arrumava a blusa. Olhei para Angela, que estava parada na passagem para a sala de jantar, os braços cruzados sobre o peito, o lábio superior tremendo bastante. Três podia ser demais, pensei. Cinco, então.

— Ei — eu disse, e ela virou para mim. — Vem cá. Vamos arrumar outra roupa para você.

Ouvi a Mallory dizendo como as poses deviam ser enquanto Angela me seguiu até o camarim, onde considerei as opções.

— Esta é bonita — eu disse, pegando uma saia vermelha. — O que acha?

Angela fungou, então levantou a mão e ajeitou os óculos.

— Pode ser — ela disse.

— A gente podia combinar com... — Olhei em volta e peguei uma blusa preta de alcinha — Isso. E um salto bem alto.

Ela assentiu, pegando a saia.

— Tá bom — disse, atravessando o corredor em direção ao banheiro. — Vou me trocar.

— Isso — respondi. — Vou procurar os sapatos.

— Angela! — Mallory gritou. — Precisamos de você aqui!

— Espera um pouco — respondi, me abaixando e vasculhando a pilha de sapatos que estava aos meus pés. Tinha escolhido uma sandália de tiras e estava procurando pelo outro pé quando senti alguém me observando. Quando levantei, Owen estava parado ali, segurando a câmera.

— Um segundo — eu disse. — Estamos trocando o visual.

— Eu ouvi. — Ele entrou no camarim, encostou na porta e ficou me olhando. Finalmente encontrei a sandália escondida embaixo de uma blusa grossa. — Foi muito legal da sua parte ajudar Angela.

— Bom, ser modelo não é exatamente fácil — respondi.

— Não?

Confirmei com a cabeça enquanto levantava, procurando por Angela no corredor. Encostei do outro lado da porta, encarando Owen, com as sandálias na mão. Depois de um tempo, ele levou a câmera aos olhos.

— Não — eu disse, cobrindo o rosto com a mão.

— Por que não?

— Odeio tirar foto.

—Você é *modelo*.

— Exatamente por isso — respondi. — Enjoei.

— Ah, só uma — Owen disse.

Abaixei a mão, mas não sorri enquanto ele apertava o botão. Fiquei só olhando para a lente até o flash acender.

— Ficou boa — ele disse.

— É mesmo?

Ele assentiu, observando a foto no display da câmera. Me aproximei para ver. Ali estava eu, com o batente da porta atrás de mim. Meu cabelo estava bagunçado, com uns fios soltos em volta do rosto. Eu estava sem maquiagem e não era meu melhor ângulo. Mas não era uma foto ruim. Me aproximei ainda mais, analisando meu rosto, com a luz fraca atrás de mim.

—Viu? — Owen disse. Senti seu ombro contra o meu, o rosto a centímetros de distância enquanto nós dois olhávamos. — *Essa* é você.

Virei a cabeça para responder alguma coisa, sem nenhuma ideia do que falar. Seu rosto estava tão perto, bem ali. Olhei para ele e, então, antes que eu percebesse o que estava acontecendo, Owen virou a cabeça devagar, se aproximando ainda mais de mim. Fechei os olhos e seus lábios encostaram nos meus, suaves. Me aproximei, encostando meu corpo no...

— Estou pronta para colocar os sapatos.

Nós dois pulamos, assustados; Owen bateu a cabeça no batente da porta.

— Merda — ele disse.

Com o coração acelerado, olhei para a Angela, que estava nos encarando com uma expressão séria.

— Sapatos. Certo — eu disse, entregando as sandálias para ela.

Owen esfregava a cabeça, com os olhos fechados.

— Cara — ele disse —, essa doeu.

—Você está bem? — perguntei. Ele fez que sim e eu estendi a mão para tocar sua testa. Mantive os dedos ali por um instante, em sua pele quente, suave ao toque, antes de tirar a mão.

— Owen! — Mallory gritou da sala. — Estamos prontas! Vamos!

Ele voltou para a sala. Angela, já com as sandálias nos pés, seguiu atrás dele, devagar. Fiquei onde estava por um instante, então me olhei no espelho, espantada com o que tinha acabado de acontecer. Analisei meu reflexo por um tempo, então me afastei da minha própria imagem.

Quando cheguei à sala, todo o drama já tinha sido esquecido, e a foto em grupo estava à toda, as cinco posando animadíssimas enquanto Owen se movimentava, obediente. Parei na porta da sala, observando enquanto cada uma posava à sua maneira: uma jogada de quadril, um pescoço arqueado, cílios vibrantes.

A música que estava tocando era do tipo que Owen odiava: uma batida pop dançante, a voz perfeitamente projetada de uma garota se impondo sem esforço aos instrumentos. Mallory estendeu a mão em direção ao rádio que estava no chão, aumentou o volume, e todas as garotas gritaram e começaram a dançar, levantando as mãos. Owen se afastou enquanto elas pulavam e giravam, então virou a câmera para mim, mantendo-a assim enquanto as garotas passavam entre nós como borrões. Eu não sabia exatamente o que ele estava vendo, mas tinha pelo menos uma ideia. Daquela vez, sorri.

Quando cheguei aquela noite, todas as luzes da casa estavam apagadas, exceto a do quarto de Whitney. Eu a vi na cadeira perto da janela, sentada sobre os pés. Estava com o mesmo caderno de antes aberto no colo, a mão se movimentando pela página enquanto escrevia. Por um instante, fiquei parada ali, observando minha irmã, a única coisa que eu conseguia ver no escuro.

Havia saído da casa de Owen na hora certa. Elinor, Angela e as gêmeas tinham se cansado tanto do ensaio quanto da atitude de Mallory e estavam prestes a iniciar um motim, a casa estava uma zona e a mãe deles — que aparentemente tinha mania de organização — ia chegar a qualquer momento. Me ofereci para ficar e ajudar a arrumar tudo, ou mediar a situação, mas ele recusou.

— Eu dou conta — disse, já nos degraus da entrada. — Se fosse você, sairia daqui enquanto há tempo. A coisa só vai piorar.

— Que otimista — eu disse.

Lá dentro, ouvi um grito indignado, seguido de uma porta batendo. Owen virou a cabeça para a porta, então voltou a olhar para mim.

— Só estou sendo realista.

Sorri e desci mais um degrau, tirando a chave do carro do bolso.

— A gente se vê na escola, então.

— É — ele disse. — Até mais.

Não nos mexemos, e me perguntei se ele ia me beijar de novo.

— Tá — eu disse, sentindo meu estômago se revirar. — Eu... é... vou nessa.

— Tá. — Ele se aproximou da beirada do degrau onde estava e eu dei um passo à frente, encontrando-o no meio do caminho. Enquanto Owen inclinava o corpo na minha direção, fechei os olhos e ouvi alguma coisa, uma batida que parecia cada vez mais alta e mais próxima. A maçaneta da porta girou e nós dois pulamos quando Mallory, com um sapato de salto grosso, um macacão preto e um boá verde, surgiu na varanda.

— Espera! — ela disse, vindo até mim, com a mão estendida. — Aqui. São para você.

Ela me entregou uma pilha de fotos recém-saídas da impressora, ainda cheirando a tinta. No topo estava ela de maiô dourado, depois havia um close com as penas do boá emoldurando seu rosto. Vi algumas fotos em grupo, Elinor se contorcendo no chão e, finalmente, Angela com a roupa que eu tinha escolhido.

— Uau — eu disse. — Estão ótimas.

— É para você colar na sua parece — ela respondeu. — Assim vai poder olhar pra mim de vez em quando.

— Obrigada — eu disse.

— De nada. — Ela virou para o irmão. — A mamãe acabou de ligar do carro. Vai chegar em dez minutos.

— Tá. — Ele respirou fundo e me disse: — Até mais.

Acenei com a cabeça e os dois entraram na casa, onde as outras garotas discutiam. Mallory acenou para mim uma última vez antes de fechar a porta. Um instante depois, Owen disse alguma coisa e elas se acalmaram. Enquanto descia os degraus, já não ouvi mais nada.

De volta à minha casa, desci do carro com as fotos da Mallory na mão. Durante todo o caminho, só conseguia pensar no rosto de Owen se aproximando do meu, no que tinha sentido com aquele beijo tão breve e ainda assim inesquecível. Senti meu rosto ficando vermelho quando abri a porta e subi as escadas.

— Annabel? — Whitney chamou no andar de cima. — É você?

— Sim — respondi. — Já voltei.

Quando cheguei à minha porta, a dela se abriu.

— Mamãe ligou de novo — minha irmã disse. — Falei que você tinha ido à casa de um amigo. Ela perguntou qual, mas eu disse que não sabia.

Por um instante, ficamos só nos observando e me perguntei se ela estava esperando que eu me explicasse.

— Obrigada — eu disse finalmente, abrindo a porta e acendendo a luz do quarto. Deixei as fotos em cima da cômoda e tirei o casaco, jogando-o em cima da cadeira da escrivaninha. Quando virei de novo, Whitney estava na minha porta.

— Falei que talvez você ligasse quando chegasse — ela disse. — Mas acho que não precisa.

— Tá bom — respondi.

Ela se apoiou no batente da porta. Então, viu as fotos.

— O que é isso? — perguntou.

— Ah, não é nada — eu disse. — É só... É uma bobeira.

Whitney pegou a pilha e começou a analisar, a expressão do rosto passando de neutra a curiosa, quando viu a foto de Elinor jogada no chão, quase horrorizada.

— A irmã do meu amigo estava brincando de modelo com as amigas — eu disse, indo até ela enquanto continuava observando as fotos. Passou pelas ruivas fazendo uma pose espelhada lado a lado e por Angela com o vestido preto, do odiado visual "escritório". Mallory aparecia com uma variedade de expressões: pensativa, sonhadora e, como reação a algo que Owen tinha dito, irritada. — Elas se arrumam e tiram fotos umas das outras.

Whitney parou para estudar uma foto de Elinor com o vestido branco, parecendo reflexiva.

— Uau — ela disse. — É um look e tanto.

— Ela chama de "noivado dos sonhos".

— Hum — minha irmã respondeu, passando para a próxima foto, mais uma da Elinor, desta vez esparramada no chão, com a boca entreaberta.

— Como é o nome desse?

— Acho que não tem nome — respondi.

Whitney conteve qualquer comentário, passando para a próxima foto, de Mallory com uma blusinha vermelha, olhando para a câmera. Seus lábios estavam projetados, assim como os cílios enormes.

— Ela é fofa — Whitney disse, virando um pouco a foto. — Tem olhos bonitos.

— Meu Deus — eu disse, balançando a cabeça. — Ela ia *morrer* se ouvisse você dizer isso.

— É mesmo?

Assenti.

— Mallory é obcecada por modelos. Você precisa ver o quarto dela. Tem fotos de revista por todo lado.

— Ela deve ter amado ter você lá então — ela disse. — Uma modelo de verdade.

— Acho que sim — respondi, olhando as fotos enquanto ela passava por uma série de imagens em grupo: todas elas com os rostos grudados, depois cada uma olhando para uma direção, como se estivessem esperando ônibus diferentes. — Foi meio estranho, na verdade.

Whitney ficou em silêncio por um instante.

— É. Sei o que você quer dizer.

Como tantas outras coisas que tinham acontecido naquele fim de semana, agora eu estava compartilhando um momento inesperado com minha irmã, quase prendendo a respiração. Finalmente, eu disse:

— A gente nunca fez isso quando era criança.

— A gente não precisava fazer isso — ela disse quando a foto de Angela apareceu, os olhos escuros sérios, a pele pálida com o flash da câmera. — A gente trabalhava com isso.

— É — respondi. — Mas poderia ter sido mais divertido desse jeito. Teria menos pressão, pelo menos.

Senti seus olhos me atravessarem quando disse aquilo, e só percebi que Whitney pensara que eu estava falando dela tarde demais. Esperei que explodisse ou dissesse algo horrível, mas ela não fez aquilo, só me devolveu as fotos.

— Bom, acho que a gente nunca vai saber — ela disse.

Quando minha irmã saiu para o corredor, dei uma olhada nas fotos; a de Mallory com o boá estava no topo da pilha de novo.

— Boa noite — eu disse.

Ela olhou para mim, com a luz ao fundo, e fiquei impressionada com a perfeição de suas maçãs do rosto e seus lábios, tão deslumbrantes e comuns ao mesmo tempo.

— Boa noite, Annabel.

Mais tarde, quando fui deitar, peguei as fotos mais uma vez e sentei na cama. Depois de olhar a pilha inteira duas vezes, levantei e fui até a escrivaninha, revirando a primeira gaveta até encontrar alfinetes. Então pendurei as fotos, de três em três, na parede em cima do rádio. "Para que você possa olhar para mim de vez em quando", Mallory tinha dito — e, ao apagar a luz, fiz exatamente aquilo. A lua que entrava pela janela se lançava sobre elas, iluminando-as, e fiquei observando as garotas o máximo que consegui. Então senti que estava pegando no sono e virei para a escuridão.

12

Minha mãe voltou das primeiras férias em um ano descansada, com as unhas feitas e rejuvenescida. O que teria sido ótimo, se sua energia recém-descoberta não tivesse sido direcionada para a coisa em que eu menos queria ter que pensar, mas não podia evitar: o desfile de outono da Lakeview Models.

—Você precisa ir à Kopf hoje provar as roupas e amanhã para o ensaio — ela me disse enquanto eu cutucava o café da manhã com o garfo. — O último ensaio é na sexta. Quinta tem cabeleireiro e sábado cedo, manicure. Tudo bem?

Depois de um fim de semana inteiro só para mim, sem contar os meses anteriores com poucos compromissos de trabalho, não estava tudo bem. Parecia péssimo. Mas eu não disse nada. Por mais que temesse a semana e o desfile, pelo menos tinha algo para esperar ansiosamente: ir à Bendo com Owen.

— Sabe, algo me ocorreu nesse fim de semana — minha mãe continuou. — O pessoal da Kopf deve estar para selecionar modelos para a campanha de primavera. Esse desfile é uma ótima oportunidade para que eles vejam você pessoalmente.

Ao ouvir isso, senti uma pontada de pavor, pois sabia que devia dizer a ela que não queria mais ser modelo. Então me lembrei de quando Owen e eu ensaiamos essa cena e de como, por mais que fosse só uma brincadeira, eu não tinha conseguido dizer nada. Minha mãe estava na minha frente, tomando café, e eu sabia que era o momento perfeito. Metaforicamente, ela tinha derrubado o casaco, e eu podia simplesmente pegá-lo. Mas, como Rolly, fiquei paralisada. E em silêncio. *Depois eu digo*, pensei. *Depois do desfile.*

Ao mesmo tempo que eu estaria atravessando uma passarela no shopping desfilando roupas de inverno, minha irmã Kirsten estaria diante de uma multidão por um motivo diferente. No dia anterior, ela finalmente tinha mandado o curta por e-mail, conforme prometera. Como eu estava acostumada com Kirsten explicando — em demasia — tudo o que fazia, a mensagem que enviou com o arquivo me pegou de surpresa.

Aqui está, Annabel. Me diga o que achou. Beijos, K.

No início, fiquei procurando pelo restante em todo o corpo do e-mail — assim como por telefone, minha irmã também costumava ser verborrágica por e-mail. Mas era só aquilo.

Cliquei para baixar o arquivo e fiquei vendo os quadradinhos azuis preencherem a tela. Quando o download terminou, dei o play.

A primeira tomada era de grama. Grama bem verde e bonita, como a do campo de golfe do outro lado da rua, ou seja, cheia de produtos químicos, enchendo a tela. Então a câmera se afastou e se afastou, até mostrar o quintal em frente a uma casa branca com belos detalhes azuis. Duas figuras passaram de bicicleta, como um borrão.

Depois de um corte, duas garotinhas vinham na direção da câmera. A loira parecia ter uns treze anos; a morena, mais magra e mais nova, a seguia.

De repente, a loira olhou para trás e começou a pedalar mais rápido, se afastando ainda mais. A câmera cortava de uma imagem para outra: ela pedalando, seu cabelo voando ao vento, um cachorro dormindo na calçada, um homem pegando o jornal, o céu azul, um canteiro de flores. Conforme ela acelerava, as imagens passavam cada vez mais rápido, se repetindo, até que a câmera cortou para a estrada à frente, que terminava em um T. Ela freou até parar e virou para trás. À distância, só dava para ver uma bicicleta caída no meio da rua, com a roda ainda girando, a outra garota ao lado, segurando o braço.

A próxima cena era da loira parando ao lado dela.

— O que aconteceu? — ela perguntou.

A mais nova balançou a cabeça.

— Não sei — disse.

A loira empurrou a bicicleta para mais perto dela.

— Aqui — disse. — Suba.

Na cena seguinte, a garota mais nova se equilibrava no guidão, segurando o braço, enquanto a loira subia a rua pedalando. Mais uma vez a câmera passava entre imagens delas e da vizinhança, mas as cenas agora eram diferentes: o cachorro bufando e latindo quando elas passaram, o homem cambaleando enquanto pegava o jornal do chão, o céu cinza, a água do irrigador molhando um carro. Os mesmos elementos, mas tão diferentes. A casa, ao surgir ao fundo, também parecia mudada. A loira pedalou até a entrada da garagem, a câmera se afastando até parar quando a mais nova desceu, segurando o braço com força contra o corpo. Elas largaram a bicicleta na grama e foram em direção à casa. Subiram os degraus e a porta se abriu para elas, mas não dava para ver quem estava do outro lado. Enquanto desapareciam lá dentro, a câmera desceu até a grama encher a tela novamente, de um lado a outro, assustadoramente verde, viva e falsa. E o vídeo acabou.

Fiquei sentada ali um instante, olhando para a tela. Então vi mais uma vez. E uma terceira. Ainda não sabia exatamente o que pensar quando peguei o telefone e liguei para Kirsten. Quando ela atendeu e eu disse que tinha gostado, mas não tinha entendido direito, ela não ficou chateada. Ao contrário, disse que o objetivo era aquele.

— Como assim? O objetivo é deixar o público confuso? — perguntei.

— Não — ela disse. — Mas não quero que o significado fique claro. É para ficar aberto à interpretação.

— Tá, mas *você* sabe o que significa? — perguntei.

— Claro.

— E o que significa?

Ela soltou um suspiro.

— Sei o que significa *para mim* — ela respondeu. — Para você, vai ter um significado diferente. Olha só, o cinema é pessoal. Não existe interpretação certa ou errada. O que importa é o que você tira do filme.

Olhei para a tela mais uma vez, que mostrava a última tomada da grama verde.

— Ah — eu disse. — Certo.

Era tão estranho. Ali estava minha irmã, rainha das informações em excesso, se recusando a falar. Eu estava acostumada a ter que adivinhar com algumas pessoas, mas nunca com Kirsten, e não sabia se estava gostando daquilo. Ela, no entanto, parecia muito mais feliz do que nos últimos meses.

— Que bom que você gostou. E que teve uma reação forte! — Ela riu. — Agora só preciso que todos sintam a mesma coisa no sábado e vai ser ótimo!

Ótimo para você, pensei, alguns minutos depois, quando desligamos. Eu ainda estava confusa. E, tinha que admitir, intrigada. O suficiente para assistir ao curta mais duas vezes, analisando-o cena a cena.

Agora, enquanto meu pai entrava na cozinha e minha mãe se apressava ao redor dele, levei meu prato até a pia, deixando que um pouco de água caísse sobre ele. Pela janela à minha frente, vi Whitney sentada em uma espreguiçadeira ao lado da piscina, com uma xícara de café ao seu lado. Normalmente, ela estaria dormindo àquela hora, mas vinha levantando cedo nos últimos dias. Era apenas uma das muitas mudanças recentes.

No início, eram pequenas, mas ainda assim perceptíveis. Ela vinha se mostrando um pouco mais sociável — alguns dias antes, tinha saído para tomar um café com algumas pessoas do grupo da Moira Bell —, e tinha começado a trabalhar algumas manhãs no escritório do meu pai, substituindo mais uma secretária grávida. Quando estava em casa, passava pelo menos algum tempo fora do quarto. Aconteceu em estágios: primeiro a porta passou de sempre fechada a ligeiramente entreaberta e então a aberta de vez em quando. Notei que ela passou a ficar mais na sala. No dia anterior, eu a tinha encontrado sentada à mesa da sala de jantar quando voltei da escola, com livros espalhados à sua volta, escrevendo.

Eu vinha sendo ignorada havia tanto tempo que ainda hesitava em abordar minha irmã. Daquela vez, no entanto, ela falou primeiro.

— Oi — Whitney disse, sem levantar a cabeça. — Mamãe deu uma saída. Disse para você não esquecer o ensaio às quatro e meia.

— Tá — respondi. Ela estava com o braço torto sobre o bloco de notas, a caneta fazendo barulho enquanto corria pelo papel. Na janela, os vasos de ervas estavam à luz do sol, embora ainda não tivessem demonstrado qualquer sinal de que iam brotar. — O que você está fazendo?

— Tenho que escrever uma história.

— Uma história? — repeti. — Sobre o quê?

— Bom, são duas histórias, na verdade. — Ela largou a caneta e alongou os dedos. — Uma sobre minha vida. E outra sobre meu distúrbio alimentar.

Era estranho ouvi-la dizer aquilo. Depois de um tempo, percebi por quê. Embora o problema tivesse dominado nossa dinâmica familiar durante quase um ano, eu nunca tinha ouvido Whitney mencioná-lo. Como tantas outras coisas, era sabido, mas não discutido; estava presente, mas não era reconhecido. O modo como falou, tão natural, pareceu demonstrar que tinha se acostumado com a ideia.

— Então são duas coisas diferentes? — perguntei.

— Parece que sim. Pelo menos segundo Moira. — Whitney respirou fundo, mas, daquela vez, ao citar o nome da terapeuta, pareceu mais cansada do que irritada. — A ideia é que existe uma separação, ainda que às vezes não pareça. Que tínhamos uma vida antes do distúrbio.

Me aproximei da mesa, observei os livros empilhados ao lado dela. O título de um deles era *Com fome de atenção: distúrbios alimentares e adolescentes*; o mais fino chamava *As dores da fome*.

—Você tem que ler todos esses livros?

— Não *tenho* que ler. — Ela pegou a caneta de novo. — São só para inserir dados, caso eu queira. Mas só preciso das minhas memórias. Temos que escrever um ano por vez. Ela fez um gesto mostrando o bloco à sua frente. Na primeira linha, vi que tinha escrito ONZE. Não havia mais nada na página.

— Deve ser meio estranho — eu disse. — Pensar no passado ano a ano.

— É difícil. Mais do que pensei que seria. — Ela abriu um livro que estava ao lado, folheando as páginas e fechando em seguida. — Não me lembro de muita coisa.

Olhei de novo para os vasos, com o sol se derramando sobre eles. Além da janela, do outro lado da rua, o campo de golfe estava verde e claro.

—Você quebrou o braço — eu disse.

— O quê?

— Quando tinha onze anos — respondi. — Caiu da bicicleta. Lembra?

Por um instante, ela ficou em silêncio.

— É mesmo — disse finalmente, assentindo. — Meu Deus. Não foi, tipo, logo depois do seu aniversário?

— *Durante* o meu aniversário — eu disse. —Você voltou com o gesso bem na hora de cortar o bolo.

— Não acredito que tinha esquecido isso — ela disse. Balançou a cabeça de novo, olhando para o papel antes de pegar a caneta de novo e começar a escrever, preenchendo a primeira linha. Quis mencionar o filme da Kirsten e que tinha me lembrado dessa história por causa dele, mas me contive. Whitney já tinha preenchido três linhas e ainda estava escrevendo, então não quis interromper. Saí da sala e a deixei trabalhando. Quando passei por ela de novo uma hora depois, ainda estava escrevendo e dessa vez nem levantou a cabeça. Só continuou.

Agora, me afastando da pia, olhei para a minha mãe e tentei imaginar o que ela lembraria se eu perguntasse sobre o que acontecera naquele dia, no meu aniversário de nove anos, um ou dois meses antes da morte da mãe dela. Da grama verde, como a Kirsten? De que acontecera na hora da minha festa, como eu? Ou de nada, como a Whitney, pelo menos no início? Tantas versões da mesma memória, nenhuma delas certa ou errada. Apenas peças. Que, quando postas lado a lado, poderiam começar a contar toda a história.

— Entre.

Olhei para Owen, arqueando uma sobrancelha. Eu estava atravessando o estacionamento da Kopf em direção ao meu carro depois de mais um ensaio quando alguém parara de repente ao meu lado.Virei, assustada. Era só Owen com a Land Cruiser, estendendo o braço para abrir a porta do passageiro.

— É um sequestro? — perguntei.

Ele balançou a cabeça, fazendo um gesto impaciente com uma das mãos para que eu entrasse no carro e mexendo no rádio com a outra.

— Sério — ele disse, enquanto eu entrava devagar. — Você *precisa* ouvir isso.

— Como você sabia que eu estava aqui? — eu perguntei, enquanto ele continuava mexendo no som.

— Não sabia — ele respondeu. — Eu estava parado naquele farol, então olhei para cá e vi você. Ouça isso.

Ele estendeu a mão e aumentou o volume. Um segundo depois, um som estridente encheu meus ouvidos, seguido pelo que parecia ser um violino elétrico tocando rápido. O resultado era um barulho que já teria sido incômodo a um volume normal. Alto como estava, fez meus pelos da nuca arrepiarem.

— Incrível, não é? — Owen disse com um sorriso largo. Ele balançava a cabeça enquanto os acordes pulavam entre nós. Imaginei um monitor cardíaco, a agulha pulando a cada som que fazia meu coração disparar.

Senti meu corpo estremecer enquanto perguntava gritando:

— O que é isso?

— O nome da banda é Melisma — ele gritou de volta quando um som de baixo surgiu, tão alto que chacoalhou o banco. No carro ao lado, uma mulher colocando um bebê na cadeirinha lançou um olhar pra gente. — É um projeto musical. São cordas sintetizadas, musicistas incríveis influenciados por...

Ele continuou falando, mas o som foi abafado por uma explosão repentina de batidas rápidas. Vi seus lábios se movendo até que o barulho diminuiu.

— ... uma coisa bem colaborativa, uma iniciativa totalmente nova. Demais, né?

Antes que eu pudesse responder, houve um estrondo de pratos, seguido de um barulho sibilante. Por reflexo, autopreservação ou bom senso, não consegui me conter: cobri os ouvidos com as mãos.

Owen arregalou os olhos e me dei conta do que tinha feito. A música acabou repentinamente, então o barulho das minhas mãos batendo no banco ao afastá-las das orelhas soou incrivelmente alto. Principalmente comparado ao silêncio constrangedor que se seguiu.

Owen finalmente disse, com a voz baixa:

—Você não... tapou as orelhas, tapou?

— Foi sem querer — respondi. — Eu só...

— Isso é *sério*. — Ele estendeu a mão, balançando a cabeça, e desligou o rádio. — Quer dizer, uma coisa é ouvir e discordar respeitosamente. Mas se recusar a dar uma chance...

— Eu dei uma chance! — disse.

— Você chama *isso* de chance? — ele perguntou. — Foram cinco segundos!

—Tempo suficiente para formar uma opinião — eu disse.

— Que é?

— Eu tapei as orelhas — respondi. — O que você acha?

Ele ameaçou dizer alguma coisa, mas parou, balançando a cabeça. A mulher do carro ao lado agora estava dando ré. Vi quando passou na janela de Owen.

Ele disse depois de um tempo:

— Melisma é um grupo inovador e complexo.

— Se com isso você quer dizer que não dá pra escutar, então eu concordo — eu disse com calma.

— Ling-In! — ele disse, apontando para mim. — Não acredito que você falou isso! É o casamento perfeito entre instrumento e tecnologia! É diferente de qualquer coisa já feita! É incrível!

— Talvez no lava-rápido — resmunguei.

Ele tinha tomado fôlego para continuar o discurso, mas soltou o ar com uma bufada e virou para me encarar.

— Como assim?

Aquilo também saíra sem que eu percebesse. Houve uma época em que eu tinha total consciência de tudo o que dizia ou fazia perto de Owen. Aquilo ter mudado podia ser bom ou muito ruim. A julgar pela cara que ele fez — uma mistura de horror e ofensa —, tive a sensação de que provavelmente era a segunda opção. Pelo menos no momento.

— Eu disse... — Limpei a garganta. — Eu disse que talvez pareça incrível no lava-rápido.

Senti seu olhar sobre mim e comecei a cutucar o banco. Então ele perguntou:

— Por quê?

—Você sabe — respondi.

— Não sei. Mesmo. Me ilumine.

Claro que ele ia me fazer explicar.

— Bom — eu comecei devagar —, qualquer coisa soa melhor quando você está passando por um lava-rápido, né? É, tipo, um fato. Não é?

Ele não disse nada, só ficou me observando.

— O que eu quero dizer é que não gostei — esclareci. — Sinto muito. Eu não devia ter tapado as orelhas, foi grosseiro. Mas eu...

— Qual lava-rápido?

— O quê?

— Onde fica esse lugar mágico onde todo som muda?

Fiquei olhando para ele.

— Owen.

— É sério. Quero saber.

— Não é um lava-rápido específico — respondi. — É o fenômeno do lava-rápido. Você não conhece mesmo?

— Não — ele respondeu. Então engatou a ré. — Mas vou conhecer. Agora.

Cinco minutos depois, chegamos ao lava-rápido da rua da minha casa, o 123suds. Quando criança, eu ia lá com frequência, porque minha mãe adorava. Meu pai sempre dizia que o único jeito de realmente limpar o carro era lavando à mão — como ele costumava fazer, em domingos ensolarados, na entrada da garagem —, e que o lava-rápido era uma perda de tempo e dinheiro. Mas minha mãe não se importava.

"Não é só a lavagem", minha mãe costumava dizer. "É a *experiência*."

A gente nunca planejava ir lá. Passávamos na frente e ela entrava de repente, mandando minhas irmãs e eu procurarmos moedas no chão e nos compartimentos do carro para colocar na máquina. Sempre escolhíamos a lavagem básica, pulando a cera quente e às vezes adicionando a lavagem especial dos pneus. Então fechávamos todas as janelas e entrávamos.

Tinha algo de especial naquilo. Entrar no túnel escuro, a água caindo de repente como uma tempestade enorme e inesperada sobre o teto e o capô, escorrendo pelas janelas, tirando toda a sujeira. Fechando os olhos, dava para se imaginar flutuando. Era misterioso e incrível. Quando falávamos, era sempre suspirando, mesmo que não soubéssemos o porquê. E, mais que tudo, eu me lembro da música.

Minha mãe amava música clássica — só tocava isso no carro dela, o que deixava a gente irritada. Eu e minhas irmãs implorávamos por músicas normais, qualquer coisa deste século, mas ela era teimosa.

"Quando vocês dirigirem, vão poder escutar o que quiserem",

ela costumava dizer, e aumentava o Brahms ou o Beethoven para abafar nossas bufadas irritadas.

Mas, no lava-rápido, a música da minha mãe soava diferente. Bonita. Só lá eu fechava os olhos e curtia aquilo de verdade, entendendo o que ela sempre ouvia.

Quando finalmente comecei a dirigir, eu podia ouvir o que quisesse, o que era ótimo. Mas, mesmo assim, na primeira vez em que fui ao lava-rápido sozinha, procurei por uma estação de rádio de música clássica, em nome dos velhos tempos. Quando eu estava entrando, houve uma interferência e começou a tocar uma música country animada, algo que eu tampouco ouviria por escolha própria. Foi estranho. Sentada ali, com as escovas passando, a água escorrendo pela janela, até aquela música — que fala alguma coisa sobre dirigir um Ford antigo sob a lua cheia — parecia perfeita. Como se no lava-rápido não importasse o que estivesse tocando.

Contei tudo aquilo a Owen enquanto íamos para lá, explicando como, desde então, eu ficara convencida de que qualquer música parecia boa no lava-rápido. Mas ele pareceu desconfiado enquanto colocava moedas na máquina, então me perguntei se minha teoria estava prestes a ser derrubada.

— E agora? — ele perguntou ao receber o recibo e a luz vermelha lateral ficar verde. — A gente entra?

— Você nunca fez isso? — perguntei.

— Não costumo gastar com o carro por questões meramente estéticas — ele respondeu. — Além disso, acho que tem um buraco no teto.

Fiz um gesto para que ele seguisse em frente. Owen passou pela pequena lombada e foi até a linha amarela, apagada pela ação do tempo, onde estava escrito PARE AQUI. Então desligou o motor.

— Muito bem, estou pronto para ser impressionado.

Olhei para ele.

— Como essa é sua primeira vez, acho que, para realmente sentir o efeito, você precisa reclinar o banco.

— Sério?

— Isso aguça a experiência — respondi. — Confie em mim.

Nós dois reclinamos o banco e relaxamos. O braço dele ficou encostado no meu, e me lembrei daquela noite na casa dele, de como eu tinha ficado tão perto de beijá-lo, duas vezes. Quando a máquina começou a zumbir atrás de nós, estendi a mão e coloquei o CD pra tocar de novo.

— Muito bem — eu disse, quando os jatos começaram. — Aqui vamos nós.

A água caiu devagar no início, então começou a escorrer no vidro à nossa frente como uma onda. Owen se mexeu quando uma gota acertou sua camiseta.

— Ah, ótimo — ele disse. — Tem *mesmo* um buraco no teto.

Mas ficou em silêncio quando a próxima faixa do CD começou com um murmúrio suave, seguido de algumas cordas. Havia também um zumbido, mas, com a água se movimentando sobre nós, o interior do carro parecendo diminuir cada vez mais, ele pareceu se dissipar, desaparecendo. Eu ouvia o barulho das escovas conforme elas se aproximavam do carro, misturando-se aos acordes tristes do violino. Já dava para sentir o tempo passar mais devagar, tudo parando diante daquele momento, aqui, agora.

Virei a cabeça para observar Owen. Ele estava deitado ali, assistindo às escovas desenharem grandes círculos de sabão no para-brisa à nossa frente, com um olhar intenso. Ouvindo. Fechei os olhos, me concentrando em fazer a mesma coisa. Mas só conseguia pensar no fato de que parecia que minha vida toda tinha mudado naquelas poucas semanas com ele; e, não pela primeira vez, quis dizer aquilo a Owen. Achar as palavras certas, ligá-las do jeito ideal, sabendo que aqui soariam perfeitas.

Virei para Owen mais uma vez e abri os olhos. Ele estava olhando para mim.

— Você tinha razão — Owen disse em voz baixa. — Isso é incrível. Mesmo.

— É — eu disse. — É, sim.

Então ele virou, se aproximando de mim, e senti seu braço contra o meu, sua pele quente. Então, finalmente, Owen me beijou — de verdade — e não ouvi mais nada: nem a água, nem a música, nem mesmo meu próprio coração, que com certeza estava acelerado. Era apenas o silêncio, o melhor tipo de silêncio, se estendendo para sempre, ou só por um momento, então acabou.

De repente, os sons no carro pararam, a música acabou. No teto, vi uma gota grande, pendendo sobre nossas cabeças. Fiquei observando até ela cair no meu braço, no instante em que uma buzina soou atrás de nós.

— Opa — Owen disse, e nós dois nos ajeitamos no banco. Ele deu a partida e eu olhei para trás e vi um cara esperando em um Mustang, com as janelas já fechadas. — Peraí.

Quando saímos, o sol brilhava, iluminando as poças de água que se espalhavam e escorriam pelo capô. Com o beijo e o escuro, sentia como se ainda estivesse embaixo da água, e a claridade me pegou de surpresa.

— Cara — Owen disse, piscando enquanto parava o carro no meio-fio —, isso foi incrível.

— Eu disse. Tudo parece melhor no lava-rápido.

— Tudo, é?

Ele ficou olhando para mim ao dizer aquilo, e me veio a imagem do seu rosto momentos antes, olhando pelo para-brisa e ouvindo a tudo com atenção. Talvez um dia eu fosse capaz de dizer tudo o que estava pensando naquele momento. E mais.

— Será — ele disse, passando uma mão no cabelo — que funciona com música eletrônica?

— Não — respondi sem rodeios.

— Tem certeza?

— Ah, sim. — Confirmei com a cabeça. — Absoluta.

Owen arqueou uma sobrancelha.

— Bom — ele disse, se afastando do meio-fio e dando a volta —, vamos ter que ver.

— Você ficou sabendo?

Eram seis da tarde do sábado do desfile e eu estava sentada no camarim improvisado da Kopf, esperando. Nas últimas horas, enquanto arrumavam meu cabelo e faziam minha maquiagem, e eu me vestia e passava pelos ajustes, tinha conseguido ignorar a conversa à minha volta. Estava concentrada em apenas desfilar logo para chegar ao momento que estava realmente esperando: ir à Bendo com Owen. E funcionara. Até o momento.

Olhei para a esquerda, onde Hillary Prescott tinha acabado de sentar ao lado de uma garota chamada Marnie. Como eu, elas já estavam com o cabelo e a maquiagem prontos, então não tinham mais nada para fazer a não ser beber água, se olhar no espelho e fofocar.

— Do quê? — Marnie perguntou. Ela era magra e tinha o rosto comprido, com ossos proeminentes. Quando a vi pela primeira vez, a achei parecida com a Whitney, embora estivesse mais para "bonitinha" do que para "deslumbrante".

Hillary olhou por cima de um ombro, depois do outro, dando aquela conferida básica.

— Do que aconteceu ontem na festa da Becca Durham — disse.

— Não — Marnie respondeu, passando um dedo nos lábios com gloss. — O que aconteceu?

Hillary se aproximou um pouco mais.

— Bom, pelo que fiquei sabendo, foi um drama total. Louise me disse que na metade da festa...

Ela parou de falar de repente e ficou observando o espelho à nossa frente assim que Emily Shuster entrou. Estava com os braços cruzados e a cabeça ligeiramente abaixada. Dei uma olhada rápida, mas foi o suficiente para notar que parecia péssima: o rosto estava inchado e os olhos vermelhos, rodeados por círculos escuros.

Hillary, Marnie e eu ficamos olhando quando ela e a mãe passaram por nós, indo em direção à sra. McMurty, que estava do outro lado do camarim. Hillary disse:

— *Não acredito* que ela apareceu aqui.

— Por quê? — Marnie perguntou. — O que aconteceu?

Não é problema meu, pensei, me concentrando no caderno de história que tinha levado para estudar enquanto esperava. Mas, ao abaixar a cabeça, senti um fio de cabelo grudar no meu rosto. Olhei para o espelho para tirá-lo exatamente no instante em que Hillary se aproximou um pouco mais.

— Ela ficou com Will Cash ontem à noite — disse, em voz baixa, mas não o suficiente. — No carro dele. E Sophie flagrou os dois.

— Não! — Marnie disse, arregalando os olhos. — *Sério?*

Como eu estava me olhando no espelho, vi minha reação ao ouvir aquilo. Pisquei e minha boca se abriu de espanto. Fechei-a rápido e virei para o outro lado.

— Louise estava na festa — Hillary continuou contando —, então não viu o que aconteceu, só ficou sabendo. Mas parece que Will levou Emily lá e alguém viu os dois. Quando soube, Sophie *enlouqueceu*.

Marnie lançou um olhar para Emily, que agora estava de costas para nós enquanto a mãe falava com a sra. McMurty.

— Meu Deus! O que Will fez?

— Não sei. Mas Louise disse que Sophie desconfiava de alguma coisa. Que Emily andava mexendo com ele, sempre agindo como boba quando ele estava por perto.

Agindo como boba ou simplesmente nervosa, pensei. Me lembrei do olhar intenso e fixo de Will, de como o tempo parecia passar devagar sempre que estávamos sozinhos no carro esperando por Sophie. Atrás de mim, as pessoas passavam, conversando, fazendo barulho. Mas eu só conseguia ouvir aquelas duas vozes e meu coração disparado.

— Meu Deus! — Marnie repetiu. — Coitada da Sophie.

— Nem me fale. Elas eram melhores amigas. — Hillary soltou um suspiro. — Acho que não se pode confiar em ninguém mesmo.

Virei a cabeça. Claro que elas estavam olhando para mim. Eu as encarei e Marnie ficou vermelha, então desviou o rosto. Mas Hillary manteve os olhos em mim por um tempo antes de empurrar a cadeira para trás e levantar, jogando o cabelo para o lado e se afastando. Marnie cutucou a garrafa de água por alguns segundos desconfortáveis, então levantou e foi atrás dela.

Por um instante, fiquei ali sentada, tentando processar o que tinha acabado de ouvir. Olhei para Emily, que agora estava sentada em uma cadeira do outro lado do camarim. A sra. Shuster, em pé ao lado dela, estava dizendo alguma coisa, com o rosto sério, enquanto a sra. McMurty concordava com a cabeça. A mãe estava com a mão no ombro da Emily, e de vez em quando eu a via apertá-lo, o tecido da camiseta amassando e desamassando.

Fechei os olhos, tentando engolir o nó que tinha se formado em minha garganta. *Ela ficou com Will Cash ontem à noite. Sophie enlouqueceu. Elas eram melhores amigas. Acho que não se pode confiar em ninguém mesmo.*

Não, pensei, *não podemos*. Me lembrei dos últimos meses, do verão silencioso, da volta às aulas solitária, daquele dia horrível no pátio quando empurrei Sophie. Talvez não pudesse ter mudado nada daquilo. Mas, tarde demais, percebia que poderia ter mudado uma coisa.

Tentei estudar, tentei pensar em Owen e no que faríamos à noite. Mas sempre que conseguia me distrair por um instante que fosse me via olhando para o outro lado do camarim, para onde Emily estava sentada em frente a um espelho. Ela chegou tão atrasada que o cabeleireiro e o maquiador tiveram que trabalhar ao mesmo tempo, um contornando o outro. No espaço entre nós, as pessoas continuavam passando, falando alto, gesticulando. A hora do desfile se aproximava, mas Emily continuava olhando para a frente, para seu reflexo no espelho, mas para mais ninguém.

Quando nos chamaram, ela não saiu com a gente do camarim. Só apareceu depois que todas estávamos em nossas posições, e tomou seu lugar na fila, três garotas à minha frente. Havia um relógio digital em uma parede ali perto: eram cinco para as sete. A vários estados e quilômetros dali, Kirsten se preparava para apresentar seu curta, e eu me lembrei da grama verde, de repente não mais tão perfeita.

Aquele costumava ser o momento em que eu ficava mais nervosa, os últimos minutos antes de desfilar. Na minha frente, Julia Reinhart cutucava a barra da camisa; atrás de mim, eu ouvia uma das modelos novas reclamando que seus sapatos estavam muito apertados. Emily não dizia nada, mantendo o olhar na fenda da cortina.

A música começou — alta e dançante, como algo que tocaria na 104z. A sra. McMurty surgiu, com a aparência exausta e uma prancheta na mão.

— Um minuto! — ela disse. A primeira da fila, uma das modelos mais antigas, jogou o cabelo para trás e alinhou os ombros.

Estiquei os dedos e respirei fundo. Agora, tudo parecia maior e mais aberto no shopping. Eu só precisava desfilar, sair e ir encontrar Owen, na direção do que eu queria ser, não do que tinha sido.

A música parou por um instante e recomeçou. O desfile teve início. A sra. McMurty subiu as escadas para ficar ao lado da cortina, então a abriu e fez um gesto para que a primeira garota passasse. Neste instante, vi a multidão nas cadeiras dos dois lados e em pé mais atrás.

Quando chegou a vez da Emily, ela saiu com a cabeça erguida e a coluna ereta. Enquanto a via desfilar, desejei ser como as outras pessoas ali, que só viam uma garota bonita vestindo roupas bonitas. Outra garota saiu, depois Julia, então Emily voltou, descendo do outro lado do palco para o camarim. De repente era minha vez.

Quando a cortina se abriu, só vi a passarela se estendendo à minha frente e um borrão de rostos dos dois lados. A música pulsava em meus ouvidos quando comecei a andar, tentando olhar para a frente, mas ainda assim vi alguns rostos na multidão. À esquerda, vi minha mãe sorrindo para mim, com o braço do meu pai em volta dela. Mallory Armstrong estava sentada com as gêmeas ruivas do outro lado, algumas fileiras atrás. Na fração de segundo em que nossos olhares se encontraram, ela acenou animada, pulando na cadeira. Continuei descendo a passarela. Quando cheguei ao fim, vi Whitney.

Ela estava ao lado de um vaso de planta em frente à loja de suplementos, a uns quinze metros do fim da plateia. Eu não sabia que ela estaria ali. Mas o que realmente me surpreendeu, foi seu olhar, tão triste que quase me fez perder o fôlego. Quando nossos olhares se encontraram, ela deu um passo à frente, enfiando as mãos nos bolsos. Por um instante, fiquei observando-a, sentindo um aperto no peito. Então tive que voltar.

Senti um nó na garganta enquanto avançava em direção à cortina. Eu tinha passado por muita coisa. Não queria pensar em nada do que estava acontecendo ou tinha acontecido, com Emily ou comigo. Só queria sentar com Owen e falar sobre música, ser a garota que ele via, diferente, de um jeito bom.

Estava na metade da passarela agora, no meio do caminho. Mais quatro trocas de roupa, mais quatro passagens, e aquilo acabaria. Não era minha obrigação salvar ninguém. Principalmente porque não tinha sido capaz de salvar nem a mim mesma.

— Annabel! — Ouvi uma voz gritar. Olhei para a esquerda e vi Mallory, com um sorriso largo levando a câmera ao rosto, com o dedo no botão. As ruivas estavam acenando e todos me observavam. Quando o flash acendeu, só consegui pensar naquela noite no quarto dela com Owen, observando todos aqueles rostos na parede sem nem mesmo me reconhecer nas fotos.

Virei para olhar para a frente e Emily saiu de trás da cortina. Quando a vi, ouvi a voz da Kirsten na minha cabeça, me explicando por que tinha medo de mostrar seu curta. "É pessoal", ela dissera. "É de verdade." Aquele momento também era, embora não fosse possível perceber à primeira vista. Era falso por fora, mas muito real por dentro. Era só olhar, olhar de verdade, para perceber.

O estranho era que até ali, na escola, nos ensaios, sempre que nos cruzávamos, Emily nunca me encarava nos olhos. Era como se não quisesse me ver. Mas daquela vez, quando nos aproximamos, senti que estava me encarando, querendo que eu virasse, tentando atrair meu olhar. Lutei o máximo que consegui, mas, quando ela passou por mim, me rendi.

Emily sabia. Percebi com um único olhar, no mesmo instante. Eram seus olhos. Apesar da camada grossa de maquiagem, eles ainda estavam escuros, assombrados, tristes. Mas, acima de tudo, me eram familiares. O fato de estarmos diante de centenas de estranhos não mudava nada. Eu tinha passado o verão com aquele mesmo olhar — assustado, perdido, confuso — olhando para mim. Seria capaz de reconhecê-los em qualquer lugar.

13

— Sophie!

Era a festa de fim do ano letivo, e eu estava atrasada. A voz de Emily, dizendo aquilo foi a primeira coisa que ouvi ao entrar.

Na hora, não consegui encontrá-la — a entrada estava cheia de gente, assim como a escada —, mas logo ela surgiu, com uma cerveja em cada mão. Ao me ver, sorriu.

— Ah, você está aí — disse. — Por que demorou tanto?

A imagem da minha mãe uma hora antes me veio à cabeça, seus olhos arregalados ao ver Whitney afastar a cadeira para depois lançá-la contra a mesa, fazendo todos os pratos pularem. Daquela vez, o problema fora o frango, especificamente a metade de peito que meu pai tinha colocado no prato dela. Depois de cortá-lo em quatro, então em oito, então em quase impossíveis dezesseis peda-ços, ela empurrara tudo para o lado antes de começar a comer a salada, mastigando cada garfada de alface durante o que pareciam eras. Todos agimos como se não estivéssemos vendo aquilo, como se nem tivéssemos percebido, e continuamos conversando sobre o tempo. Alguns minutos depois, Whitney jogou o guardanapo sobre o prato, cobrindo o frango como se fosse um mágico e pudesse fazê-lo desaparecer. Não dera certo. Meu pai dissera a Whitney que terminasse de comer, e ela explodira.

Àquela altura, já deveríamos estar acostumados ao drama da hora do jantar — ela tinha saído do hospital havia alguns meses e aquilo havia virado rotina —, mas às vezes a intensidade e a violência dos seus ataques nos pegavam de surpresa. Principalmente minha mãe, que sempre parecia encarar cada sílaba mais alta, cada batida, estrondo ou suspiro sarcástico como ofensas pessoais. Então eu ficara em pé na cozinha depois do jantar enquanto ela lavava a louça. Dava para ver o rosto da minha mãe refletido na janela sobre a pia. Eu a vigiara com atenção, como sempre fazia quando minha mãe ficava chateada, preocupada com a possibilidade de surgir algo além de suas feições que poderia reconhecer.

— Acabei me enrolando em casa — respondi a Emily. — O que perdi?

— Nada de mais — ela disse. —Você viu Sophie?

Observei ao redor, para além do amontoado de gente ao nosso lado e para a sala, onde a encontrei sentada em um sofá perto da janela, parecendo entediada.

— Por aqui — eu disse a Emily, pegando uma das cervejas enquanto atravessávamos a multidão até o sofá. — Ei — gritei mais alto do que a TV que ficava ali perto. — O que aconteceu?

— Nada — Sophie respondeu com um tom de voz monótono. Então fez um gesto em direção à cerveja. — É pra mim?

— Talvez — respondi. Ela fez uma careta e eu entreguei a bebida, então sentei enquanto Sophie bebia um gole, manchando a borda do copo de batom.

— Amei sua blusa, Annabel — Emily disse. — É nova?

— É. — Levantei e passei a mão sobre a camurça rosa da blusa que minha mãe e eu tínhamos encontrado na Tosca no dia anterior. Tinha sido cara, mas valeria a pena, porque eu usaria durante todo o verão. — Comprei ontem.

Sophie bufou alto, balançando a cabeça.

— Esta é oficialmente a pior festa de fim das aulas do mundo — anunciou.

— São só oito e meia — eu disse, observando ao redor. Um casal estava se pegando em uma poltrona ali perto. Um grupo jogava cartas na mesa de jantar. A música vinha de algum outro lugar, provavelmente dos fundos, o baixo fazendo o chão tremer sob nossos pés. — As coisas podem melhorar.

Ela tomou outro gole de cerveja.

— Duvido. Se esta festa for um termômetro, este vai ser o pior verão de todos.

—Você acha? — Emily perguntou, parecendo surpresa. —Vi uns caras mais velhos bem gatos lá fora.

—Você quer sair com um cara que está na faculdade e frequenta festas de colégio? — Sophie perguntou.

— Ah, não sei — Emily respondeu.

— É ridículo — disse Sophie.

Um barulho alto ecoou à nossa esquerda. Virei e vi um grupo entrando. Reconheci uma garota da minha turma de educação física, junto com Will Cash e outros caras.

—Viu? As coisas já estão melhorando — eu disse a Sophie.

Em vez de parecer feliz, ela semicerrou os olhos. Eles tinham brigado no início da semana, mas, como sempre, achei que já tinham se resolvido, na medida do possível. Pelo jeito não. Will só acenou com a cabeça antes de seguir seus amigos até a cozinha.

Quando ele desapareceu, ela se encostou no sofá e cruzou as pernas.

— Que saco — Sophie anunciou. Eu sabia que era melhor não discordar.

Levantei e estendi a mão para ela.

—Vem — eu disse. —Vamos circular.

— Não — ela respondeu. Emily, que tinha começado a levantar, sentou de novo.

— Sophie.

Ela fez que não com a cabeça.

—Vão vocês duas. Divirtam-se.

—Você vai ficar aqui emburrada?

— Não estou emburrada — ela respondeu fria. — Só prefiro ficar sentada.

—Tá bom — eu disse. —Vou pegar outra cerveja. Quer alguma coisa?

— Não — ela respondeu, olhando para a sala de jantar, onde Will estava conversando com o cara sentado na ponta da mesa, que estava dando as cartas.

— Quer vir comigo? — perguntei a Emily. Ela fez que sim, deixou a cerveja na mesinha de centro e me seguiu pelo corredor.

— Ela está bem? — Emily perguntou assim que saímos de perto.

— Sophie está ótima — respondi.

— Parece chateada — ela disse. — Antes de você chegar, mal falou comigo.

—Já, já ela se anima — respondi. —Você sabe como é.

Atravessamos a cozinha e chegamos à varanda onde estava o barril de cerveja, cercado por alguns caras mais velhos.

— Oi — um deles me cumprimentou. Era alto, magro e estava fumando. — Deixa que eu pego uma cerveja pra você.

— Não precisa — respondi, dando um meio sorriso enquanto pegava um copo e o enchia eu mesma.

—Vocês duas estudam na Jackson? — outro cara, que estava de braços cruzados, perguntou a Emily. Ela assentiu, sem tirar os olhos de mim. — Cara, as meninas do primeiro ano estão ficando cada vez mais gatas.

— Não somos do primeiro ano — respondi, já me afastando do barril.

Um cara de cabelo enrolado estava parado na minha frente, bloqueando meu caminho.

— Licença — pedi.

Ele me observou por um tempo antes de dar um passo para o lado.

— Você é difícil, hein? — o cara disse quando passei. — Gosto disso.

Voltei para a cozinha e Emily veio atrás de mim, fechando a porta atrás de nós.

— Não foi desses caras que eu falei aquela hora — ela disse em voz baixa.

— Eu sei — respondi. — Esses daí estão em todas as festas.

Começamos a voltar para onde Sophie estava, mas um grupo tinha acabado de entrar, e o corredor estava lotado. Tentei passar por eles, mas fiquei presa em meio à multidão na metade do caminho. Virei para trás, procurando por Emily, mas ela estava com uma garota da agência chamada Helena, que gritava em seu ouvido.

— *Licença* — uma garota que não reconheci falou irritada ao passar por mim, batendo o cotovelo no meu.

Senti algo gelado, então olhei para baixo e vi cerveja — a dela ou a minha, não sei — escorrendo pela perna. De repente o corredor pareceu ainda mais apertado e mais quente. Quando um espaço se abriu à minha esquerda, virei e dei de cara com um espacinho embaixo da escada, onde finalmente consegui respirar.

Me encostei contra a parede e tomei um gole da cerveja enquanto as pessoas continuavam se empurrando. Estava me preparando para voltar à multidão quando Will Cash passou. Ele me viu e parou.

— Oi — disse. Dois caras passaram, indo na direção contrária. Um deles levantou a mão e bagunçou o cabelo dele. Will fez uma careta. — O que está fazendo?

— Nada — respondi. — Eu só...

Will virou e se enfiou no lugar onde eu estava. Mal cabíamos os dois embaixo da escada — era o tipo de lugar para se colocar uma mesinha ou um quadro —, mas tentei ir um pouco para a esquerda, deixando um espaço entre nós.

— Está se escondendo? — ele perguntou. Will não estava sorrindo, mas eu tinha quase certeza de que era para ser uma piada. Com ele, ninguém nunca sabia. Ou *eu* não sabia.

— As coisas... ficaram um pouco loucas — eu disse. — Você... é... já viu Sophie?

Ele não parava de me encarar. Senti que estava ficando vermelha.

— Ainda não — ele respondeu. — Faz tempo que estão aqui?

— Ah, eu não vim com elas — respondi quando Hillary Prescott passou. Ela começou a andar mais devagar, encarando nós dois por um tempo antes de seguir em frente e desaparecer na multidão. — Acabei de chegar... Me enrolei em casa. — Will não disse nada, só ficou me observando. — Sabe como é — continuei, tomando mais um gole da cerveja enquanto um grupo de garotas passava por nós, rindo alto. — Drama familiar e tal.

Eu não tinha a menor ideia de por que estava contando aquilo para ele, assim como não tinha a menor ideia de por que fazia as coisas que fazia quando Will estava por perto. Algo nele me incomodava a ponto de ficar tão na defensiva que acabava falando demais para compensar.

— É mesmo? — Will perguntou, com um tom de voz monótono.

Senti meu rosto ficar vermelho de novo.

—Vou procurar Sophie — eu disse. — Hum... A gente se vê por aí.

Ele acenou com a cabeça.

— É. A gente se vê.

Nem esperei que a multidão desse uma trégua, simplesmente me meti no meio dela, batendo em um jogador de futebol americano que passava e seguindo-o em direção à cozinha, onde encontrei Emily apoiada no balcão com o celular na orelha.

— Aonde você foi? — ela perguntou, desligando o celular e guardando-o no bolso.

— Lugar nenhum — respondi. —Vamos.

Quando voltamos à sala, Sophie ainda estava no sofá, mas Will estava com ela, e os dois aparentemente discutiam. Ela dizia alguma coisa com a cara fechada e Will parecia nem ouvir direito, observando ao redor enquanto Sophie falava.

— Melhor a gente não incomodar agora — eu disse a Emily. —Voltamos depois. Preciso fazer xixi. Você tem ideia de onde fica o banheiro?

— Acho que vi um para lá — ela disse, apontando para um corredor. —Vamos.

Havia uma fila para usar aquele banheiro, então decidimos tentar a sorte no andar de cima. Estávamos atravessando um corredor longo quando ouvi alguém gritar meu nome.

Parei e voltei até uma porta aberta que tínhamos acabado de passar. Lá estavam Michael Kitchens e Nick Lester jogando sinuca, dois caras do último ano com quem eu tinha passado o semestre inteiro sofrendo na aula de história da arte.

—Viu? — Nick disse. — Eu disse que tinha visto Annabel!

— Quem diria — Michael, que estava inclinado sobre a mesa, prestes a dar uma tacada, disse. —Achei que você estava tendo uma alucinação.

Nick virou e colocou uma mão sobre o peito quanto me viu.

— Não, é Annabel — ele disse. — Annabel, Annabel, Annabel Greene.

—Você prometeu que ia parar de fazer isso quando as aulas acabassem — eu disse. Ele tinha feito um projeto sobre Poe e passara o semestre me enchendo com aquele verso. — Lembra?

— Não — ele respondeu, sorrindo.

Michael deu a tacada e as bolas se espalharam fazendo barulho.

— Nick está bêbado — ele disse. — Depois não digam que eu não avisei.

— Não estou bêbado — o outro retrucou. — Só alegre.

—Tem um banheiro por aqui? — perguntei. — Estamos atrás de um.

— Bem ali — Michael respondeu, apontando para o outro lado da sala.

—Vem — eu disse a Emily, que só então entrou. — Estes são Nick e Michael. — Dei minha cerveja a ela. — Esta é Emily. Eu já volto, tá?

Ela assentiu.

—Você joga? — Michael perguntou, apontando para a mesa.

— Mais ou menos — ela respondeu.

Ele foi até a parede e pegou um taco para Emily.

— Sei — Michael disse. —Você diz mais ou menos, aí ganha de mim em dez segundos.

— Ela tem mesmo jeito de quem sabe jogar — Nick comentou. Emily riu, fazendo que não com a cabeça. — As quietinhas sempre sabem.

— Pega leve comigo — Michael disse para ela. — É tudo o que peço.

Quando saí do banheiro, dois minutos depois, Emily já parecia enturmada. Também estava interessada em Michael, que parecia fe-

243

liz em retribuir. O que me deixava com Nick, que sentou ao meu lado no sofá e anunciou que tinha algo a dizer.

— Sabe — ele disse, tomando um gole de cerveja —, agora que as aulas acabaram, acho que você deveria saber que sei o que sente por mim.

— O que sinto por você? — repeti.

— Cara — Michael interrompeu de um dos cantos da mesa —, pare antes que diga alguma coisa da qual vai se arrepender.

— Shhh — Nick respondeu, balançando o braço. Então virou para mim. — Annabel — ele disse com a voz séria —, tudo bem você ter uma quedinha por mim.

— Meu Deus! — Michael resmungou. — Estou morrendo de vergonha por você neste momento.

— Quer dizer, faz sentido — Nick continuou, enrolando um pouco a língua. Tentei não rir. — Estou no último ano. Faz sentido que você se sinta atraída por mim, um cara mais velho, mas... — Então ele parou e tomou mais um gole de cerveja. — Não vai dar certo.

— Ah — respondi. — É bom saber disso, acho.

Nick deu umas batidinhas na minha mão, fazendo que sim com a cabeça.

— Me sinto muito lisonjeado, mas, por mais que me ame, não sinto o mesmo por você.

— Ah, tá — Michael disse, e Emily riu.

— Tudo bem — eu disse ao Nick.

— Mesmo?

— Claro.

Ele ainda estava batendo na minha mão, mas eu não tinha certeza se estava ciente disso.

— Que bom. Porque eu gostaria muito que você superasse esse sentimento para que continuássemos amigos.

— Eu também — respondi.

Nick jogou o tronco para trás e levou a garrafa à boca. Então voltou à posição anterior e virou a garrafa de cabeça para baixo. Uma gota caiu.

— Acabou — anunciou. — Preciso de outra.

— Não precisa *mesmo* — Michael respondeu, fazendo uma careta quando Emily acertou duas bolas na mesma tacada.

— Que tal uma água? — perguntei a Nick. — Eu estava mesmo indo pegar uma para mim.

— Água — ele repetiu devagar, como se fosse uma palavra estrangeira. — Tá bom. Vamos lá.

— Já voltamos — eu disse a Emily enquanto levantava e Nick fazia o mesmo com um pouco mais de dificuldade. — Quer alguma coisa?

Ela fez que não com a cabeça, se inclinando para mais uma tacada.

— Estou bem — respondeu.

— Bem demais — Michael disse enquanto mais duas bolas desapareciam. — Joga mais ou menos, sei…

Nick e eu mal tínhamos chegado à metade do corredor quando ele anunciou que havia mudado de ideia.

— Estou muito cansado — ele disse, desabando ao lado de uma porta. — Preciso parar.

—Você está bem? — perguntei.

— Ótimo — ele respondeu. — Pode ir buscar a… a…

— Água — completei.

— Água… e nos encontramos aqui. Tudo bem? — Ele jogou o tronco para trás e bateu a cabeça na parede. — Bem aqui.

Assenti e segui em direção à escada. No caminho, parei para olhar para a sala lá embaixo, que agora estava ainda mais cheia. Sophie e Will não estavam mais no sofá. Não sabia se aquilo era bom ou muito ruim.

Lá embaixo, achei duas garrafas de água e parei para conversar com algumas pessoas. Quando voltei para o corredor, Nick não estava mais lá. Imaginei que tivesse voltado para a sala de jogos. Estava prestes a fazer o mesmo quando ouvi alguém me chamar.

— Annabel.

A voz era suave e fraca. Virei. Tinha um quarto à minha direita, com a porta entreaberta. Nick poderia ter cambaleado até lá, talvez para vomitar. *Coitado*, pensei. Encaixei uma das garrafas no bolso de trás da calça, abri a outra, empurrei a porta e entrei.

— Ei, você se perdeu? — eu perguntei.

Ao entrar no quarto escuro, senti que havia algo de errado. Tive uma sensação estranha, como se o espaço à minha volta estivesse alterado. Dei um passo para trás procurando a maçaneta, mas não consegui encontrá-la, só sentia a parede.

— Nick? — chamei.

Então, de repente, senti alguma coisa bater no meu braço esquerdo. Não um móvel ou um objeto, mas uma coisa viva. Alguém. *É só Nick*, disse a mim mesma. *Ele está bêbado*. Mas, ao mesmo tempo, comecei a movimentar a mão atrás de mim, mais rápido, procurando pelo interruptor ou pela maçaneta. Finalmente, senti a porta. Quando a estava abrindo, senti uma mão segurar meu punho.

— Ei — eu disse. Embora eu estivesse tentando parecer calma, minha voz soou assustada. — O que...

— Shhh, Annabel — uma voz disse, e dedos subiram pelo meu braço, roçando minha pele. Senti outra mão no meu ombro direito. — Sou só eu.

Não era Nick. Aquela voz era mais profunda. A língua não enrolava, cada sílaba era pronunciada com perfeição. Ao perceber aquilo, entrei em pânico e apertei a garrafa de água que ainda tinha na mão. A tampa caiu e de repente senti algo gelado na minha blusa, na minha pele.

— Não — eu disse.

— Shhh — a voz disse mais uma vez, e as mãos me soltaram. Um segundo depois, cobriram meus olhos.

Dei um passo à frente, tentando me desvencilhar. A garrafa de água, agora pela metade, caiu da minha mão, fazendo um barulho ao atingir o chão, e as mãos agarraram meus ombros com força. Me contorci, tentando me soltar e virar em direção à porta, mas minhas mãos se agitavam no ar. Era como se a parede tivesse sumido atrás de mim, saído do meu alcance; eu não tinha em que me segurar.

Comecei a ficar ofegante. Minha respiração acelerou quando ele envolveu o braço no meu pescoço, me puxando para si. Minhas pernas saíram do chão e comecei a chutar o ar, acertando a porta uma vez — *bang!* — antes de ser arrastada alguns passos para trás. Então a outra mão dele estava na minha barriga, puxando minha blusa e abaixando minha calça.

— Para — eu disse, mas seu braço, quente e cheirando a suor, cobriu minha boca, bloqueando o som. Ele puxou minha calcinha, indo cada vez mais fundo, sua respiração explodindo em meu ouvido. Eu continuava tentando escapar, me contorcendo, enquanto seus dedos iam mais longe, e de repente ele estava dentro de mim.

Mordi seu braço, com força. Ele gritou e tirou o braço da minha boca, me empurrando para a frente. Quando meus pés tocaram o chão, fui em direção à parede, tentando me manter em pé, e assim que meus dedos sentiram a superfície dura ele me agarrou pelo cós da calça e me virou de frente. Como por instinto, posicionei as mãos à minha frente, como um escudo, mas ele as empurrou com força, e eu caí.

Em um segundo — parecia impossível que ele conseguisse se movimentar tão rápido — estava em cima de mim, seus dedos abrindo minha calça. Senti o carpete embaixo de mim, arranhando minhas costas, enquanto tentava empurrá-lo, o cheiro de camurça molhada preenchendo minhas narinas enquanto ele colocava uma mão no meu peito, com a palma aberta contra minha pele para me manter presa, e começava a abaixar minha calça com a outra mão. Eu apertava os cotovelos contra o chão, tentando me levantar com toda a força, mas não conseguia me mexer.

Ouvi quando ele abriu o zíper e subiu em cima de mim de novo. Tentei empurrar seus ombros, usando todo o meu peso, mas ele era muito mais forte e puxava uma das minhas pernas para cima. Aquilo estava mesmo acontecendo. Então, quando o senti na minha perna e virei mais uma vez, desesperada, vi alguma coisa: um pequeno raio de luz vindo na nossa direção.

Era como um feixe na escuridão, e nele consegui ver um pouco de suas costas sardentas; o cabelo loiro fino no braço que me segurava ao chão; um pedacinho de camurça rosa; antes de ele sair de cima de mim, seus olhos azuis, as pupilas se dilatando e se contraindo, então se dilatando de novo, conforme a luz aumentava. Ele levantou.

Sentei, com o coração disparado, e subi a calça. De alguma forma, consegui me concentrar em fechar o zíper, como se aquilo, naquele momento, fosse a coisa mais importante do mundo. Então a luz acendeu, e ali, em pé, na minha frente, estava Sophie.

Ela olhou para mim primeiro, depois virou a cabeça e viu Will Cash, que agora estava sentado na cama.

— Will? — Sua voz soou alta e tensa. — O que está acontecendo?

Will, pensei. Me veio a imagem do seu braço cobrindo minha boca, suas mãos cobrindo meus olhos, e então a imagem dele momentos antes, ao meu lado embaixo da escada. *É Will.*

— Não sei... — Ele deu de ombros e passou uma mão no cabelo. — Foi ela que...

Sophie ficou encarando-o durante um bom tempo. Do corredor atrás dela, eu ouvia risadas. Vi Emily e Michael ainda jogando sinuca. Ainda me esperando.

Sophie virou para mim.

— Annabel? — ela disse, então deu um passo à frente, entrando no quarto, com a mão ainda na maçaneta. — O que está fazendo?

Senti como se algo tivesse quebrado em mim, como se tudo que tinha acabado de acontecer fosse um fragmento, não parte de um todo real. Levantei, abaixando a blusa e cobrindo a barriga.

— Nada — eu disse, a palavra saindo em um suspiro. Tentei engolir. — Eu estava...

Sophie lançou um olhar para Will. Embora ela não tivesse me interrompido, parei de falar. Ele ficou olhando para a namorada. Sem hesitar.

— Alguém precisa me explicar isso — ela disse. — Agora.

Mas ninguém disse nada. Mais tarde, me pareceu surpreendente que naquele momento eu tivesse esperado que outra pessoa definisse o que havia acontecido, como se eu não estivesse ali, não tivesse palavras para descrever.

— Will? Fale alguma coisa — Sophie disse.

— Olha, eu estava esperando você, aí ela entrou e... — Ele parou, balançando a cabeça, sem tirar os olhos de Sophie. — Não sei.

Ela virou para mim e, por um instante, ficamos nos encarando. Sophie tinha que perceber que havia alguma coisa errada ali. Eu não devia ter que explicar. Não era uma garota qualquer, como aquelas que havíamos passado tantas noites procurando. Éramos melhores amigas. Eu acreditava de verdade naquilo.

Então vi seus lábios se contraírem.

— Sua *vagabunda* — ela disse.

Mais tarde pareceu idiota, mas eu realmente pensei que tivesse ouvido errado.

— O que você disse? — perguntei.

— Você é uma filha da puta. — A voz dela começou a ficar mais alta, ainda tremendo, mas ganhando força. — Não consigo acreditar.

— Sophie — eu disse. — Espera. Eu não...

—Você não o quê? — ela perguntou. Atrás dela, eu via sombras se estendendo na outra parede do corredor. *Tem gente vindo*, pensei. *Vão ouvir tudo. Vão saber.* — Acha que pode dar pro meu namorado em uma festa e que não vou descobrir?

Senti minha boca abrir, mas as palavras não saíram. Fiquei parada ali, encarando Sophie, então Emily apareceu na porta, com os olhos arregalados.

— Annabel? — ela perguntou. — O que está acontecendo?

— Sua amiga é uma vagabunda, é isso que está acontecendo — Sophie respondeu.

— Não — eu disse. — Não é isso.

— Eu sei o que eu vi! — ela gritou. Emily, atrás dela, deu um passo para trás. Sophie apontou para mim. —Você sempre quis o que eu tinha — ela disse. — Sempre teve inveja de mim!

Senti como se estivesse encolhendo. A voz dela soava tão alto que parecia sacudir meus ossos. Eu estava tão confusa e assustada. Mesmo com tudo o que tinha acontecido, não havia chorado — por que não? Agora sentia um nó na garganta.

Sophie empurrou a porta, dando dois passos largos até parar bem na minha frente. O quarto pareceu encolher — Will, Emily, todo mundo desapareceu da minha visão periférica até eu só conseguir ver seus olhos semicerrados, o dedo ainda erguido, tanta raiva e tanta fúria.

— Acabou! — ela disse, com a voz tremendo. — É o fim pra você.

— Sophie. — Balancei a cabeça. — Por favor. Só...

— Sai da minha frente! — ela disse. — Sai!

Então, tão rápido quanto tinha sumido, minha visão voltou e eu vi tudo. A multidão de rostos que tinha se reunido no corredor. Will Cash ainda sentado na cama. O tapete verde sob meus pés. O brilho amarelo da luz sobre minha cabeça. Era difícil acreditar que, momentos antes, todas aquelas coisas estavam envoltas em uma escuridão espessa, de modo que não conseguira reconhecê-las. Mas agora, estavam expostas — como eu.

Sophie continuava à minha frente. Todos estavam em silêncio à nossa volta. Eu sabia que poderia ter quebrado o silêncio, poderia ter falado. Era minha palavra contra a dele, e agora contra a dela. Mas não falei.

Só saí daquele quarto enquanto todos me observavam. Senti os olhares em mim quando passei por Sophie, atravessei o corredor e comecei a descer as escadas. Fui até a porta, abri e saí na noite, atravessando o gramado até chegar ao carro. Fiz tudo com muito cuidado e atenção, como se o fato de controlar minhas ações pudesse compensar de alguma forma o que tinha acabado de acontecer.

O que não fiz, no entanto, durante todo o caminho até minha casa, foi me olhar no espelho. A cada farol fechado, sempre que trocava a marcha, eu escolhia um ponto fixo à frente — o para-choque de um carro, um prédio distante, a linha falha da rua — para me concentrar. Não queria me ver daquele jeito.

Quando cheguei em casa, meu pai estava me esperando, como sempre. Vi a luz da TV assim que entrei.

— Annabel? — ele chamou enquanto o volume diminuía até chegar ao mudo. — É você?

Fiquei parada um instante na entrada, sabendo que, se eu não aparecesse, ele ficaria desconfiado. Ajeitei o cabelo para trás, respirei fundo e entrei na sala.

— Sim — respondi. — Sou eu.

Ele virou para me olhar.

— A festa foi boa?

— Foi — respondi.

— Está passando um programa ótimo — ele disse, apontando para a tv. — É sobre o New Deal. Quer ver?

Em qualquer outra noite, eu teria me juntado a ele. Era nossa tradição, mesmo que eu só ficasse alguns minutos. Mas daquela vez não consegui.

— Não, obrigada — eu disse. — Estou um pouco cansada. Acho que vou deitar.

— Tudo bem — ele disse, virando de volta para a tv. — Boa noite.

— Boa noite.

Ele pegou o controle e eu me afastei, voltando para a entrada. A luz da lua entrava pela janela iluminando nossa foto na parede oposta. Com a claridade, dava para ver todos os detalhes: as ondas distantes, o leve tom cinza do céu. Fiquei ali um instante, analisando cada uma de nós, contemplando o sorriso de Kirsten, o olhar penetrante de Whitney, a cabeça da minha mãe levemente inclinada. Quando cheguei ao meu rosto, fiquei observando como se fosse de alguém que eu não reconhecia. Como uma palavra em uma página que se imprime e lê mil vezes, até que de repente pareça estranha, ou errada, ou estrangeira; então você se assusta por um instante, como se tivesse perdido alguma coisa, ainda que não saiba o quê.

No dia seguinte, tentei ligar para Sophie, mas ela não atendeu. Eu sabia que devia ir à casa dela, me explicar pessoalmente, mas sempre que decidia sair, de repente lembrava a sensação de estar naquele quarto, com a mão cobrindo a boca, o barulho do meu pé chutando a porta, e não conseguia. Na verdade, sempre que pensava no que tinha acontecido, meu estômago se revirava e eu sentia a bile subindo pela garganta. Como se alguma parte de mim estivesse tentando empurrá-lo para fora do meu corpo, expulsá-lo de um jeito que eu não conseguia sozinha.

Aquela solução tampouco era boa, claro. Eu já tinha sido rotulada de vagabunda e não sabia o quanto a história tinha crescido desde então. Mas o que realmente havia acontecido era pior do que qualquer coisa que a Sophie seria capaz de inventar e espalhar.

Mesmo assim, no fundo, eu sabia que não tinha feito nada de errado. Não era minha culpa. Em um mundo perfeito, eu poderia contar às pessoas o que havia acontecido e, de alguma forma, não sentir vergonha. Na vida real, no entanto, era mais difícil. Eu estava acostumada com as pessoas me observando — fazia parte de quem eu era, desde sempre. Mas, quando soubessem o que tinha acontecido, eu tinha certeza de que olhariam para mim de um jeito diferente. Que não veriam mais Annabel, e sim o que tinha acontecido comigo, tão brutal, vergonhoso e particular, revelado e minuciosamente analisado. Eu não seria a garota que tinha tudo, mas a garota indefesa, que tinha sido atacada, agredida. Parecia mais seguro guardar para mim, ser a única capaz de julgar.

Ainda assim, algumas vezes me perguntei se tinha tomado a decisão certa. Mas, conforme os dias e depois as semanas passaram, sentia que, ainda que quisesse contar minha história, era tarde demais. Como se, quanto mais tempo passasse, menos as pessoas estariam dispostas a acreditar em mim.

Então não fiz nada. Mas algumas semanas depois, estava na farmácia quando minha mãe perguntou:

— Aquela não é Sophie?

E era. Ela estava do outro lado do corredor, olhando umas revistas. Vi quando ela virou a página, torcendo o nariz para alguma coisa que tinha lido.

— É — respondi. — Acho que sim.

—Vá dizer oi. Eu me viro aqui — ela disse, pegando a lista de compras da minha mão. — Nos encontramos na saída. — Então minha mãe foi embora, levando a cesta consigo.

Eu devia ter ido atrás dela. Mas, por algum motivo, comecei a caminhar na direção de Sophie, chegando atrás dela no momento em que devolvia a revista — cuja capa era dedicada ao fim do relacionamento de alguma celebridade — à prateleira.

— Oi — eu disse.

Ela pulou assustada e virou. Quando me viu, semicerrou os olhos.

— O que você quer?

Eu não tinha planejado o que dizer, mas, mesmo que tivesse, não tornaria aquilo mais fácil.

— Escuta — eu disse, olhando para o corredor ao lado, onde minha mãe estava procurando por aspirinas —, eu só queria...

— Não fale comigo — ela disse, com a voz alta, muito mais que a minha. — Não tenho nada para conversar com você.

— Sophie — eu disse, quase sussurrando. — Não é o que você está pensando.

— Ah, então agora você também é vidente, não só vagabunda?

Senti meu rosto ficar vermelho ao ouvir aquela palavra. Olhei instintivamente para minha mãe, me perguntando se ela tinha ouvido. Ela havia levantado a cabeça e agora sorria para nós enquanto seguia para o próximo corredor.

— O que foi? Algum problema? — Sophie disse. — Ou só os dramas familiares de sempre?

Fiquei olhando para ela, confusa. Então lembrei: era o que tinha dito para Will embaixo da escada naquela noite, sem motivo. Claro que ele contaria para ela, usando aquilo, a mais idiota das confissões, contra mim. Eu podia imaginar como ele tinha distorcido as coisas, dizendo que eu tinha me aberto e depois subido a escada atrás dele. "Não sei", ele dissera naquela noite, enquanto eu esperava que se explicasse. "Foi ela que..."

"Se você sabe que o cara tem namorada e, mais ainda, se essa namorada sou eu, não existe nenhum motivo para fazer qualquer coisa com ele que possa ser mal interpretada", Sophie me dissera meses antes. "É uma escolha, Annabel. Se fizer a escolha errada, você só pode culpar a si mesma pelas consequências."

Na cabeça dela, era simples assim. Eu sabia que aquilo não era verdade, mas senti uma pontada de dúvida e medo quando as peças se juntaram, compondo a história contra mim, meus piores medos se tornando reais. E se, ainda que eu tivesse contado ou contasse agora, ninguém acreditasse em mim? Ou pior: e se me culpassem pelo que tinha acontecido?

Meu estômago revirou e aquele gosto familiar de bile encheu minha boca.

Sophie observou minha mãe, fixando os olhos nela por um instante, então me veio a imagem dela naquela noite durante o jantar, tremendo quando Whitney bateu a cadeira na mesa. Fiquei tão preocupada com minha mãe naquela noite e em tantas outras. Nem imaginava como reagiria se soubesse daquilo.

— Sophie — eu repeti. — Só...

— Fique longe de mim — ela disse. — Nunca mais quero olhar pra sua cara.

Então ela me empurrou, balançou a cabeça e foi embora. De alguma forma, consegui virar e atravessar o corredor, as prateleiras me parecendo borradas ao caminhar. Vi uma mulher com uma criança no colo, um homem pegando a carteira, um funcionário mexendo no marcador de preços e então, finalmente, minha mãe, parada ao lado de uma prateleira de protetor solar, procurando por mim.

— Ah, você está aí! — ela disse quando me aproximei. — E a Sophie?

Me obriguei a respirar.

— Ela está bem — respondi. — Ótima.

Foi a primeira mentira que contei para minha mãe sobre Sophie, mas com certeza não foi a última. Na época, eu achava que tudo o que sentia a respeito daquela noite — a vergonha, o medo — ia passar com o tempo, até deixar uma única cicatriz quase imperceptível. Mas aquilo não aconteceu. As coisas que eu lembrava, os pequenos detalhes, pareceram ficar cada vez mais intensos, até eu começar a sentir seu peso sobre meu peito. Nada, no entanto, se sobressaía à memória do momento em que tinha entrado naquele quarto escuro e do que encontrara lá, e de como a luz acabara transformando o pesadelo em realidade.

Aquela era a questão: um dia, a diferença entre a luz e a escuridão fora simples. Uma era boa; a outra, ruim. Mas de repente as coisas não eram mais tão claras. A escuridão ainda era um mistério, algo escondido, que causava medo, mas eu passara a temer a luz também. Era onde tudo se revelava, ou parecia se revelar. De olhos fechados, eu só via a escuridão e me lembrava daquele momento, do meu maior segredo; de olhos abertos, só via o mundo que não o conhecia, claro, inescapável e, de alguma forma, ainda ali.

14

— Ei — Owen disse sorrindo quando virou para mim. —Você veio.

Eu havia ido. Estava lá, na Bendo, em pé diante do palco. Como conseguira, no entanto, não tinha muita certeza. Na verdade, tudo o que tinha acontecido depois que eu e Emily finalmente ficamos cara a cara era um borrão.

De alguma forma, consegui terminar o desfile. Entrei com mais três looks e bati palmas enquanto a sra. McMurty fingia estar totalmente envergonhada e surpresa por ter sido persuadida a entrar no palco para receber flores, exatamente como em todos os outros anos. Depois, voltei para os bastidores, onde meus pais me esperavam.

Minha mãe me puxou para um abraço e passou as mãos nas minhas costas.

—Você foi incrível — disse. — Simplesmente maravilhosa.

— Mas esse vestido é um pouco decotado, não? — meu pai completou, observando o look justinho que eu tinha usado na parte formal do desfile, que havia sido a última.

— Não — minha mãe respondeu, dando um tapinha nele enquanto me soltava. — É perfeito. E você foi perfeita.

Forcei um sorriso, mas minha mente ainda girava. Tinha tanta gente nos bastidores, tanto barulho e tanta comoção, mas eu só conseguia pensar em Emily. *Ela sabia*, pensei enquanto minha mãe dizia alguma coisa sobre procurar a sra. McMurty. *Ela sabia.*

Levantei a mão e arrumei uma mecha de cabelo atrás da orelha. Estava nervosa, agitada, e o barulho da multidão e o calor não ajudavam. Minha mãe continuava falando.

— ... maravilhoso, mas precisamos ir para casa. Whitney está preparando o jantar e dissemos que já estaríamos em casa a esta hora.

— Whitney? — perguntei enquanto meu pai cumprimentava um homem de terno que passava. — Ela não veio?

Minha mãe apertou meus ombros.

— Ah, querida, tenho certeza de que sua irmã adoraria ter vindo, mas ainda é difícil, acho... Ela quis ficar em casa. Mas nós amamos. Muito.

Com tudo o que tinha acontecido com Emily, eu estava me sentindo maluca, mas de uma coisa tinha certeza: aquela era a minha irmã, me observando de longe quando eu chegara ao fim da passarela. Poderia apostar minha vida.

Senti uma mão em meu braço, então virei e vi a sra. McMurty e um homem alto de terno e cabelo grisalho.

— Annabel — ela disse, sorrindo. — Quero que conheça o sr. Driscoll. Ele é o responsável pelo marketing da Kopf e queria conhecer você.

— Oi — eu disse. — Muito prazer.

— Igualmente — ele respondeu, estendendo a mão. Sua palma estava seca e fria. — Somos todos fãs do seu trabalho. Amamos o comercial de volta às aulas.

— Obrigada — eu disse.

— Foi um ótimo desfile. — Ele sorriu, acenando com a cabeça para meus pais, então ele e a sra. McMurty seguiram em frente, atravessando a multidão.

Minha mãe ficou um instante observando os dois se afastarem, com o rosto corado.

— Ah, Annabel — ela disse. Então apertou meu braço mais uma vez, sem dizer nada, mas entendi o recado. Alto e claro.

Naquele momento, por cima da cabeça da minha mãe, vi a sra. Shuster em pé atrás do palco, segurando um casaco. Ela deu uma olhada para o relógio, então observou ao redor, preocupada. Um segundo depois, sua expressão relaxou. Vi Emily andando na direção dela. Emily ainda estava maquiada e de cabelo preso, mas já tinha trocado de roupa e atravessava a multidão sem falar com ninguém.

— Preciso trocar de roupa — eu disse aos meus pais. — Estes sapatos estão me matando.

Minha mãe assentiu, então se aproximou para me beijar mais uma vez.

— É claro — ela disse quando o sr. Driscoll passou por nós de novo, desta vez sem a sra. McMurty. Minha mãe ficou observando o homem, então disse: —Vou guardar um prato para você, tá bom?

— Na verdade — eu comecei —, vou comer uma pizza com as garotas. Para comemorar o desfile e tal.

— Ah — minha mãe respondeu. — Bom, você deve estar exausta, então não fique até muito tarde. Tudo bem?

Fiz que sim com a cabeça. Atrás dela, vi a sra. Shuster estender a mão à filha, entregando o casaco. Ela permaneceu ali, com uma expressão sombria, enquanto Emily o vestia. Então passou a mão no braço dela, fazendo um carinho, e as duas começaram a andar em direção à saída do shopping.

— Não vou demorar — eu disse.

— Esteja em casa no máximo às onze — meu pai disse ao se aproximar para me dar um abraço. — Combinado?

— Combinado — respondi.

Durante todo o tempo que passei trocando de roupa, indo até o carro e atravessando a cidade, fiquei dizendo a mim mesma que precisava tirar o que tinha acontecido com Emily da cabeça. Estava ansiosa para ir à Bendo e determinada a me divertir. Ou tentar.

Começando naquele exato momento.

— O que perdi? —, perguntei a Owen, que já estava virado para o palco.

— Pouca coisa — ele respondeu. Alguém esbarrou nas minhas costas e fui jogada para a frente. Owen estendeu a mão e segurou meu braço. — Opa — ele disse. — Cuidado, este lugar é uma loucura. — Uma explosão de microfonia veio do palco à nossa frente, e um grupo à esquerda começou a vaiar. Owen se abaixou para falar no meu ouvido. — Como foi o desfile?

Eu não queria mentir para ele. Ao mesmo tempo, sabia que não podia contar o que tinha acontecido — não ali, não naquela noite. Talvez nunca.

— Passou — respondi, o que, tecnicamente, era verdade.

— Bom assim, é? — ele perguntou quando uma garota alta com uma blusa de paetê segurando uma bebida passou pela gente, esbarrando em todo mundo.

Sorri.

— É.

— Ânimo! A noite vai melhorar com o show.

—Você acha?

— Tenho certeza — Owen disse. Um cara de casaco preto que estava passando com um celular na orelha esbarrou nele com força. Owen o encarou. O cara deu de ombros, sem se importar muito, e continuou andando. — Precisamos de mais espaço. Vem.

Ele virou e começou a andar pela multidão. Tentei acompanhá-lo enquanto me levava a uma mesa encostada na parede.

— Senta — Owen disse. — A vista não é das melhores, mas pelo menos ninguém vai te dar uma cotovelada no baço.

Ouvi o barulho de alguém ligando um instrumento, e então mais microfonia.

— A banda de abertura — Owen disse, fazendo um gesto em direção ao palco. — Está meia hora atrasada, mas...

Ele foi interrompido por Rolly, que de repente surgiu ao lado dele, se jogando no sofá.

— Ah, meu Deus.

— Finalmente — Owen disse, virando para ele. — Onde você foi, cara? Estava começando a achar que tinha sido abduzido.

— Não — Rolly respondeu. — Você não vai acreditar no que acabou de acontecer.

— Ele foi pegar bebidas há uma meia hora — Owen explicou. — Sei que tem bastante gente, mas isso é ridículo. Cadê minha água?

Rolly sacudiu a cabeça.

— Cara! Ela está aqui.

— O quê?

Rolly respirou fundo e levantou as mãos.

— *Ela está aqui* — ele repetiu. Então parou de falar, como que para absorver a informação, antes de completar: — Ela está aqui e sorriu para mim.

— Por trinta minutos? — Owen perguntou.

— Não. Só por um instante.

— A garota que te deu um soco? — perguntei.

— Sim.

— Não acredito que você não pegou minha água — Owen disse.

—Você pode deixar isso pra lá por um segundo? — Rolly disse, passando a mão pelo cabelo. — Acho que não está entendendo a importância da situação.

— Então você falou com ela — Owen respondeu.

— Não. O que aconteceu foi o seguinte... — Rolly respirou fundo. — Eu estava indo para o bar e, de repente, lá estava ela. Pá! Surgiu bem na minha frente, como uma aparição ou sei lá. Quando fui falar com ela, alguém se enfiou entre a gente. E aí ela começou a se afastar, rodeada de garotas. Desde então, estou rondando, esperando pelo momento certo. Quer dizer, tem que ser a abordagem perfeita.

— Por que você não se oferece para ir pegar uma água para ela? — Owen sugeriu. — Pode aproveitar e pegar uma para mim.

Rolly ficou olhando para ele.

— Que obsessão é essa com água?

— Estou com sede — Owen respondeu. — Eu mesmo ia pegar, mas você se ofereceu. *Insistiu*, aliás.

—Vou pegar sua água! — Rolly disse. — Mas, antes, se não se importar, eu gostaria de encontrar meu destino do jeito ideal.

Mais microfonia vinda do palco. Owen soltou um suspiro.

— Olha só, talvez você devesse esquecer essa coisa de ideal — ele disse.

Mais uma vez, Rolly ficou olhando para ele.

— Não entendi — ele disse.

— Levou muito tempo para você conseguir encontrar essa garota de novo, certo? — Owen disse. — E só Deus sabe quanto tempo mais vai demorar para surgir o momento perfeito. Talvez você devesse simplesmente falar com ela. Assim...

Rolly arregalou os olhos.

— Merda! — ele disse. — Ela está ali.

Owen inclinou para o lado.

— Onde?

— Não olhe! — Rolly disse, fazendo-o voltar para o lugar. — Meu Deus!

Owen olhou para a manga da blusa que Rolly ainda estava segurando. O garoto afastou a mão.

— Tudo bem — ele disse em voz baixa. — Ela está perto da porta. De vermelho.

Fiquei observando Owen se inclinar para o lado mais uma vez, então dar uma olhada rápida e se ajeitar no banco de novo.

— É, é ela — ele confirmou. — E agora?

— Exatamente! E agora? — Rolly repetiu. — Preciso de uma ideia.

O suspense estava me matando.

— Vou virar e observar ao redor discretamente — disse. — Tudo bem?

Rolly assentiu. Owen olhou para ele, irritado.

— Ela é uma garota — Rolly explicou. — Elas conseguem ser discretas.

Da primeira vez, só vi um cara enorme com uma camiseta do Metallica. Aí ele se mexeu um pouco e localizei uma garota atrás dele. Tinha cabelo preto brilhante e óculos retrô, e usava blusa vermelha, calça jeans e uma bolsa de contas transpassada. Mas eu não precisava ver nenhuma daquelas coisas, porque a reconheci com um olhar.

— Espera aí — eu disse, voltando a olhar para Rolly. — A garota é... a Clarke?

Por um instante, Rolly ficou me encarando sem dizer nada. Então, inclinou o corpo sobre a mesa tão rápido que fui para trás, assustada, e bati a cabeça.

— Esse é o nome dela? — ele perguntou, com o rosto a centímetros do meu. — Clarke?

Confirmei com a cabeça, hesitante.

— É...

Depois de ficar me encarando por mais um tempo, Rolly voltou para trás, devagar, até ficar com o tronco reto.

— Ela tem um *nome*. E é Clarke. Clarke... — Ele parou, me encarando novamente.

— Reynolds — completei.

— Clarke Reynolds — ele repetiu. — Uau. — Rolly parecia em transe. Então, de repente, arregalou os olhos e estalou os dedos. — É isso. Essa vai ser minha abordagem. Você.

— Eu?

Ele assentiu, animado.

—Você pode ir falar com ela.

— Não — respondi rápido. — Não posso.

—Você sabe o nome dela — Rolly observou.

— Já fomos amigas, mas...

—Vocês são *amigas*? — ele perguntou. — É perfeito!

— Não mesmo — respondi, balançando a cabeça.

—Você vai lá e começa a conversar com ela, aí eu chego e você me apresenta. É natural. É ideal!

— Rolly, é sério — eu disse. — Não sou a pessoa ideal para apresentar vocês.

—Annabel. — Ele se aproximou por cima da mesa de novo, estendendo a mão para mim. — Annabel, Annabel, Annabel Greene.

Shhh, Annabel. Sou só eu. Senti um arrepio subir pela nuca.

— Por favor — Rolly pediu. — Me escuta.

Olhei para Owen, que só balançou a cabeça. Quando estendi a mão direita, Rolly a segurou imediatamente.

— Essa garota — Rolly disse, sério — é meu destino.

— Pronto — Owen disse —, agora você está oficialmente assustando Annabel.

— Rolly — eu disse, sentindo a mão quente dele. — O problema é que...

— Por favor, Annabel — ele implorou, colocando a outra mão em cima da minha. — Por favor, me apresente. É só isso que estou pedindo. Uma oportunidade. Uma chance. *Por favor.*

Eu sabia que devia contar a ele o verdadeiro motivo pelo qual era melhor eu não participar do que poderia acontecer — ou não — entre os dois. Não só porque Rolly merecia saber, mas também porque, até aquele momento, eu vinha sendo honesta com Owen — e todas as coisas que o envolviam de alguma forma —, e guardar aquilo significava que, pela segunda vez naquela noite, eu não estava sendo a garota que ele achava que eu era. Se é que algum dia havia sido.

Ao mesmo tempo, vendo o rosto cheio de esperança de Rolly, hesitei. Em uma noite na qual o que eu fizera ou tinha deixado de fazer de repente voltava para me assombrar, aquela parecia uma maneira de compensar o que acontecera. Eu não podia consertar o passado ou mudar o que tinha acontecido com Emily, mas talvez eu pudesse ajudar o futuro de alguém.

— Tá bom — eu disse. — Mas estou avisando: talvez não dê certo.

Rolly sorriu, então fez um gesto rápido para que Owen se levantasse do sofá para que ele pudesse sair.

—Vou ficar perto do bar e esperar um sinal seu — ele disse. — Então eu passo casualmente e você nos apresenta. Tá bom?

Fiz que sim com a cabeça. Eu já estava me arrependendo de ter concordado e Rolly devia ter percebido, porque tratou de sair logo dali para que eu não pudesse mudar de ideia.

—Você tem certeza de que quer fazer isso? — Owen perguntou quando levantei.

— Não. — Olhei para a Clarke, que agora estava sentada com um grupo de amigos a uma mesa. — Eu já volto.

Quando virei, senti sua mão em meu braço.

— Ei — ele disse. — Tudo bem?

— O quê? — perguntei. — Por quê?

— Não sei. — Ele abaixou a mão e olhou para mim. — Você parece... Não sei. Você não parece você. Está tudo bem?

Eu realmente tinha achado que estava conseguindo disfarçar. Mas, como a diferença entre meu rosto na foto na parede do quarto de Mallory e naquela que ele tinha tirado, o contraste entre quem eu era e quem eu sentia que estava me tornando ficava óbvio a cada passo que eu dava, para a frente ou para trás. Para nós dois. Daquela vez, não hesitei ou tentei ser honesta, só dei a resposta que vinha naturalmente.

— Está tudo bem — eu disse, mas senti seu olhar em mim enquanto me afastava.

Clarke conversava com uma garota loira com um delineador grosso e não me viu até eu estar do seu lado. Ela olhou para mim com um meio sorriso, ainda por causa do que a amiga tinha dito. Quando me viu, reassumiu a expressão estoica de sempre. Eu não podia voltar atrás, então fui com tudo.

— Oi — eu disse.

Ela não disse nada, e o silêncio se arrastou tempo suficiente para eu achar que Clarke ia simplesmente virar a cara e me ignorar completamente. Quando aquela pausa começou a ficar insuportável, ela respondeu:

— Oi.

Alguém do outro lado da mesa disse alguma coisa para a loira, que saiu e nos deixou sozinhas. Clarke continuou me encarando, sem expressão. Me lembrei dela na piscina, anos antes, segurando as cartas entre o polegar e o indicador.

— Olha — eu comecei —, sei que você me odeia, mas é que...

— É isso que você acha?

Parei, surpresa.

— O quê?

— Acha que eu odeio você? — ela perguntou. Percebi que a voz dela saiu limpa. Nem um pouco nasalada. — Acha que esse é o problema entre a gente?

— Não sei — respondi. — Quer dizer, eu achava que...

—Você não sabe — ela repetiu. — Sério?

Naquele instante, senti uma mão batendo no meu ombro com tanta força que quase me jogou em cima da mesa.

— Annabel! Oi.

Era Rolly. Quando virei, ele estava ali com uma expressão de olha-quem-está-aqui, como se fôssemos amigos de longa data que não se viam havia algum tempo. Senti sua mão úmida no meu ombro.

— Oi — eu disse, tentando parecer casual.

— Oi! — ele respondeu, não se saindo melhor do que eu. — Vou até o bar pegar água. Quer uma?

Clarke estava semicerrando os olhos para nós. *É melhor fazer isso logo*, pensei.

— Claro — respondi. — Obrigada. É... Rolly, esta é Clarke. Clarke, este é Rolly.

Ele estendeu a mão.

— Oi — Rolly disse, enquanto Clarke estendia a mão dela, devagar.

— Prazer — ela disse, seca. Então virou para mim. — O que você estava dizendo?

—Vocês vieram ver o Truth Squad? — Rolly perguntou, olhando para Clarke, então para mim e imediatamente para Clarke de novo. — Eles são muito bons. Já viram um show deles?

— Hum... Não. Eu não vi — Clarke respondeu.

— Ah, eles são ótimos — Rolly comentou entusiasmado. Dei um passo para o lado e ele imediatamente tomou meu lugar ao lado dela. — Já vi várias vezes.

— É melhor eu ir ver se Owen quer beber alguma coisa — eu disse. Clarke lançou um olhar para mim; agora estava definitivamente irritada. — Eu... é... já volto.

Então saí dali rápido. Quando encontrei Owen, ele estava conversando com um cara com cabelo curto e escuro, com uma expressão intensa.

— ... um desastre total — o cara estava dizendo quando sentei. — Era melhor quando nós mesmos reservávamos. Pelo menos podíamos decidir as datas e os locais. Agora somos só peões no jogo corporativo doentio deles.

— Que merda — Owen disse.

— É. — O cara balançou a cabeça. — Pelo menos o single está tocando no país todo. Quer dizer, é o que *eles* dizem. Vai saber se é verdade...

Olhei para a mesa da Clarke. Rolly ainda estava em pé, falando animado. Clarke o ouvia, não tão animada assim.

— Annabel, este é o Ted — Owen disse — Ted, Annabel.

— Oi — Ted respondeu, mal olhando para mim.

— Oi.

Do palco, veio um barulho estrondoso quando alguém testou o microfone.

— Testando — uma voz disse. — Isso aqui tá ligado?

Alguém na plateia respondeu com uma vaia.

Ted soltou um suspiro.

— Viu só? — disse. — Era disso que eu estava falando. Esses palhaços iam só abrir o show, coisa rápida, e ainda nem começaram.

— Quem são eles? — Owen perguntou.

— Nem sei — Ted respondeu, descontente. — Os caras que iam abrir pegaram uma virose ou sei lá, então chamaram esse grupo no lugar.

— Era melhor vocês simplesmente terem entrado mais cedo

— Owen respondeu. — O show tem horário para terminar. E as pessoas vieram ver vocês.

— É exatamente o que eu acho — Ted respondeu. — Aliás, se tivéssemos mais tempo para tocar, poderíamos testar umas coisas novas que andei escrevendo.

— Então.

Ted assentiu, de repente parecendo mais animado.

— Não é tão diferente das coisas que costumamos tocar. São só umas músicas um pouco mais lentas, com mais técnica. Reverberação, essas coisas.

— Técnica ou techno? — Owen perguntou.

— É difícil dizer — Ted respondeu. — É uma coisa meio única. Talvez a gente consiga tocar umas depois do intervalo. Aí você me diz o que achou, tá? É para ser ousado, mas acessível.

Owen olhou para mim.

— Sabe, se é isso que você quer, é melhor perguntar para a Annabel o que ela acha — ele disse. — Ela odeia música eletrônica.

Os dois ficaram me observando.

— Bom, na verdade... — eu comecei a dizer.

— Então, se ela gostar — Owen interrompeu —, quer dizer que não é ousado demais. E, se ela odiar, você já sabe.

— Mas ela vai falar se odiar? — Ted perguntou.

Owen assentiu.

— Ela é sincera. Não segura nada.

Ao ouvir aquilo, me senti pesada. Eu queria muito que fosse verdade, o suficiente para que, pelo menos uma vez, eu mesma acreditasse naquilo. Mas fiquei sentada ali, sentindo os dois me observando enquanto me achava a maior mentirosa do mundo.

Uma guitarra começou a soar no palco, seguida por uma bateria. Finalmente, a banda de abertura estava começando. Ted fez uma careta, então levantou do sofá.

— Não aguento ouvir essa merda. Vou voltar. Querem vir?

— Claro — Owen respondeu. Ouvi um grito e mais microfonia. Owen me disse: — Vamos.

Fui atrás deles através da multidão, passando pela mesa de Clarke no caminho. Rolly continuava lá, gesticulando e falando animado. Clarke estava ouvindo, então meu esforço tinha valido a pena.

Ted nos levou até uma porta perto do bar, então continuou por um corredor tão escuro que eu mal consegui ver os banheiros quando passamos por eles. Quando abriu uma porta com um aviso escrito à mão que dizia PRIVADO, a luz repentina me fez piscar.

A primeira coisa que vi lá dentro foi um cara com cabelo escuro e enrolado pegando alguma coisa embaixo de um sofá. Quando nos viu, ele levantou e abriu um sorriso largo.

— Owen! Como vão as coisas, cara?

— Tudo indo — Owen respondeu enquanto eles se cumprimentavam. — E você?

— Tudo na mesma, tudo na mesma. — O cara mostrou um celular e uma bateria. — Acabei de arrebentar meu celular. De novo.

— Esta é Annabel — Owen disse.

— Dexter — ele se apresentou, estendendo a mão. Então disse para Ted: — E aí?

— A banda acabou de começar — ele respondeu, indo até um frigobar e pegando uma cerveja. — Estão prontos?

Havia dois caras em uma mesa ali perto, jogando baralho. Um deles, ruivo, retrucou:

— Parecemos prontos?

— Não.

— Bom, as aparências enganam. Porque estamos.

O outro cara riu, jogando uma carta sob o olhar do Ted, que se atirou no sofá, colocando os pés sobre a mesinha à sua frente.

— Então... — Dexter disse, sentando no canto oposto do sofá.

Ele apoiou o celular no joelho e ficou examinando a bateria. — Alguma novidade no cenário musical daqui?

— Nada que valha a pena comentar — Owen respondeu.

— Nada mesmo — Ted confirmou. — Você devia ver a banda de covers que está tocando agora. Total imitação do Spinnerbait.

— Spinnerbait? — perguntei.

— É uma banda — Owen respondeu.

— Odeio o Spinnerbait! — o ruivo disse, baixando as cartas e batendo a mão na mesa.

— Mas pensa bem... — Dexter respondeu, colocando a bateria de volta no celular com cuidado. Quando ele tirou a mão, a bateria caiu, fazendo um barulho ao atingir o chão. Ele se abaixou e a pegou de novo. — Essa é a beleza desta cidade — ele disse, tentando encaixar a bateria mais uma vez. — Podemos escolher entre várias bandas.

— O que não quer dizer que alguma delas seja boa — Ted respondeu.

— Verdade. Mas é sempre bom ter variedade — Dexter disse, derrubando a bateria de novo. Ele virou o celular e tentou mais uma vez, sem sucesso. — Em alguns lugares, existem pouquíssimas opções, o que — a bateria caiu de novo — é uma droga.

— Dexter — disse uma loira sentada em um canto, segurando um marcador amarelo e com um livro aberto no colo. Eu nem a tinha visto ali. — Precisa de ajuda?

— Não, eu consigo. Mas obrigado.

Ela levantou, enfiou a caneta no meio do livro e o livro embaixo do braço, e foi até ele.

— Dá aqui.

— Pode deixar — Dexter respondeu, virando o celular de novo. — Na verdade, acho que desta vez estragou de verdade. Talvez alguma peça tenha caído.

Ela estendeu a mão.

— Posso tentar?

Ele entregou o celular. Ela olhou por um segundo, colocou a bateria no lugar e puxou para baixo. Ouvimos um clique e um barulho de vibração quando o aparelho ligou. A garota devolveu o celular e sentou no sofá.

— Ah — ele disse, virando o aparelho e olhando para a tela. — Obrigado.

— De nada. — Ela abriu o livro, *Estatística aplicada aos negócios*, e sorriu para nós. — Meu nome é Remy.

— Ah! Desculpa! — Dexter disse. Ele se abaixou e fez um gesto no ar. — Esse é o Owen e essa é a Annabel. Esta é Remy.

— Oi — eu disse, e ela acenou com a cabeça, pegando o marcador de dentro do livro.

— Remy está em turnê com a gente durante as férias — Dexter explicou. — Ela estuda em Stanford. É *muito* inteligente.

— Então por que está com você? — o ruivo gritou da mesa.

— Não faço ideia — Dexter respondeu enquanto Remy revirava os olhos —, mas devo ter muita pegada. — Ele se aproximou e deu vários beijos estalados no rosto dela. Remy fez careta e tentou afastá-lo, mas Dexter se jogou em seu colo, esticando as longas pernas no sofá.

— Para — ela disse, rindo. — Meu Deus!

Ouvimos mais microfonia vindo do lado de fora, e vaias em seguida.

— Quem sabe eles terminam o show antes? — Ted disse. — Talvez, sei lá, a gente deva se preparar para o nosso. Não acham?

— Não — o ruivo respondeu.

— Não mesmo — o outro completou.

Ted lançou um olhar irritado para eles, então deixou a cerveja em cima da mesa, com força, saiu e bateu com tudo a porta atrás de si.

O ruivo baixou as cartas.

— Bati! — disse, levantando as mãos em um gesto de vitória. — Finalmente!

— Ah não, cara — o outro disse. — Eu estava quase.

— Fora — Remy disse, e Dexter saiu do colo dela e levantou, derrubando o celular de novo. Daquela vez, no entanto, a bateria ficou no lugar.

— Ted está certo — Dexter disse, embora ele já tivesse saído. — Precisamos nos organizar. Owen, vocês vão ficar por aí?

Owen olhou para mim.

— Claro — respondeu.

— Legal. Nos falamos depois do show então, tá?

— Tá.

De repente, todo mundo estava se mexendo: Dexter guardava o celular no bolso, o ruivo levantava da cadeira e o outro cara organizava as cartas. Eu e Owen voltamos para o corredor, onde passamos por Ted, que estava escorado na parede, ainda parecendo irritado. Owen desejou um bom show e ele resmungou alguma coisa que não entendi.

No caminho de volta à nossa mesa, avistei Clarke. Ela ainda estava ali, olhando para o palco, agora sem Rolly. *Bom*, pensei, *eu tentei*.

— Muito bem — Owen disse quando sentamos. Do palco, ouvi a banda encerrar o show. — Agora vai começar a música de verdade. Você vai gostar.

Assenti, me encostando na parede e ajeitando uma mecha de cabelo atrás da orelha. Quando voltei a olhar para Owen, ele estava me encarando.

— O que foi? — perguntei.

— Tá — ele disse. — Tem alguma coisa errada. O que aconteceu?

Congelei. Ali estava, a pergunta direta. Talvez eu pudesse responder. Dizer alguma coisa, revelar tudo, finalmente. Talvez...

— Quer dizer, quando você simplesmente passou a aceitar que ia gostar de alguma coisa que eu gosto? — ele continuou. — Pode ser Ebb Tide, o retorno, subindo no palco. Está com febre ou algo do tipo?

Ele disse tudo aquilo sorrindo, e tentei sorrir de volta. Mas, no fundo, sentia o peso de tudo o que eu vinha guardando, de tantas mentiras e omissões.

— Está tudo bem — respondi enquanto alguém tocava alguns acordes na guitarra. — Para de me distrair. Preciso me concentrar na música.

A plateia era enorme agora, muito maior do que para a banda anterior, e logo tudo o que eu via eram costas e ombros.

— É melhor a gente levantar — Owen disse, já de pé.

— Estou bem assim — respondi.

— Parte de ver uma banda ao vivo é *ver* a banda — ele disse. E então estendeu a mão.

Desde que tinha saído do shopping, eu estava tentando esquecer o que havia acontecido entre Emily e eu na passarela. Mas, ao olhar para Owen, tudo voltou. Não só o dia que levou àquilo, mas todos os dias desde que ele fizera o gesto pela primeira vez, me oferecendo não só a mão, mas a amizade que me salvara. Eu estava tão sozinha, assustada e com raiva, e Owen, de alguma forma, percebera aquilo, mesmo quando todas as outras pessoas tinham escolhido desviar o rosto e agir como se nada tivesse acontecido. Exatamente como eu tinha feito e estava fazendo com Emily naquela noite.

Owen continuava com a mão estendida. Esperando.

— Eu... vou ao banheiro — disse, levantando. — Volto em um segundo.

— Mas... — ele disse, abaixando a mão e olhando para o palco. — A banda vai começar...

— Eu sei. Já volto.

Saí antes que ele pudesse dizer mais alguma coisa. Principalmente porque não suportaria mentir de novo, mas também porque estava sentindo aquele amargor na boca, a bile subindo. Precisava sair dali.

As pessoas se apertavam na pista, o que dificultava a passagem. O show do Truth Squad começava com uma música que, a julgar pela quantidade de pessoas que começou a cantar imediatamente, era conhecida; parecia sobre batatas.

Continuei avançando, passando de lado pelas pessoas viradas para a frente, perfil atrás de perfil atrás de perfil, algumas virando ligeiramente, irritadas comigo, outras me ignorando. Então, começou a haver mais espaço. Eu estava quase na porta quando alguém segurou meu braço.

— Annabel! — Era Rolly. Ele estava com um sorriso largo no rosto, carregando várias garrafas de água. — Deu certo!

Olhei para ele e de repente houve uma explosão de gritos e aplausos.

— O quê?

— Deu certo — ele disse, levantando uma garrafa. — Fui até pegar uma bebida para ela. Finalmente está acontecendo! Você acredita?

Seu rosto estava corado de tanta felicidade.

— Que bom — consegui dizer. — Na verdade, eu...

— Aqui — ele disse, me interrompendo. Encaixou uma garrafa no bolso da camisa, outra embaixo do braço e me entregou as outras duas. — Para vocês dois. Diga que eu falei que ele tinha razão. Sobre tudo. Tá bom?

Fiz que sim com a cabeça, então Rolly fez sinal de positivo e saiu. Enquanto o via desaparecer na multidão, desejei que eu é que tivesse mandado uma mensagem a Owen por ele. Olhei para além da multidão, sabendo que ele estava em algum lugar, lá do outro lado, esperando por mim. Mas agora a distância parecia impossível, com coisas demais entre nós. Então, com a boca amarga e as mãos suadas, segui em direção à porta.

Do lado de fora, o ar gelado me atingiu como um soco, o cascalho rangendo sob meus pés enquanto eu me afastava. Tudo era muito familiar, o borbulhar dentro de mim, a garganta queimando, o tempo insuficiente para conseguir fugir. Mal cheguei ao carro antes de cair de joelhos, a água caindo no chão enquanto eu segurava o cabelo. Daquela vez, no entanto, senti o estômago se comprimir e o corpo se contorcer, mas nada saiu. Só ouvi o som rouco da minha própria respiração, o coração batendo em meus ouvidos e, ao longe, uma música quase inaudível, mas ainda tocando.

15

— Muito bem — minha mãe disse, pegando um carrinho da fileira em frente às portas automáticas. Ela colocou a bolsa na frente, pegou a lista de compras e a desdobrou. — Vamos lá.

Era a segunda semana de dezembro e estávamos no mercado, pois eu tinha sido recrutada para ajudar com as compras do jantar de boas-vindas de Kirsten. Não estava muito animada, ao contrário da minha mãe, completamente envolvida com as festas. Ainda assim, enquanto empurrava o carrinho em direção às portas, sorrindo para mim, e elas se abriram, tentei ao máximo sorrir de volta. Naqueles dias, tudo o que eu fazia era tentar.

O mês e meio anterior passara como um borrão. A única coisa da qual eu estava completamente ciente era de que tudo tinha voltado a ser exatamente como no início do ano letivo. Parecia que o tempo que eu tinha passado com Owen nem havia existido. Mais uma vez, eu estava sozinha na escola e trabalhava como modelo sem querer, totalmente incapaz de resolver qualquer uma daquelas coisas.

No domingo após aquela noite na Bendo, acordei às sete, bem na hora do programa do Owen. Só depois de abrir os olhos lembrei que aquela manhã não era como as outras e virei para o outro lado, tentando me obrigar a voltar a dormir. Parte de mim continuava acordada, como por teimosia, então tudo voltou a ser como antes, pouco a pouco.

Ele devia estar furioso comigo. Afinal, eu simplesmente fugi, sem nenhuma explicação. A pior parte era que eu sabia que estava agindo errado, mas não conseguira me conter. O único jeito de consertar aquilo era explicar aberta e honestamente por que tinha ido, mas não conseguiria fazer aquilo. Mesmo para ele.

No entanto, a decisão quanto a falar ou não sobre aquela noite não dependeria apenas de mim. Na segunda-feira, quando cheguei ao colégio, Owen tomou aquela decisão por nós dois.

Eu tinha acabado de estacionar quando ouvi três batidas no vidro: *bum-bum-bum*. Dei um pulo e virei. Quando Owen viu que tinha minha atenção, abaixou a mão e deu a volta pela frente do carro até a porta do passageiro. Ele a abriu e respirei fundo, como dizem que a gente deve fazer se cair com o carro na água, prendendo o máximo de ar possível. Owen entrou.

— O que aconteceu com você?

Como eu esperava, ele nem disse oi. Não ouve nem um silêncio difícil a preencher. Só a pergunta que devia estar na cabeça dele havia, hum, umas trinta e seis horas. Pior, ele me olhava com tanta raiva que não consegui encará-lo. Sua boca estava contraída, seu rosto vermelho, sua presença agitada preenchia o pequeno espaço à nossa volta.

— Desculpa — eu disse, e notei que minha voz vacilava. — Eu só...

Esse é o problema em lidar com um bom ouvinte. Ele não interrompe você, fazendo com que não precise completar suas próprias frases. Nem fala mais alto, fazendo com que o que você diz se perca ou se altere no meio do caminho. Em vez disso, só espera. Então é preciso continuar falando.

— Não sei o que dizer — finalmente consegui continuar. — Eu só... Não sei.

Owen ficou em silêncio pelo que pareceu bastante tempo. *Isto é tortura*, pensei. Então ele disse:

— Se não queria ir, era só dizer.

Mordi o lábio, olhando para as mãos enquanto dois caras passaram pela minha janela, falando sobre o treino de futebol americano.

— Eu queria ir — disse.

— Então o que aconteceu? — ele perguntou. — Por que saiu daquele jeito? Eu não sabia o que tinha acontecido. Fiquei esperando você.

Alguma coisa naquelas últimas palavras partiu meu coração. "Fiquei esperando você." Claro que ele tinha ficado. E claro que estava me contando aquilo, porque, ao contrário de mim, Owen não guardava segredos. Com ele, tudo ficava sempre às claras.

— Desculpa — repeti, mas até para mim soou fraco e vazio. — Eu só... Tinha muita coisa acontecendo.

— Tipo o quê?

Fiz que não com a cabeça. Não podia fazer aquilo, me colocar em uma situação na qual eu não teria em que me apoiar, não teria escolha a não ser dizer a verdade.

— Um monte de coisas — respondi.

— Coisas — ele repetiu, e eu pensei: *muleta*. Mas Owen não disse nada.

Em vez disso, soltou um suspiro, virando para a janela. Só então me permiti olhar para ele de verdade, absorvendo tudo o que me era familiar: a linha forte da mandíbula, os anéis, os fones de ouvido pendurados no pescoço. Ao longe, saindo deles, dava para ouvir uma música. Por hábito, me perguntei o que seria.

— Eu não entendo — ele disse. — Quer dizer, tem que ter um motivo, mas você não quer dizer qual é. Isso é tão... — Ele parou, balançando a cabeça. — Não parece você.

Por um instante, tudo ficou em silêncio. Ninguém passou, nenhuma pessoa ou carro. Ficou tudo em silêncio até que eu disse:

— Parece, sim.

Owen me encarou, apoiando a mochila na outra perna.

— Oi?

— Essa sou eu — respondi. Minha voz saiu baixa, até para meus próprios ouvidos. — É exatamente como eu sou.

— Annabel. — Ele ainda parecia irritado, como se aquilo não fosse verdade. Como se estivesse errado. — Por favor.

Voltei a olhar para minhas mãos.

— Eu queria ser diferente — disse —, mas essa é a verdade.

Eu tinha tentado dizer aquilo no primeiro dia. Mencionara que nem sempre falava a verdade, que não lidava bem com conflitos, que a raiva me assustava, que estava acostumada com pessoas que simplesmente desapareciam quando ficavam bravas. Nosso erro fora termos pensado que eu era capaz de mudar. Que *tinha* mudado. Mas, no fim, era a maior de todas as mentiras.

O primeiro sinal tocou, alto e longo. Owen virou e colocou a mão na maçaneta.

— O que quer que fosse, podia ter me contado — ele disse. — Você sabe disso, não sabe?

Eu sabia que, sentado ali, com uma mão na porta, Owen estava esperando que eu fosse a garota corajosa que ele queria acreditar que eu era, estava esperando que eu contasse. Esperou mais tempo do que imaginei que esperaria antes de abrir a porta e sair.

Então foi embora. Atravessou o estacionamento com a mochila em um dos ombros, colocando os fones. Quase um ano antes, eu vira a mesma cena, depois de Owen dar um soco em Ronnie Waterman. Na época, ficara impressionada e um pouco assustada, e agora sentia o mesmo ao perceber o que o medo e o silêncio tinham me custado mais uma vez.

Esperei até o segundo sinal, quando o pátio já estava quase vazio, para finalmente sair do carro e ir até a sala. Não queria ver Owen nem ninguém. Andei pelos corredores confusa durante toda a manhã, bloqueando as vozes ao meu redor deliberadamente. No almoço, fui até a biblioteca e sentei em uma baia perto da seção de história americana. Espalhei livros à minha frente, mas não li nenhuma palavra.

Quando o intervalo estava acabando, peguei minhas coisas e fui para o banheiro. Estava vazio a não ser por duas garotas que eu não conhecia, em pé perto das pias, que começaram a falar quando eu entrei em uma das cabines.

— Só estou dizendo — uma delas disse quando água começou a jorrar de uma torneira — que não acho que ela esteja mentindo.

— Ah, por favor. — A voz da outra garota era alta e mais nasalada. — Ele poderia sair com a garota que quisesse. Não está desesperado. Por que faria uma coisa dessas?

— Acha mesmo que ela envolveria a polícia se não tivesse mesmo acontecido?

— Talvez só queira chamar atenção.

— Claro que não. — A torneira fechou, e a ouvi pegando papel para enxugar as mãos. — As duas eram melhores amigas. E agora todo mundo sabe. Por que passar por tudo isso se fosse mentira?

Congelei. Elas estavam falando de Emily.

— De que ele foi acusado? — a primeira garota perguntou.

— Assédio sexual. Ou estupro, não sei.

— Não acredito que ele foi *preso* — a outra garota disse.

— Na A-Frame! — a amiga respondeu. — Meghan disse que todo mundo saiu correndo quando os policiais chegaram. Acharam que era por causa da cerveja.

— Até podia ser. — Ouvi um zíper abrir. — Você viu Sophie?

— Não. Acho que ela não veio hoje — a outra respondeu. — Que merda. Bom, você viria?

Pelos saltos batendo no chão, percebi que estavam saindo. Não ouvi a resposta. Fiquei na cabine, com uma mão na parede em que alguém tinha escrito ODEIO ESTE LUGAR com caneta azul. Abaixei a tampa do vaso e sentei, tentando entender tudo o que tinha acabado de ouvir.

Emily chamara a polícia. Ela dera queixa. *Contara.*

Aquela percepção era tão esmagadora que fiquei sentada ali, com as mãos no colo, atordoada. Will tinha sido preso. Todo mundo sabia. Desde a noite de sábado, eu estava pensando que Emily, como eu, estava em silêncio e assustada, tendo guardado a história só para si. Mas ela não havia feito aquilo.

Quando a tarde avançou e passei a escutar as pessoas à minha volta, ouvi o resto da história. Emily ia pegar uma carona da A-Frame até a festa com Sophie, mas ela se atrasara, então Will se oferecera para levá-la. Ele parou na rua e, dependendo da versão em que você acreditasse, a atacou ou foi atacado. Uma mulher que estava passeando com o cachorro viu que alguma coisa estava acontecendo, então ameaçou chamar a polícia se não saíssem dali. Emily saiu correndo do carro e, depois de conseguir uma carona para casa, contou tudo à mãe. Ela passou a manhã de sábado na delegacia, dando queixa. Quando os policiais foram atrás do Will sábado à noite, ele chorou ao ser algemado. O pai do Will pagou a fiança e contratou o melhor advogado da cidade. Sophie estava dizendo a todo mundo que Emily sempre quisera alguma coisa com Will e, como ele não demonstrara interesse, ela o acusara para se vingar. E, embora Sophie não estivesse no colégio, Emily estava.

Só a vi um pouco depois do último sinal. Estava pegando um caderno no meu armário quando senti um silêncio repentino, atípico para o fim do dia. O corredor não estava completamente em silêncio, só mais que o normal. Quando virei, vi Emily atravessando o corredor na minha direção. Ela não estava se encolhendo nem estava sozinha. Duas garotas estavam com ela, cada uma de um lado, antigas amigas. Eu tinha assumido que estava sozinha depois do que havia acontecido, que todos iam acreditar na história de Sophie. Nem tinha imaginado que alguém poderia ficar do meu lado.

Nos próximos dias, o que aconteceu entre Emily e Will permaneceu um assunto comentado, mas eu me esforçava para não prestar atenção àquilo. Às vezes, no entanto, era impossível, como no dia em que eu estava na aula de inglês, estudando para uma prova, e Jessica Norfolk e Tabitha Johnson, que sentavam atrás de mim, começaram a falar sobre Will.

— Fiquei sabendo que ele já fez isso antes — Jessica, que era tesoureira da turma e não parecia do tipo fofoqueira, disse.

— É mesmo? — Tabitha respondeu. Ela sentava sempre atrás de mim e ficava o tempo inteiro apertando o botão da caneta, o que me deixava extremamente irritada.

— É. Parece que houve boatos quando ele estava na Perkins Day. Sabe, garotas que disseram que esse tipo de coisa tinha acontecido com elas.

— Mas ele nunca tinha sido *preso*.

— Bom, não — Jessica disse. — Mas talvez seja um comportamento recorrente, sabe?

Tabitha, que ainda estava apertando o botão da caneta, soltou um suspiro.

— Meu Deus — ela disse. — Coitada da Sophie.

— Coitada, mesmo. Já imaginou? Namorar alguém e isso acontecer?

Muitas das conversas que eu ouvia acabavam citando Sophie, o que não era surpreendente. Ela e Will eram um desses casais que todo mundo conhece, no mínimo pelo drama frequente em público. Então achei estranho ela não ir à aula naquele primeiro dia. Se Emily tinha me surpreendido, Sophie também tinha. Não só por não aparecer, mas pelo modo como agiu quando finalmente voltou.

Ela não foi para o pátio para deixar claro que não tinha ficado abalada com o que tinha acontecido. Nem confrontou Emily em público como fizera comigo. Na verdade, na primeira vez em que a vi, Sophie estava sozinha, andando pelo corredor, falando ao celular. No almoço, quando olhei pela janela da biblioteca, não a vi no banco de sempre — ocupado por garotas do segundo ano que eu nem conhecia —, mas sentada no estacionamento, esperando uma carona. Já Emily estava sentada a uma mesa, tomando água e comendo salgadinhos, cercada de pessoas.

Então Sophie estava sozinha. Eu estava sozinha. E Owen estava sozinho — ou era o que eu pensava. De vez em quando, antes ou depois da aula, eu o avistava, mais alto do que todo mundo, caminhando ou virando uma esquina. Às vezes, quando o via, queria contar tudo. O pensamento me dominava como uma onda, repentino e inesperado. No instante seguinte, no entanto, já estava dizendo a mim mesma que ele provavelmente nem ia querer ouvir mais. Atravessando o pátio sem expressão, com os fones nos ouvidos, era como se ele estivesse retrocedendo até voltar a ser a pessoa que era para mim antes de tudo aquilo. Um mistério, alguém que eu não conhecia, mais um rosto na multidão.

Se no colégio tudo estava estressante, em casa as coisas não estavam muito melhores. Pelo menos não para mim. Para o resto da família, no entanto, tudo parecia ótimo. Agora, minha mãe empurrava o carrinho de supermercado pela enorme seção de hortifrúti, muito feliz porque finalmente estaríamos todos reunidos. Embora Kirsten tivesse falado de vir no Dia de Ação de Graças, acabara ficando em Nova York, supostamente para trabalhar e colocar os estudos em dia. Depois, mencionara ter comido peru com Brian, o assistente do curso, mas não dera detalhes, o que não era típico dela. Mas agora viria para o Natal, e minha mãe estava animadíssima.

— Vamos ter dois tipos de batatas — ela disse, gesticulando para que eu pegasse alguns sacos plásticos. — Vou fazer com creme de leite e Whitney vai fazer assada com azeite.

— É mesmo? — perguntei, entregando a ela os sacos plásticos.

— Moira passou a receita — ela respondeu. — Não é *incrível?*

Era. Apesar dos meus problemas, estava impressionada com o progresso recente da Whitney. Um ano antes, tudo estava começando; agora, embora ela ainda não estivesse curada, as mudanças para melhor eram evidentes.

Para começar, ela estava aprendendo a cozinhar. Não muito e não sempre; começou devagar, depois do jantar que preparara para mim. Moira Bell parecia ter bastante interesse por alimentos naturais e orgânicos e, quando Whitney comentou que tinha feito macarrão, ela emprestou alguns livros de receitas. Os pratos que minha mãe preparava estavam mais para cremosos e pesados: muitas caçarolas à base de cogumelos, molhos, carnes e carboidratos. O interesse da Whitney ia em outra direção, o que não era nenhuma surpresa. Ela começou preparando saladas para os jantares de vez em quando, indo à feira e comprando vários legumes e verduras, que passava um tempão fatiando e picando. Seus molhos eram vinagretes com um toque de ervas; se fizéssemos menção de pegar algo mais gorduroso, ela olhava torto. No fim de semana do desfile, Whitney tinha preparado salmão grelhado com molho de limão para meus pais; no Dia de Ação de Graças, vagem no vapor com limão para substituir a cebola empanada que costumávamos comer. Minha mãe era uma ótima cozinheira, do tipo que agia por instinto, sem medir as coisas, à base de pitadas. Quando Whitney cozinhava, tudo tinha que ser exato, e sua autoridade natural — quanto ao molho ou a podermos viver sem por manteiga em tudo

— era parte do processo. Mas, mesmo nos dias mais irritantes, era uma coisa boa, e todos estávamos comendo melhor. Gostássemos daquilo ou não.

Whitney também estava escrevendo. Tinha terminado sua história oficial no fim de outubro, mas continuara com o exercício, rabiscando em um bloco de papel sentada na sala de jantar ou aninhada em frente à lareira, mastigando o lápis. Não tinha me deixado ler nada, mas eu tampouco havia pedido. Nas vezes em que encontrara seu caderno na escada ou na mesa da cozinha, eu ficara tentada a abri-lo para ver o que havia naquelas linhas. Mas não fizera aquilo. Afinal, entendia a necessidade de manter as coisas para si.

Mas o mais incrível de tudo eram as ervas. Depois de ficarem na janela sem crescer nem um milímetro por alguns meses, o alecrim brotou logo antes do Halloween. Era só um galhinho verde minúsculo, mas nas semanas seguintes surgiram mais. Whitney cuidava dos vasinhos todos os dias, verificando a umidade da terra com os dedos e virando-os para que recebessem a quantidade adequada de luz. Se um dia eu tinha imaginado minha irmã como uma porta fechada, passei a vê-la de outra maneira: com suas mãos pegando a faca, a caneta ou o regador para cuidar das plantas e ajudá-las a crescer.

Já Kirsten não só tinha sobrevivido à apresentação do seu curta aos professores e colegas como ganhara o grande prêmio da mostra. Eu esperava que ligasse e nos brindasse com seus monólogos típicos, cheios de detalhes, mas ela só deixou uma mensagem — com menos de dois minutos, o que com certeza era um recorde para ela — dizendo que tinha ganhado e que estava muito feliz. Foi tão estranho que ficamos todos convencidos de que alguma coisa estava errada, mas quando liguei, ela disse exatamente o contrário.

— Está tudo ótimo. Ótimo!

— Tem certeza? — perguntei. — Você deixou uma mensagem tão curta.

— Deixei?

— Pensei até que a secretária eletrônica tinha cortado você — eu disse.

Ela soltou um suspiro.

— Bom, tenho trabalhado muito o que digo para as pessoas ultimamente.

— É mesmo? — perguntei.

— Claro. — Ela soltou outro suspiro, alegre. — Aprendi coisas incríveis este semestre. Quer dizer, com o cinema e as aulas do Brian, estou me comunicando muito melhor. Sinto que meus olhos se abriram.

Esperei que ela continuasse, que explicasse melhor. Principalmente sobre Brian. Mas minha irmã só disse que me amava e precisava ir, mas me veria em breve. Então desligou. Em menos de quatro minutos.

Kirsten podia estar dominando a arte da comunicação verdadeira, mas eu continuava fracassando. Não só com Owen, mas com minha mãe, já que, de alguma forma, em meio a tudo aquilo, eu tinha concordado em fazer mais um comercial da Kopf.

Aconteceu na mesma semana em que tinha ficado sabendo que Emily tinha prestado queixa. Quando cheguei do colégio numa sexta-feira, minha mãe estava me esperando na porta.

— Adivinha! — ela disse, antes mesmo que eu entrasse. — Lindy acabou de ligar. O pessoal da Kopf entrou em contato ontem de manhã. Querem você para o comercial de primavera!

— O quê? — perguntei.

— Pelo jeito gostaram muito da campanha de outono. Mas, preciso dizer, acho que ter sido apresentada para o cara do marketing semana passada ajudou. Eles filmam em janeiro, mas querem fazer uma reunião em dezembro para as provas. Não é incrível?

Ótimo, pensei. A verdade era que alguns meses antes, aquilo seria muito mais interessante. Algumas semanas antes, talvez eu tivesse conseguido impedir. Mas, naquele momento, apenas fiquei parada ali, mal conseguindo concordar com a cabeça.

— Eu disse à Lindy que ligaria assim que contasse para você. — Ela foi à cozinha pegar o telefone. Enquanto discava, completou: — Pelo que ela disse, o comercial fez sucesso entre as meninas mais novas, o que o pessoal da Kopf adorou. Você é um exemplo para elas, Annabel! Não é maravilhoso?

Pensei no quarto da Mallory, nas capturas de tela coladas na parede. No rosto dela olhando para a câmera, nas penas do boá flutuando.

— Não sou exemplo pra ninguém — respondi.

— Claro que é — minha mãe disse, com segurança. Ela virou e olhou para mim, sorrindo de novo ao trocar o telefone de orelha. —Você tem muito do que se orgulhar, querida. De verdade. Quer dizer... Lindy? Oi, é a Grace. Faz tempo que estava ligando... Sua recepcionista saiu? Ainda? Que horror... Sim, acabei de falar com Annabel e ela está animadíssima...

Só que não, pensei. *Não estou animadíssima e não sou um exemplo.* Não que aquilo importasse. Contanto que outras pessoas pensassem que eu era aquelas coisas.

Outubro virou novembro, que virou dezembro sem que eu percebesse. Os dias ficavam cada vez mais curtos e frios, e as rádios tocavam músicas de Natal. Eu ia para a escola, estudava e voltava para casa. Mesmo quando as pessoas tentavam falar comigo na escola, eu mal respondia, tão acostumada com meu isolamento que agora até o preferia. No início, meus pais pareciam querer saber por que eu não tinha outros planos nos fins de semana. Mas depois de eu dizer algumas vezes que só estava cansada do trabalho na agência e de tentar correr atrás das matérias na escola, pararam de perguntar.

No entanto, eu sabia o que estava acontecendo à minha volta.

O julgamento de Will estava chegando e comentava-se que algumas garotas da Perkins Day também iam depor. Quanto a Emily, ela parecia bem. Não estava se escondendo. Na verdade, eu a via por toda parte — nos corredores, no pátio, conversando no estacionamento —, sempre com um grupo de garotas. Mais ou menos uma semana antes, eu a vira em pé em frente ao armário dela, rindo de alguma coisa no intervalo entre duas aulas. Ela estava com o rosto corado, cobrindo a boca com as mãos. Foi só um instante, mas, por algum motivo, aquilo ficou na minha mente durante todo o dia e também no seguinte. Não conseguia tirar o momento da cabeça.

Sophie não estava tão bem. Geralmente eu a via sozinha, e agora ela saía da escola quase todos os dias na hora do almoço, quando um carro preto ia buscá-la. Não era Will, e eu me perguntava se eles continuavam juntos. Como não tinha ouvido ninguém dizer o contrário, imaginava que sim.

Parecia que tinha passado um milhão de anos desde o dia em que as férias haviam acabado e eu estava morrendo de medo dela. Agora, quando a via, só me sentia cansada e triste por nós duas. E, quando via Owen, sentia algo parecido com solidão. Mas, ainda que não estivéssemos nos falando, eu o continuava ouvindo, do meu jeito.

Não o programa na rádio, embora continuasse acordando às sete da manhã aos domingos, um péssimo hábito que, por algum motivo, parecia impossível superar. Mais difícil ainda de deixar para trás era a própria música. Não só as de que ele gostava, mas todas.

Eu não sabia dizer ao certo quando aquilo tinha começado, mas de repente passei a ser muito sensível ao silêncio. Eu precisava de algum tipo de barulho em todo lugar. Quando entrava no carro, logo ligava o rádio; no meu quarto, primeiro acendia a luz, em seguida ligava o som. Até na aula ou sentada à mesa com meus pais, eu sempre estava com alguma música na cabeça, repetindo sem parar. Me lembrei de quando Owen disse que fora a música que o salvara, que ela abafara todo o resto, e estava sendo igual comigo. Desde que tivesse algo para ouvir, eu conseguia afastar as coisas nas quais não queria pensar, ou até bloqueá-las completamente.

Mas era preciso muita música para conseguir aquilo. Depois de algumas semanas, eu já tinha ouvido todas as minhas playlists algumas vezes. Então, um sábado recente, dei o braço a torcer e peguei a pilha de CDs que Owen havia gravado para mim. Abri a caixa que dizia MÚSICAS DE PROTESTO e coloquei o CD no som.

Não eram as minhas favoritas. Algumas eram estranhas, outras eu não entendia. Mas, embora achasse que seria esquisito ouvir as músicas do Owen, me senti surpreendentemente aliviada. Imaginá-lo escolhendo as músicas para mim, organizando-as com tanto cuidado, esperando que eu me iluminasse, me fez sentir uma coisa boa. No mínimo, aquelas músicas provavam que um dia tínhamos sido amigos.

Durante as semanas, ouvi os CDs música por música, até saber todas as faixas de cor. Cada vez que terminava um, ficava triste por saber que havia um número limitado deles e que logo chegariam ao fim. Estava planejando guardar o que dizia só ESCUTE. Aquele CD permanecia um mistério completo para mim, e às vezes eu achava que era melhor assim. De qualquer modo, pegava a caixinha de vez em quando e a segurava um pouco antes de devolvê-la ao fim da pilha.

Quando minha mãe e eu finalmente saímos para o estacionamento do supermercado, fiquei surpresa ao ver que estava nevando. Os flocos eram grandes, gordos e bonitos demais para durarem, mas nós duas ficamos paradas por um instante, observando-os caírem. Quando entramos no carro e saímos do estacionamento, já estavam caindo mais devagar, alguns dançando ao vento, em círculos. Minha mãe ligou os limpadores de para-brisa quando paramos em um farol fechado, observando os flocos no vidro.

— É lindo, não é? — ela perguntou. — Alguma coisa na neve faz com que tudo pareça tão fresco e novo...

Assenti. O farol demorava para abrir e, embora ainda não fossem nem cinco horas, já estava escurecendo. Minha mãe olhou para mim, sorrindo, e estendeu a mão em direção ao rádio. Quando aumentou o volume, preenchendo o carro com música clássica, encostei a cabeça na janela. Senti o vidro gelado em meu rosto, os flocos ainda caindo, e fechei os olhos.

16

A baia da biblioteca onde eu passava o intervalo ficava em um canto meio escondido, longe dos corredores. Eu não estava acostumada a ter companhia. Por isso, vi Emily procurando por mim no intervalo do último dia de aula antes do Natal antes que ela me visse.

No início, só percebi um borrão vermelho de canto de olho, passando uma, duas vezes. Tirei os olhos das anotações da aula de inglês que estavam espalhadas à minha frente para uma última lida e observei ao redor: nada. As mesmas prateleiras silenciosas. Um instante depois, ouvi passos. Quando virei, ela estava em pé atrás de mim.

— Ah, você está aí — Emily disse, em voz baixa, mas audível.

Como se até então eu estivesse perdida. Como se eu fosse uma meia que a secadora tivesse engolido e ela finalmente encontrara. Eu não disse nada, distraída pelo pânico. Tinha escolhido aquele lugar porque era isolado, distante de tudo, o que dificultava muito a possibilidade de ser abordada.

Emily veio na minha direção. Sem perceber, fui para trás, batendo na divisória que havia ali. Ela parou e cruzou os braços.

— Olha só, sei que as coisas estão estranhas entre a gente este ano, mas... preciso conversar com você.

Em algum lugar ali perto, ouvi vozes, uma masculina e uma feminina, conversando enquanto se movimentavam pelos corredores.

Emily também ouviu e virou a cabeça em direção ao barulho, até ele desaparecer. Então pegou uma cadeira, arrastou para perto de mim e sentou. Com a voz bem baixa, disse:

— Sei que você sabe o que aconteceu. O que Will fez comigo.

Ela estava tão perto que eu sentia seu perfume, frutado e floral.

— Andei pensando em você — Emily continuou, sem tirar os olhos verdes de mim. — E naquela festa antes das férias.

Eu ouvia minha própria respiração, o que queria dizer que ela provavelmente também. Atrás de Emily, as árvores do outro lado da janela se mexiam, e um raio de sol se estendia pelas prateleiras, com a poeira dançando nele.

— Você não precisa conversar comigo sobre isso — Emily disse. — Quer dizer, eu sei que você me odeia.

Pensei em Clarke, olhando para mim daquele jeito na Bendo. "É isso que você acha?", ela tinha perguntado quando eu dissera a mesma coisa.

— Mas a verdade é que, se aconteceu mesmo alguma coisa... como aconteceu comigo — Emily continuou —, isso pode ajudar. Podemos fazer parar. Quer dizer, podemos fazer com que ele pare.

Eu ainda não tinha dito nada. Não conseguia. Fiquei sentada ali, imóvel, enquanto Emily enfiava a mão no bolso e tirava um cartão branco de lá.

— Este é o nome da mulher que está cuidando do caso — ela disse, me oferecendo o cartão. Como não peguei imediatamente, Emily o deixou em cima da mesa, ao lado do meu cotovelo, virado para cima. O nome estava escrito em preto e havia um emblema no canto superior esquerdo. — O julgamento começa segunda, mas eles ainda querem conversar com mais gente. Você pode ligar e contar... o que quiser. Ela é muito legal.

Aquilo que me assustava mais do que qualquer coisa, o motivo pelo qual eu não tinha sido sincera com Owen quanto ao que estava me incomodando naquela noite na Bendo — Emily falava como se fosse fácil. Se eu não tinha conseguido contar a ele, uma pessoa que eu achava que aguentaria ouvir, como ia contar a uma estranha? Não tinha jeito. Mesmo que eu quisesse. E não queria.

— Pense — ela disse. Então respirou fundo, como se fosse acrescentar alguma coisa, mas não o fez. Só levantou e disse: — A gente se vê, tá?

Emily colocou a cadeira de volta no lugar e entrou no corredor mais próximo. Depois de dar uns dois passos, no entanto, virou para mim de novo.

— Annabel? — ela chamou. — Desculpa.

Aquilo ficou suspenso no ar entre nós duas por um instante. Emily voltou a se afastar, desaparecendo ao virar no fim do corredor. "Desculpa." Era a mesma coisa que eu queria dizer a ela, que eu queria dizer desde aquela noite de sábado no desfile. Pelo que Emily estava se desculpando?

Mas, ao mesmo tempo que minha mente tentava lidar com aquilo, entender a lógica, comecei a sentir a reação visceral ao que tinha acabado de acontecer, ao fato de Emily ter chegado mais perto da verdade do que qualquer outra pessoa. Da minha verdade. De repente, senti algo subindo dentro de mim. Observei ao redor, imaginando onde poderia vomitar em silêncio e discretamente. Mas então outra coisa aconteceu: comecei a chorar.

Chorar mesmo, como não chorava havia anos, o tipo de choro soluçado que chega como uma onda, puxando alguém para baixo. De repente, as lágrimas estavam escorrendo, soluços subiam pela minha garganta, meus ombros tremiam. Virei sem jeito, tentando me esconder, batendo o cotovelo na divisória da baia. O cartão que Emily deixara caíra, flutuando um pouco antes de chegar aos meus pés. Levei as mãos à cabeça, pressionando as palmas contra os olhos para bloquear tudo, mas as lágrimas ainda escorriam. Chorei e chorei, enfiada em um canto ali na biblioteca, até me sentir crua por dentro.

Eu tinha medo de que alguém me visse, mas ninguém apareceu. Ninguém ouviu. Nos meus ouvidos, no entanto, os soluços soavam primitivos e assustadores, algo que eu desligaria se pudesse. Mas tudo o que pude fazer foi deixar acontecer, até que as lágrimas estivessem esgotadas — assim como eu.

Quando aquilo aconteceu, abaixei as mãos e observei ao redor. Nada tinha mudado. Os livros ainda estavam ali, a poeira dançava à luz do sol, o cartão estava aos meus pés. Abaixei para pegá-lo. Não o li nem olhei para ele, mas o guardei no bolso da mochila assim que o sinal tocou e o intervalo chegou ao fim.

Durante o resto do dia, dava para sentir a agitação pré-feriado no ar, todos fazendo contagem regressiva até o recesso começar oficialmente.

Depois de ser uma das últimas a terminar a prova, fui até meu armário, então ao banheiro, que estava vazio a não ser por uma garota bem próxima do espelho, passando delineador azul. Logo que entrei na cabine, ouvi a garota sair, e achei que estivesse sozinha. Ao sair, no entanto, Clarke Reynolds estava encostada na pia, vestindo jeans e uma camiseta do TRUTH SQUAD.

— Oi — ela disse.

Meu primeiro instinto foi olhar para trás, o que era um pouco idiota, porque dava para ver pelo espelho que não tinha mais ninguém ali.

— Oi — respondi.

Passei por ela, fui até a pia mais próxima e abri a torneira. Senti que Clarke ficou me observando enquanto eu molhava as mãos e apertava o recipiente de sabonete, que estava vazio, como sempre.

— Então — ela disse, e mais uma vez percebi que sua voz não soava nada nasalada. —Você está bem?

Fechei a torneira.

— O quê?

Ela levantou a mão e ajustou os óculos.

— Não sou eu que estou perguntando — ela disse. — Quer dizer, sou, óbvio. Mas Owen também anda querendo saber.

Ouvir Clarke dizendo aquele nome era tão estranho que demorei um pouco para responder.

— Owen — repeti.

Ela assentiu.

— Ele está... — Clarke parou. — Preocupado, acho que é isso.

— Comigo — eu disse, esclarecendo.

— É.

Alguma coisa não estava batendo.

— E ele pediu que você falasse comigo?

— Ah, não — ela balançou a cabeça. — Owen só mencionou algumas vezes, então comecei a pensar e... vi você hoje. Depois do almoço. Estava saindo da biblioteca e parecia muito chateada.

Talvez tenha sido o fato de ter citado Owen. Ou porque, àquela altura, eu não tinha muito a perder no que dizia respeito a nós duas. Independente do motivo, decidi ser sincera.

— Estou surpresa — disse. — Não achei que você se importasse.

Ela mordeu o lábio por um instante e de repente me lembrei de como costumava fazer aquilo quando éramos mais novas. Significava que tinha sido pega desprevenida.

— É isso mesmo que você pensa? — ela perguntou. — Que *eu* não ligo pra *você*?

— Você não liga — respondi. — Desde aquele verão com Sophie.

— Annabel, por favor. Foi você quem me deixou de lado, lembra?

— É, mas...

— Não tem "mas". É *você* quem não liga pra *mim*. — Sua voz estava calma e firme. — Desde aquele verão.

Fiquei encarando Clarke.

— Mas você nem me olha — eu disse. — Nunca mais olhou. E no primeiro dia de aula, no muro...

—Você me magoou — ela disse. — Meu Deus, Annabel! Éramos melhores amigas e você simplesmente me deixou lá. Como esperava que eu me sentisse?

— Eu tentei falar com você — respondi. — Naquele dia, na piscina.

—Aquela foi a *única* vez — ela disparou, apontando para mim.

— Eu estava brava. Tinha acabado de acontecer! Mas você nunca mais tentou, nunca me ligou. Simplesmente sumiu.

Foi como quando Emily me pediu desculpa: o oposto completo do modo como eu via as coisas. Parecia loucura e impossível de processar.

— Então por que agora? — perguntei. — Por que veio falar comigo?

Ela soltou um suspiro.

— Bom — Clarke começou a dizer —, tenho que ser honesta. Principalmente por causa do Rolly.

Rolly, pensei. Então me lembrei daquela noite, dele segurando as garrafas de água. "Diga que eu falei que ele tinha razão. Sobre tudo", ele dissera, animado.

—Você e Rolly? — perguntei.

Ela mordeu o lábio mais uma vez e ficou vermelha, mas só por um segundo.

— Andamos conversando — ela disse, mexendo na barra da

camiseta do TRUTH SQUAD, que de repente percebi que estava usada demais para alguém que tinha visto a banda pela primeira vez havia um mês e meio. — Enfim, aquela noite na Bendo, você disse que eu te odiava. Isso me fez pensar em tudo o que aconteceu entre a gente. E como Owen tem falado de você... Andei pensando sobre o assunto. Aí, quando te vi hoje e você estava...

— Espera — interrompi. — Owen fala de mim?

— Ele não diz muito — ela respondeu. — Só que vocês eram amigos, então aconteceu alguma coisa. Desculpe eu dizer isso, mas me pareceu um pouco familiar. Se é que você me entende.

Senti meu rosto corar, envergonhada ao imaginar Clarke e Owen falando sobre mim e meu comportamento evasivo.

— A gente não fica falando sobre você — ela completou, como se eu tivesse verbalizado meu pensamento em voz alta. Aquela era mais uma coisa da qual eu me lembrava sobre ela: parecia ler meus pensamentos.

Clarke estava preocupada comigo. Emily tinha me pedido desculpa. Era um dia estranho.

— Você está? — ela perguntou enquanto um grupo de garotas entrava segurando cigarros e perdia o rebolado ao dar de cara com a gente ali. Elas resmungaram alguma coisa, se atrapalharam e saíram, presumivelmente para esperar que fôssemos embora. — Está bem, quero dizer.

Fiquei parada ali, me perguntando como responder. Percebi que nas semanas anteriores eu não tinha sentido falta só do Owen, mas também daquela parte de mim que era capaz de ser sincera. Talvez não pudesse voltar àquilo no momento, mas tampouco precisava mentir. Então recorri ao que sempre buscara: o meio do caminho.

— Não sei — respondi.

Clarke ficou me observando por um tempo.

— Quer conversar sobre isso?

Foram tantas chances. Ela, Owen, Emily... Durante tanto tempo, achei que eu só precisava de alguém que ouvisse, mas não era verdade. Eu era o problema. Eu evitara falar. E fiz aquilo mais uma vez.

— Não — respondi. — Mas obrigada.

Ela assentiu, então se afastou da pia e eu a segui até o corredor. Do lado de fora, enquanto nos preparávamos para seguir cada uma com seu caminho, Clarke colocou a mão dentro da mochila e tirou uma caneta e um pedaço de papel.

— Aqui — disse enquanto rabiscava algo e entregava para mim. — Meu celular. Caso mude de ideia.

Seu nome estava escrito embaixo, com uma letra que eu ainda reconhecia — limpa, blocada, com o mesmo risquinho para baixo no final do "e".

— Obrigada — eu disse.

— Claro. Feliz Natal, Annabel.

— Para você também.

Quando nos afastamos, eu sabia que provavelmente não ligaria. Mesmo assim, abri a mochila e guardei o papel com o cartão que a Emily tinha me dado. Ainda que não usasse nenhum dos dois, por algum motivo, era bom saber que estavam ali.

Mais um feriado, mais uma ida ao aeroporto. Exatamente como tinha feito um ano antes, sentei no banco de trás e segui com meus pais para a rodovia. Um avião subindo de um canto do para-brisa ao outro quando pegamos a saída. Whitney tinha ficado em casa, supostamente para preparar o jantar. Então ficamos só os três esperando que Kirsten surgisse no desembarque.

— Lá está ela! — minha mãe disse, acenando. Minha irmã vinha em nossa direção carregando a mala de rodinhas e acenando também. Usava um casaco vermelho chamativo e o cabelo preso em um rabo de cavalo.

— Oi! — ela disse, abraçando meu pai imediatamente, depois minha mãe, que já estava com os olhos cheios de lágrimas, como sempre nas chegadas e partidas. Quando Kirsten me abraçou apertado, fechei os olhos, inspirando seu aroma familiar: sabonete, ar frio e xampu de menta. — Estou tão feliz em ver vocês!

— Como foi a viagem? — minha mãe perguntou enquanto meu pai pegava a alça da mala e começávamos a atravessar o terminal. — Algum problema?

— Nenhum — Kirsten respondeu, enlaçando meu braço. — Foi ótima.

Esperei em vão que ela continuasse a falar. Minha irmã só sorriu para mim, então segurou minha mão e saímos para o frio.

A caminho de casa, meus pais a encheram de perguntas sobre os estudos, as quais ela respondeu, e sobre o Brian, das quais se esquivou animada, corando de vez em quando. A nova Kirsten que eu tinha notado ao telefone era de verdade. Suas respostas, embora não fossem secas, eram muito mais breves do que estávamos acostumados, ao ponto de silêncios estranhos se instalarem depois que terminava de falar, enquanto esperávamos que começasse de novo. Mas Kirsten só suspirava, olhava pela janela ou apertava minha mão, a qual segurou durante todo o caminho até nossa casa.

—Tem alguma coisa diferente em você, querida — minha mãe comentou quando chegamos ao nosso bairro.

— É mesmo? — Kirsten perguntou.

— Não consigo dizer exatamente o quê... — ela continuou, pensativa. — Mas acho que...

— Ela está deixando o resto do mundo falar? — meu pai terminou, lançando um olhar para Kirsten pelo retrovisor. Ele estava sorrindo. E estava certo.

— Ah, papai — Kirsten começou —, eu não falava *tanto* assim, falava?

— É claro que não — minha mãe respondeu. — Sempre amamos ouvir o que você tinha a dizer.

Kirsten respirou fundo.

— Estou tentando ser mais concisa. E tentando ouvir o que os outros dizem. Já notaram como pouquíssimas pessoas *realmente* ouvem hoje em dia?

Eu ouvia. Na verdade, tinha passado o tempo entre a escola e a saída para o aeroporto ouvindo as últimas faixas do penúltimo CD da pilha que Owen tinha me dado: PUNK/SKA CLÁSSICO. Depois dele vinha o SÓ ESCUTE, o que me deixava um pouco triste. Estava acostumada a passar um tempo todos os dias ouvindo algumas músicas. Era como um ritual, algo confortável e estável, ainda que as músicas fossem o oposto daquilo.

Enquanto ouvia, ficava deitada na cama com os olhos abertos, tentando me perder no que chegava aos meus ouvidos. Naquele dia, no entanto, quando o CD começara com as batidas pulsantes de um reggae, eu tinha deixado a mochila em cima da cama, pegado o cartão que Emily havia me dado e o número de telefone da Clarke e colocado na minha frente. Enquanto a música tocava, ficara encarando cada um deles, como se precisasse decorá-los: a fonte em um leve alto-relevo em que estava escrito o nome da promotora ANDREA THOMLINSON, os traços cortando os dois setes do número de Clarke. Dissera a mim mesma que não precisava fazer nada. Eram só opções. Como os dois anéis de Owen, as duas mensagens. Era sempre bom conhecer as opções.

Quando chegamos em casa, tinha escurecido, mas as luzes estavam acesas. Vi Whitney na cozinha, mexendo uma panela no fogão.

Enquanto avançávamos pela entrada, Kirsten apertou minha mão mais uma vez e me perguntei se estava nervosa. Mas ela não disse nada.

Lá dentro estava quente, e percebi que estava com fome. Kirsten respirou fundo, fechando os olhos.

— Meu Deus! — ela disse, seguindo meu pai. — Que cheiro delicioso.

— É o refogado da Whitney — minha mãe disse.

— Whitney cozinha? — ela perguntou.

Olhei mais à frente e a vi em pé no balcão central da cozinha. Ela tinha um pano de prato nas mãos.

— Whitney cozinha — ela confirmou. — Vai ficar pronto em uns cinco minutos.

— É uma delícia — minha mãe disse a Kirsten, com a voz um pouco alta. — Whitney tem muito talento para a cozinha.

— Uau — Kirsten respondeu. Outro silêncio se instalou. Então, ela disse a Whitney: — Você está ótima, aliás.

— Obrigada — Whitney respondeu. — Você também.

Até então, tudo corria bem. Ao meu lado, minha mãe sorriu.

— Vou levar sua mala lá pra cima — meu pai disse a Kirsten, que assentiu.

— E vou preparar a salada — minha mãe disse. — Depois todos podemos nos sentar e contar as novidades. Enquanto isso, vocês podem subir e relaxar um pouco. Que tal?

— Ótimo — Kirsten respondeu, olhando para a Whitney mais uma vez. Meu pai foi em direção às escadas com a mala.

Fiquei sentada no meu quarto, ouvindo os barulhos à minha volta. O quarto da Kirsten estava praticamente intocado desde que ela tinha ido embora, então era estranho ouvir atividade — gavetas abrindo e fechando, os móveis sendo deslocados — do outro lado daquela parede. Da outra parede, ouvia os barulhos de Whitney a que estava acostumada: o ranger da cama, o ruído baixo do rádio. Quando minha mãe nos chamou dizendo que estava tudo pronto, saímos juntas para o corredor.

Kirsten tinha trocado de blusa e soltado o cabelo. Ela olhou para mim, depois para Whitney.

— Prontas? — perguntou, como se estivéssemos indo para mais longe do que a mesa da sala de jantar. Fiz que sim, e ela começou a descer.

Quando chegamos, a comida já estava na mesa: uma travessa grande de refogado, uma tigela de arroz integral, a salada da minha mãe, com o molho preparado segundo as especificações da Whitney, claro. O aroma estava ótimo, e meu pai ficou em pé à cabeceira enquanto todas tomávamos nossos lugares ao redor dele.

Quando sentamos, minha mãe serviu uma taça de vinho para Kirsten, e meu pai pediu a Whitney que explicasse o que exatamente íamos comer.

— Tempeh e legumes refogados com molho hoisin com amendoim — ela disse.

— Tempeh? O que é isso?

— É bom, pai — Kirsten respondeu. — É tudo o que você precisa saber.

— Não precisa comer se não quiser — Whitney disse. — Mas acho que é o melhor prato que já preparei.

— Sirva um pouco — minha mãe disse. — Ele vai gostar.

Meu pai pareceu desconfiado quando Whitney pegou uma colher e colocou um pouco em seu prato. Enquanto ela servia os acompanhamentos, observei minha família ao redor da mesa, tão diferente do que era um ano antes. As coisas provavelmente nunca mais seriam como costumavam ser, mas pelo menos estávamos todos juntos.

Enquanto pensava naquilo, percebi um clarão. Era um carro

passando na janela atrás dos vasinhos de ervas. Quando desacelerou e o motorista olhou para nós, pensei mais uma vez em como nunca sabemos de verdade o que estamos vendo. Bom ou ruim, certo ou errado. Há sempre muito mais coisas envolvidas.

A regra da nossa casa era que quem não cozinhava limpava. Então, depois do jantar, Kirsten, meu pai e eu ficamos lavando a louça.

— Estava delicioso — Kirsten disse, me entregando uma panela ensaboada para que eu enxaguasse. — O molho era demais.

—Também achei — minha mãe disse, sentada à mesa com uma xícara de café sem conseguir reprimir um bocejo. — Seu pai repetiu *duas* vezes. Espero que Whitney tenha percebido. É o melhor elogio que um cozinheiro pode receber.

— Nunca cozinho — Kirsten disse. — Só peço comida.

— Essa é minha receita favorita também — meu pai disse. Ele deveria estar ajudando, mas, até o momento, só tinha tirado o lixo e demorado um tempão para substituir o saco.

Minha mãe lançou um olhar de reprovação para ele. Então Whitney, que tinha desaparecido depois do jantar, entrou com a chave na mão, vestindo uma jaqueta.

—Vou sair um pouco — disse. — Não demoro.

Kirsten, com as mãos na água, virou para ela.

— Aonde você vai?

— Encontrar uns amigos num café —Whitney respondeu.

— Ah — Kirsten disse, balançando a cabeça.

—Você... — Whitney parou por um instante. —Você quer vir?

— Não quero atrapalhar — Kirsten respondeu. —Tudo bem.

— Não tem problema —Whitney disse. — Quer dizer, se você não se importar de ficar lá por um tempo.

Mais uma vez, senti: uma paz cautelosa e incerta entre minhas irmãs — não exatamente frágil, tampouco definitiva. Meus pais trocaram um olhar.

— Quer vir também, Annabel? — Kirsten perguntou. — Te pago um mocaccino.

Eu podia sentir Kirsten me olhando ao fazer o convite. Pensei em quando ela apertara minha mão mais cedo e concluí que talvez estivesse mais nervosa do que parecia.

— Claro — eu disse. — Vamos.

— Ótimo! — minha mãe exclamou. — Vão e se divirtam. Seu pai e eu terminamos aqui.

— Têm certeza? — perguntei. — Não lavamos nem a metade...

— Não tem problema. — Ela levantou e foi até a pia, fazendo um gesto para que eu e Kirsten nos afastássemos enquanto arregaçava as mangas. Olhei para Whitney, que estava em pé na entrada. Eu não sabia ao certo como tinha me envolvido naquilo. Mas ali estava eu. — Podem ir.

— Olá e bem-vindos ao microfone aberto do Jump Java. Meu nome é Esther e vou ser sua mestre de cerimônias esta noite. Se já participaram antes, conhecem as regras: se inscrevam lá atrás, façam silêncio enquanto as outras pessoas estiverem lendo e, o mais importante, deem gorjeta ao barista. Obrigada!

Quando chegamos, pensei que era coincidência. Mas, quando as amigas do grupo de terapia da Whitney acenaram para nós, ficou claro que não.

— Então, você está preparada? — uma garota chamada Jane, que era alta, bem magra e vestia uma blusa vermelha com um maço de cigarros visível no bolso da frente, disse a Whitney depois que fomos apresentadas e já estávamos com nossos cafés. — E, o mais importante, está nervosa?

— Whitney não fica nervosa — uma garota chamada Heather disse. Ela parecia ter minha idade, com cabelo curto, preto e espetado, e vários piercings no nariz e nos lábios. — Você sabe disso.

Kirsten e eu trocamos um olhar.

— E por que ficaria? — Kirsten perguntou. Whitney estava sentada ao meu lado, mexendo na bolsa em seu colo.

— Whitney se inscreveu para ler — Jane respondeu, tomando um gole da caneca que estava à sua frente.

— Ela *teve* que se inscrever — Heather completou. — Exigência da Moira.

— Exigência da Moira? — perguntei.

— É coisa do nosso grupo — Whitney explicou, tirando alguns papéis dobrados de dentro da bolsa e colocando à sua frente na mesa. — Tipo uma tarefa. Moira é minha médica.

— Ah — Kirsten respondeu. — Certo.

— Então você vai ler algo que escreveu? — perguntei. — Parte da sua história?

Ela assentiu.

— Tipo isso.

— Muito bem, estamos prontos para começar — Esther disse. — E o primeiro vai ser o Jacob. Seja bem-vindo!

Todos aplaudiram quando um cara alto e magro, com um gorro preto na cabeça, passou pelas mesas a caminho do microfone. Ele abriu um pequeno caderno espiralado e limpou a garganta.

— O nome é "Sem título" — ele disse quando a máquina de café sibilou atrás de nós. — É sobre… minha ex-namorada.

O poema começava com imagens sobre a luz do dia e sonhos.

Então criou corpo rapidamente, sua voz aumentando até formar uma lista desconexa de palavras que ele ia cuspindo, uma depois da outra.

— *Metal, frio, traição, infinito!* — ele dizia, e gotas ocasionais de saliva atingiam o microfone. Olhei para Whitney, que estava mordendo o lábio, depois para Kirsten, que parecia totalmente fascinada.

— O que é isso? — sussurrei.

— Shhh — ela respondeu.

O poema de Jacob continuou pelo que pareceu bastante tempo antes de finalmente acabar com uma série de arfadas longas para recuperar o ar. Quando ele terminou, todos ficaram sentados por um tempo antes de decidir que era hora de aplaudir.

— Uau — eu disse a Heather. — Surpreendente.

— Você não viu nada — ela disse. — Semana passada ele falou sobre castração por dez minutos.

— Foi nojento — Jane completou. — Interessante, mas nojento.

— Agora — Esther disse —, temos uma estreante. Por favor, aplausos para Whitney.

Jane e Heather começaram a aplaudir imediatamente, e Kirsten e eu logo as acompanhamos. Enquanto Whitney andava até o microfone, fiquei assistindo à reação da plateia ao vê-la: todos viravam a cabeça e olhavam de novo, surpresos com sua beleza.

— Vou ler um texto curto — ela disse, um pouco baixo. — Um texto curto — repetiu — sobre minhas irmãs.

Fiquei surpresa e olhei para Kirsten. Eu queria dizer alguma coisa, mas não disse, porque não queria que me mandasse ficar quieta de novo.

Whitney respirou fundo e olhou para os papéis, cujas bordas tremiam levemente. Ela parecia assustada e, de repente, tudo ficou silencioso demais. Mas então começou.

— *Sou a irmã do meio* — leu. — *A que fica no meio do caminho. Não a mais velha nem a mais nova; não a mais ousada nem a mais gentil. Sou a área cinzenta, o copo meio cheio ou vazio, dependendo do ponto de vista. Na minha vida, houve muito pouco que eu fiz primeiro ou melhor do que elas que vieram antes ou depois de mim. De nós três, no entanto, só eu me parti ao meio.*

Ouvi a porta se abrir, virei e vi uma mulher mais velha de cabelo cacheado entrar e sentar no fundo. Quando viu Whitney ao microfone, ela sorriu e começou a tirar o lenço que estava enrolado em seu pescoço.

— *Aconteceu no dia da festa de nove anos da minha irmã mais nova* — Whitney continuou. — *Andei emburrada pela casa o dia todo, alternando entre me sentir ignorada e incomodada, que aos onze anos já costumava ser minha configuração-padrão.*

Kirsten arregalou os olhos. Um homem riu alto na mesa ao lado; outras risadas seguiram. Whitney ficou vermelha e sorriu.

— *Minha irmã mais velha, a sociável, ia de bicicleta até a piscina do clube do bairro para encontrar alguns amigos e me convidou para ir junto. Eu não queria. Não queria encontrar ninguém. Minha irmã mais velha era amigável, a mais nova era a doce, e eu era a escuridão. Ninguém entendia minha dor. Nem eu mesma.*

Ouvi mais uma risada, daquela vez do outro lado do café. Whitney sorriu. Então ela era engraçada. Quem diria?

— *Minha irmã mais velha subiu na bicicleta e saiu em direção à piscina. Fui atrás. Eu sempre ia. No meio do caminho, comecei a ficar com raiva. Estava cansada de ser a segunda.*

Olhei para Kirsten mais uma vez; ela observava Whitney muito concentrada, como se não houvesse mais ninguém ali.

— *Então, mudei a direção. De repente, a rua estava completamente vazia à minha frente. Era uma visão completamente nova, só minha. Comecei a pedalar o mais rápido que conseguia.*

Ouvi a colher da Heather tilintar quando ela colocou mais um saquinho de açúcar no café. Permaneci em silêncio, imóvel.

— *Foi incrível. A liberdade, ainda que imaginada, sempre é. Mas, quando me afastei e deixei de reconhecer o cenário à minha frente, comecei a perceber a distância que estava percorrendo. Eu continuava em alta velocidade, me afastando de casa, quando a roda da frente afundou de repente e eu saí voando.*

Ao meu lado, Kirsten se mexeu na cadeira e eu aproximei a minha.

— *É uma sensação engraçada, ser lançada no ar de repente. Quando a gente percebe, acaba, e começamos a cair. Atingi o asfalto e ouvi o osso do meu braço se quebrar. A roda da bicicleta ainda girava. Eu só conseguia pensar o que sempre pensava, já naquela idade: que não era justo. Sentir o gostinho da liberdade só para ser punida no instante seguinte.*

Lancei um olhar para a mulher sentada perto da porta. Ela estava assistindo a Whitney com concentração total.

— *Tudo doía. Fechei os olhos, encostei o rosto no asfalto e esperei. Pelo que, não sei dizer. Ser resgatada. Ou encontrada. Mas ninguém veio. Tudo o que eu sempre quisera era ficar sozinha. Até realmente ficar.*

Engoli em seco ao ouvir aquilo, então olhei para minha caneca enquanto deslizava os dedos na porcelana.

— *Não sei quanto tempo fiquei ali antes que minha irmã viesse atrás de mim. Me lembro de olhar para o céu, com as nuvens passando, e então ouvi-la chamando meu nome. Quando derrapou até parar ao meu lado, era a última pessoa que eu queria ver. E, ainda assim, como tantas outras vezes antes e, desde então, a única que apareceu.*

Whitney parou, respirando fundo.

— *Ela me levantou e me colocou no guidão da sua bicicleta. Eu sabia que devia ficar agradecida. Mas, enquanto voltávamos para casa, tive raiva. De mim mesma, por ter caído, e dela, por estar lá para ver. Quando chegamos, minha irmã mais nova, a aniversariante, saiu correndo de casa. Ao me* ver com o braço pendurado, inútil, correu para dentro chamando minha mãe. Aquele era seu papel, como a mais nova. A que contava tudo.

Eu me lembrei daquilo. A primeira coisa que tinha pensado era que alguma coisa devia estar muito errada, porque elas estavam juntas, muito perto uma da outra. O que nunca acontecia.

— *Meu pai me levou para o hospital, onde o osso foi colocado de volta no lugar. Quando chegamos em casa, a festa estava quase acabando, os presentes tinham sido abertos, o bolo estava sendo servido. Nas fotos daquele dia, apareço segurando o braço, como se não confiasse que o gesso fosse mantê-lo no lugar. Com minha irmã mais velha, a heroína, de um lado; a mais nova, a aniversariante, do outro.*

Sabia de que foto ela estava falando. Eu estou de maiô, segurando um pedaço de bolo; Kirsten está sorrindo, com uma mão no quadril, projetado para o lado.

— *Durante anos, quando olhava aquela foto, só consegui ver meu braço quebrado. Só mais tarde comecei a ver outras coisas. Como o fato de minhas irmãs estarem sorrindo e inclinadas na minha direção; eu, como sempre, entre elas.*

Ela respirou fundo, olhando para o papel.

— *Aquela não foi a última vez que fugi das duas. Não foi a última vez que pensei que seria melhor ficar sozinha. Ainda sou a irmã do meio. Mas hoje vejo isso de outra forma. Um meio é necessário. Sem ele, nada está realmente completo. Ele não é só o espaço entre as coisas, mas também é o que as mantém unidas.*

Whitney encerrou a leitura e agradeceu.

Fiquei sentada ali, sentindo um nó subir pela garganta, enquanto os aplausos se espalhavam ao meu redor, aqui, ali, e de repente por toda parte, preenchendo o lugar. Whitney corou, levou a mão ao peito e então sorriu, saindo de trás do microfone. Ao meu lado, Kirsten estava com os olhos cheios de lágrimas.

Enquanto Whitney voltava até nossa mesa e as pessoas acenavam quando ela passava, senti muito orgulho dela, porque só podia imaginar o quanto devia ter sido difícil ler aquele texto em voz alta. Não só para estranhos, mas também para nós. Mas Whitney tinha conseguido. Sentada ali, olhando para a minha irmã, me perguntei o que era mais difícil. O ato de contar ou para quem se conta. Ou se, depois que finalmente conseguimos falar, a história é mesmo o mais importante.

17

O relógio ao lado da minha cama dizia que era meia-noite e quinze. O que significava que eu estava tentando dormir havia três horas e oito minutos.

Desde a leitura de Whitney, tudo o que eu vinha tentando afastar — o desentendimento com Owen, o cartão que Emily me dera, a conversa com Clarke — de repente voltara para me assombrar. A casa parecia cheia e ativa, meus pais estavam relaxados como não ficavam havia meses, minhas irmãs não só estavam se falando, como se entendendo. Aquela harmonia repentina era tão inesperada que fez com que eu me sentisse ainda mais deslocada.

Na volta para casa, Kirsten contara sobre o curta para Whitney, comentando como era parecido com o texto que tinha lido. Como Whitney quis assistir, na noite seguinte, antes do jantar, Kirsten colocou o notebook na mesinha de centro e todos nos reunimos em volta dele.

Meus pais sentaram no sofá, com Whitney empoleirada no braço ao lado deles. Kirsten sentou em um canto e gesticulou para que eu sentasse mais perto, mas balancei a cabeça e fiquei para trás.

— Eu já vi — disse. — Senta você ali.

— Eu vi um milhão de vezes — ela respondeu, mas ficou ali mesmo assim.

— Isso é tão empolgante! — minha mãe disse, observando todos nós ao redor, e não ficou claro se estava se referindo ao fato de estarmos todos juntos ou ao filme em si.

Kirsten respirou fundo, então estendeu a mão para apertar o PLAY.

— Muito bem — disse. —Vamos lá.

Quando a primeira imagem daquela grama verdinha apareceu, tentei manter os olhos na tela. Mas, aos poucos, me peguei observando minha família. O rosto do meu pai estava sério, estudando o filme; minha mãe, ao lado dele, estava com as mãos cruzadas no colo. Whitney, do outro lado, tinha puxado uma perna para perto do peito; fiquei observando a luz iluminar seu rosto.

— Nossa, Whitney — minha mãe disse enquanto as garotinhas pedalavam pela rua —, parece aquele texto que você mostrou há um tempo, não parece?

— Parece — Kirsten respondeu com a voz suave. — Estranho, né? Descobrimos isso ontem à noite.

Whitney não disse nada, apenas manteve os olhos na tela enquanto, à distância, a câmera mostrava a garota mais nova no chão, com a roda da bicicleta ainda girando. Então surgiram as imagens mais assustadoras da vizinhança: o cachorro avançando, o velho pegando o jornal. Quando finalmente veio a última imagem da grama verde, todos ficamos em silêncio por um instante.

— Meu Deus, Kirsten — minha mãe disse. — É incrível.

— Está longe disso — ela respondeu, ajeitando uma mecha de cabelo atrás da orelha. Mas parecia satisfeita. — É só um começo.

— Quem diria que você tinha tanto talento para a coisa — meu pai disse, dando um tapinha na perna dela. — Todas aquelas horas de TV valeram a pena.

Kirsten sorriu para ele, mas estava mais interessada em Whitney, que ainda não tinha dito nada.

— Então, o que você achou? — ela perguntou.

— Gostei — Whitney respondeu. — Mas nunca pensei que você tinha me deixado para trás.

— E eu jamais adivinharia que você tinha voltado — Kirsten respondeu. — Isso é tão engraçado.

Whitney assentiu, sem dizer nada. Então minha mãe suspirou e disse:

— Bom, nunca percebi que aquele dia tinha sido tão importante para nenhuma de vocês duas!

— O quê? Você não lembra que Whitney quebrou o braço? — Kirsten perguntou.

— Sua mãe tem uma memória seletiva — meu pai respondeu. — Eu, por outro lado, me lembro bem do trauma coletivo.

— É claro que eu *lembro* do dia — minha mãe disse. — Eu só... não imaginava que tinha marcado tanto vocês. — Ela virou para mim. — E você, Annabel? Qual é sua maior recordação daquele dia?

— Seu aniversário — meu pai respondeu. — Certo?

Fiz que sim, porque todos estavam me encarando. Mas, na verdade, não tinha certeza de qual era minha maior recordação agora que tantas coisas haviam sido recontadas por outros olhos. Era meu aniversário, tinha bolo, eu havia corrido para contar à minha mãe que Whitney estava machucada... Mas não tinha certeza do resto.

Durante todo o jantar, fiquei prestando atenção em minha família: em Kirsten contando histórias sobre os alunos intensos do curso de cinema, em Whitney explicando os detalhes dos sushis que tinha passado a tarde toda preparando, nas bochechas rosadas da minha mãe, enquanto ria. Até meu pai estava relaxado, obviamente feliz por todos estarmos juntos em circunstâncias melhores. Era bom, mas ainda assim eu me sentia estranhamente deslocada. Como se eu fosse um carro passando na rua lá fora, diminuindo a velocidade para observar, sem nada em comum a não ser pela proximidade, ou nem isso.

Empurrei as cobertas, levantei e fui até a porta, abrindo-a devagar. O corredor estava silencioso e escuro, mas, como suspeitei, uma luz vinha do andar de baixo. Meu pai ainda estava acordado.

Assim que me viu atravessando a sala, abaixou o volume da tv.

— Oi — ele disse. — Não consegue dormir?

Balancei a cabeça. Na tela, vi imagens granuladas em preto e branco de um noticiário antigo, com dois homens se cumprimentando por cima de uma mesa. Atrás deles, uma multidão aplaudia.

— Bom — meu pai disse —, você chegou bem na hora de me ajudar a escolher. Temos um programa fascinante sobre o início da Primeira Guerra Mundial e outro sobre as tempestades de areia dos anos 30. Qual prefere?

Ele tinha mudado de canal. Um carro percorria devagar uma paisagem sombria.

— Não sei — respondi. — Parecem igualmente desinteressantes.

— Ei — ele disse. — Não desdenhe da história. São ambos importantes.

Sorri, fui até o sofá e sentei.

— Eu sei — respondi. — Mas achar empolgante… É outra coisa.

— Como você pode não se animar com isso? — ele perguntou.

— É real. Não é uma história boba que alguém inventou. As duas coisas aconteceram de verdade.

— Faz muito tempo — completei.

— Exatamente! — ele disse, enfatizando com a cabeça. — Esse é o ponto. É por isso que não podemos esquecer. Não importa quanto tempo passou, essas coisas ainda afetam o mundo em que vivemos. Se não prestarmos atenção no passado, nunca entenderemos o futuro. Tudo está conectado. Entende o que quero dizer?

No início, não entendi. Mas então olhei para a tela de novo e percebi que ele tinha razão. O passado afetava o presente e o futuro, de maneiras que conseguimos ver e de milhões de outras que não conseguimos. O tempo não é uma coisa que podemos dividir facilmente; não há meio, início ou fim. Eu podia fingir que tinha deixado o passado para trás, mas o passado não tinha me deixado.

Sentada ali, comecei a ficar cada vez mais ansiosa, mesmo tentando me concentrar na tela. Minha cabeça estava à toda, girando tão rápido que não conseguia nem pensar. Depois de alguns minutos, voltei para a cama.

Isso é loucura, pensei quando estava novamente encarando o teto, com minhas irmãs cada uma em seu quarto, em silêncio. Fechei os olhos e os acontecimentos dos últimos dias passaram na minha mente como um borrão de fragmentos. Meu coração estava disparado. Alguma coisa que eu não conseguia entender estava acontecendo. Sentei e chutei as cobertas. Precisava de alguma coisa para me acalmar, ou apenas afastar os pensamentos por um tempo. Abri a gaveta da mesinha de cabeceira, peguei os fones e conectei no som, então fui até a escrivaninha. Na última gaveta, depois de remexer todos os CDs que Owen tinha gravado para mim, finalmente encontrei o amarelo intitulado só ESCUTE.

"Talvez você odeie", ele disse. "Ou não. Pode ser a resposta para todas as suas perguntas. Essa é a beleza da coisa. Entende?"

Quando apertei o PLAY, só ouvi estática. Deitei na cama, fechei os olhos e esperei que a primeira música começasse. Não começou. Não nos minutos seguintes nem em nenhum momento. Então percebi: o CD estava em branco.

Talvez fosse uma piada. Ou algo profundo. Mas, deitada ali, o silêncio pareceu preencher meus ouvidos. E o impressionante era que parecia muito alto.

Era tão estranho, tão diferente da música. O som era nada, vazio, mas, ao mesmo tempo, afastou todas as outras coisas, me acalmando o suficiente para que eu começasse a conseguir perceber algo à distância, algo difícil de ouvir. Mas *estava* ali, mesmo suave, vindo na minha direção, de algum lugar escuro que eu nunca tinha visto, mas conhecia muito bem.

Shhh, Annabel. Sou só eu.

Aquelas palavras eram só o meio da história. Havia um começo também. E de repente soube que, se ficasse onde estava, em todo aquele silêncio, se não fugisse, eu ouviria. Teria que voltar até a noite da festa, quando tinha ouvido Emily chamar Sophie. Era o único jeito de, finalmente, chegar ao fim.

Tudo o que eu queria era esquecer. Mas, mesmo quando achava que tinha conseguido, lembranças continuavam surgindo, como pedaços de madeira emergindo, insinuando um naufrágio. Uma blusa rosa, uma frase com meu nome, mãos no meu pescoço. Porque era o que acontecia quando se tentava fugir do passado. Ele não só alcançava você, mas te ultrapassava, apagando o futuro, a paisagem, o próprio céu, até que não existisse mais nenhum caminho a não ser o que nos obrigava a atravessá-lo, o único que poderia nos levar para casa.

Eu entendia agora. Aquela voz que estava tentando chamar minha atenção havia tanto tempo, que chamava meu nome implorando que eu ouvisse, não era de Will. Era minha.

18

—Você está ouvindo a WRUS, sua rádio comunitária. São sete e cinquenta e oito e esta é a última música do Gerenciamento de Raiva.

Houve um som metálico, seguido por microfonia. Algo experimental, diferente e quase incompreensível. Apenas mais um domingo no programa de Owen.

Não era, no entanto, apenas mais um domingo para mim. Em algum momento depois de ter colocado os fones na noite anterior, alguma coisa mudara. Fiquei deitada muito tempo, me permitindo repetir os passos daquela noite na festa. Me entreguei ao silêncio, com a voz na minha cabeça finalmente esgotada. Quando acordei, às sete, ainda estava com os fones e meu coração ressoava em meus ouvidos. Sentei, tirei os fones e o silêncio à minha volta não pareceu vazio e vasto, o que foi uma surpresa. Pela primeira vez, pareceu já estar completo.

Liguei o rádio e o programa tinha acabado de começar com alguém gritando ao som de guitarras pesadas, em uma explosão de metal clássico. Depois do que pareceu pop russo, Owen finalmente falou.

— Este é o Gerenciamento de Raiva e você acabou de ouvir Leningrad. Meu nome é Owen, são sete e seis, e obrigado por estar com a gente. Tem um pedido? Uma sugestão? Críticas? Ligue para 555-WRUS. Agora, vamos de Dominic Waverly.

Era uma música eletrônica que começava com várias batidas parecendo fora de sincronia que depois de um tempo se misturavam. Todos os outros domingos eu tinha escutado o programa com bastante atenção, querendo gostar do que estava ouvindo ou pelo menos entender. Eu nunca hesitava em contar a Owen quando não gostava. Se simplesmente conseguisse contar todo o resto... Mas nem sempre se consegue o momento perfeito. Às vezes, é preciso fazer o melhor possível considerando as circunstâncias.

Por isso fui para o carro e dirigi em direção à WRUS. Eram oito e dois quando cheguei ao estacionamento da rádio. Prescrição Herbácea, o programa que ia ao ar em seguida, estava começando. Estacionei entre os carros de Owen e Rolly, peguei o CD que estava no banco do passageiro e entrei.

A rádio estava silenciosa. Uma voz murmurava sobre *Ginkgo biloba* quando atravessei o saguão. À minha direita, no fim do corredor, vi a cabine. Quando me aproximei, primeiro vi Rolly na mesa de som em uma salinha ao lado da cabine; ele estava com uma camiseta verde-clara e um boné de beisebol virado para trás, com os fones por cima. Clarke estava ao lado dele, bebendo café em um copo para viagem, com as palavras cruzadas de domingo à sua frente. Eles conversavam, e nenhum dos dois percebeu minha chegada. Quando virei para a cabine principal, Owen estava olhando diretamente para mim.

Ele estava sentado ao microfone, com vários CDs espalhados à sua frente. Pela cara que fez, não estava feliz em me ver. Foi pior do que aquele dia no estacionamento. O que tornava ainda mais crucial que eu abrisse a porta e entrasse. Então fiz aquilo.

— Oi — cumprimentei.

Ele me encarou por um instante.

— Oi — finalmente respondeu, com a voz murcha.

Ouvi um zumbido, então a voz de Rolly soou.

— Annabel! — ele disse, o tom animado em contraste com a mera tolerância de Owen. — E aí? Como vão as coisas?

Olhei para ele, levantando a mão e acenando. Rolly acenou de volta, assim como Clarke. Ele estava se aproximando do microfone para dizer mais alguma coisa quando olhou para Owen, que o encarava, e se afastou devagar, decidindo não fazê-lo. Ouvi um clique e o microfone desligou.

— O que você está fazendo aqui? — Owen perguntou.

Claro que ele ia perguntar.

— Preciso conversar com você — respondi.

De canto de olho, percebi uma movimentação repentina na salinha ao lado. Olhei e vi a Clarke guardando o jornal na mochila com pressa, enquanto Rolly tirava os fones e levantava. *Quem evita conflitos agora?*, pensei enquanto eles saíam quase correndo e Rolly batia no interruptor para apagar a luz.

— Nós... é... já vamos pro café — ele disse a Owen quando passou atrás de mim. — Nos vemos lá?

Owen assentiu, e Rolly sorriu para mim antes de virar e sair. Clarke ficou um instante com a mão na porta aberta.

—Tudo bem com você? — ela perguntou.

—Tudo bem — respondi.

Ela jogou a mochila sobre ombro e olhou para Owen de um jeito que eu não entendi. Então saiu correndo para alcançar Rolly, segurou sua mão e eles desapareceram no saguão.

Quando olhei de volta para Owen, ele já estava enrolando o fio dos fones e guardando as coisas.

— Estou de saída — Owen disse sem olhar para mim. — Se tem alguma coisa a dizer, é melhor dizer logo.

—Tudo bem — respondi. — É... — Meu coração batia rápido

e eu me sentia enjoada. Normalmente, pararia por ali, com medo, e iria embora. — É sobre isso — eu disse, segurando o CD. Minha voz saiu vacilante, então limpei a garganta. — Deveria mudar minha vida. Lembra?

Ele olhou para o CD, parecendo desconfiado.

—Vagamente — Owen respondeu.

— Ouvi ontem à noite — eu disse. — Mas queria ter... certeza de que entendi. Qual era sua intenção, digo.

— Minha intenção? — ele repetiu.

— Bom, você sabe — continuei. — Fica aberto a interpretação. — Minha voz finalmente pareceu mais sólida. A música tinha mesmo poder. — Eu só queria ter certeza de que entendi de verdade, sabe?

Ficamos nos encarando, e eu mal conseguia sustentar o olhar. Mas dei um jeito. Então, depois de um tempo, Owen estendeu a mão para pegar o CD.

Ele virou a caixinha para olhar atrás.

— Não diz quais são as músicas — ele disse.

—Você não lembra o que gravou no CD?

— Já faz muito tempo. — Owen me encarou irritado. — E gravei vários CDs para você.

— Dez — eu disse. — Escutei todos.

— É mesmo?

Assenti.

— Sim. Você disse que queria que eu ouvisse todos os outros antes deste.

— Ah — ele disse. — Então agora você se importa com o que eu quero.

Do lado de fora, vi Rolly e Clarke no carro, saindo. Ele dizia alguma coisa e ela ria, balançando a cabeça.

— Eu sempre me importei — disse a Owen.

— É mesmo? Não deu para perceber, com você me evitando nos últimos dois meses.

Ele estendeu a mão e apertou um botão no aparelho à sua frente. A gavetinha abriu e ele colocou o CD.

— Eu achei que era o que você queria — respondi.

— Por quê? — Owen perguntou, então se abaixou, girando um botão embaixo do aparelho.

Engoli em seco.

— Foi você quem saiu do carro aquele dia no estacionamento e foi embora — respondi. — De saco cheio de mim.

—Você me largou na Bendo e não queria me dizer por quê — ele retrucou, aumentando o tom de voz. Owen girou o botão um pouco mais. — Eu estava irritado.

— Exatamente — eu disse, e a estática começou a soar sobre nossas cabeças. —Você estava irritado. Eu te decepcionei. Não sou o que você queria que eu fosse...

— ... então você simplesmente desistiu — ele completou, girando o botão de novo. A estática ficou mais alta. — Desapareceu. Uma briga e você sumiu.

— O que você queria que eu fizesse? — perguntei.

— Me contasse o que estava acontecendo, para começar — Owen respondeu. — Meu Deus, me conte *alguma coisa*. Eu já disse que aguento.

— Como estava aguentando o fato de eu não falar nada? Você ficou furioso comigo.

— E daí? Era meu direito — ele disse. Owen olhou para o aparelho mais uma vez. — As pessoas ficam irritadas, Annabel. Não é o fim do mundo.

— Então eu devia simplesmente ter explicado e deixado você irritado comigo, daí talvez você superasse tudo...

— Eu teria superado tudo.

— ... ou não — concluí, olhando para ele. — Talvez tudo mudasse.

— Isso aconteceu de qualquer maneira! — ele disse. — Quer dizer, olha só pra gente. Pelo menos se tivesse me contado o que estava acontecendo eu poderia ter lidado com a coisa. Do jeito que aconteceu, ficou tudo no ar, sem solução, sem nada. Era o que você queria? Que eu fosse embora para sempre, em vez de só ficar irritado por um tempo?

Fiquei ali parada enquanto ele dizia aquilo, absorvendo as palavras.

— Eu não... — comecei. — Não sabia que tinha essa opção.

— É claro que tinha — ele disse, olhando para a caixa no teto; a estática estava ainda mais alta agora. — O que quer que fosse, não devia ser tão ruim assim. Você só precisava ser sincera. Me contar o que estava acontecendo.

— Não é tão fácil.

— E isto aqui é? A gente se ignorando e se evitando, agindo como se nem se conhecesse? Talvez para você. Para mim foi uma droga. Não gosto de joguinhos.

Quando ele disse aquilo, senti alguma coisa no estômago. Não era o enjoo repentino a que estava acostumada. Era mais uma fervura lenta.

— Nem eu, mas...

— Se é tão importante que faz tudo isso valer a pena — ele disse, fazendo um gesto que englobava o estúdio, a estática e nós dois —, toda essa merda, tudo o que aconteceu desde aquele dia, então é importante demais para guardar. Você sabe disso.

— Não — eu disse. — *Você* sabe disso, Owen. Porque não tem problema com a raiva... nem com a sua nem com a dos outros. Pode usar suas frases e tudo o que aprendeu, é sempre sincero, nunca se arrepende de nada do que diz ou de como age...

— Me arrependo, sim.

— ... mas eu não sou assim — terminei. — Não sou.

— *Como* você é, Annabel? — ele retrucou. — Uma mentirosa, como me disse no primeiro dia? Por favor, essa é a maior mentira de todas.

Fiquei encarando Owen. Minhas mãos tremiam.

— Se você fosse assim, teria simplesmente mentido para mim — ele disse, olhando para o monitor mais uma vez quando a estática ficou ainda mais alta. — Teria agido como se estivesse tudo bem. Mas não fez isso.

— Não — eu disse, balançando a cabeça.

— E não me diga que é fácil para mim, porque não é. Os últimos dois meses, sem saber o que estava acontecendo com você, foram uma droga. Qual o problema, Annabel? O que é tão ruim que não pode nem me contar?

Senti meu coração batendo, o sangue pulsando. Owen virou para os controles, aumentando ainda mais o volume. Quando o som encheu meus ouvidos, percebi, de repente, o que eu estava sentindo. Era raiva.

Muita raiva. Dele, por me atacar. De mim, por esperar até aquela hora para reagir. De todas as outras chances que eu não tinha aproveitado. Todos aqueles meses, tivera a mesma reação e culpara a ansiedade ou o medo. Estava errada.

— Você não entende — eu disse.

— Então me conte e talvez eu entenda — ele retrucou, empurrando a cadeira vazia que estava à sua frente na minha direção. — E o que está acontecendo com esse CD? — ele perguntou, alto. — Cadê a música? Por que não estamos ouvindo nada?

— O quê? — perguntei.

Ele apertou alguns botões, xingando baixo.

— Não tem nada gravado aqui — ele disse. — Está vazio.

— Não é esse o objetivo?

— O quê? — ele perguntou. — Que objetivo?

Meu Deus, pensei. Fui até a cadeira que ele tinha empurrado na minha direção e sentei devagar. Eu estava pensando que era um gesto tão profundo e era só... um erro. Um mau funcionamento. Eu estava errada, completamente errada.

Ou não.

De repente, tudo ficou muito alto. A voz dele, meu coração, a estática preenchendo a cabine. Fechei os olhos, querendo voltar para a noite anterior, quando tinha conseguido ouvir as coisas que mantivera em silêncio durante tanto tempo.

Shhh, Annabel, ouvi uma voz dizer. Mas parecia diferente daquela vez. Familiar. *Sou só eu.*

Owen começou a abaixar o volume, e a estática diminuiu pouco a pouco. Todo mundo tem um momento na vida em que o mundo fica em silêncio e a única coisa que fala é nosso próprio coração. É preciso ouvir esse som. Do contrário, nunca vai ser possível entender o que ele está dizendo.

— Annabel? — Owen chamou. Sua voz estava mais baixa agora. Mais próxima. Ele parecia preocupado. — O que foi?

Ele já tinha me dado tanto, mas agora me aproximei, pedindo uma última coisa. Uma coisa que eu sabia que ele fazia melhor do que ninguém.

— Não pense nem julgue — eu disse. — Só escute.

—Annabel?Vamos começar o filme... — Minha mãe disse com a voz suave, porque achava que eu estava dormindo. — Está pronta?

— Quase — respondi.

—Tudo bem — ela disse. — Estamos lá embaixo.

No dia anterior, eu não tinha só contado a Owen o que acontecera comigo na festa. Tinha contado tudo. O que se passara com Sophie na escola, a recuperação de Whitney, o filme de Kirsten. O fato de que tinha concordado com mais um comercial, a conversa com meu pai sobre história e o CD em branco que ouvira na noite anterior. Ele ficou sentado ali, absorvendo cada palavra. Quando finalmente terminei, Owen disse duas palavras que em geral não significam nada, mas, naquele momento, significavam tudo.

— Sinto muito, Annabel — ele disse. — Sinto muito que tudo isso tenha acontecido com você.

Talvez fosse o que eu estivesse esperando todo aquele tempo. Não um pedido de desculpas — e certamente não de Owen —, mas um reconhecimento. O mais importante, no entanto, era que eu finalmente tinha passado por tudo — início, meio e fim. O que não queria dizer, claro, que tinha acabado.

— O que você vai fazer? — ele me perguntou mais tarde, quando estávamos ao lado da Land Cruiser, pois tivemos que liberar a cabine para o próximo programa ao vivo, apresentado por dois corretores de imóveis locais. — Vai ligar para a promotora?

— Não sei — respondi.

Eu sabia que, em quaisquer outras circunstâncias, ele estaria me dizendo exatamente o que achava da situação, mas daquela vez Owen se conteve. Por um minuto, mais ou menos.

— É o seguinte — ele disse —, não temos muitas oportunidades na vida de realmente fazer a diferença. Esta é uma delas.

— É fácil para você dizer isso. Sempre faz a coisa certa.

— Não, não faço — ele respondeu, balançando a cabeça. — Só faço o melhor que posso...

— ...considerando as circunstâncias — terminei por ele. — Eu sei. Mas estou com medo. Não sei se consigo.

— É claro que consegue — ele disse.

— Como pode ter tanta certeza?

— Porque você acabou de fazer isso — ele respondeu. —Vir até aqui e me contar, isso é muita coisa. A maioria das pessoas não conseguiria. Mas você conseguiu.

— Eu precisava fazer isso — disse. — Queria explicar.

— E pode fazer de novo — ele respondeu. — Ligue para aquela mulher e conte o que me contou.

Passei a mão no cabelo.

— Não é só isso — eu disse. — E se ela quiser que eu vá depor ou sei lá? Teria que contar aos meus pais… Não sei se minha mãe aguentaria.

— Aguentaria, sim.

—Você nem a conhece — eu disse.

— Não faz diferença — ele respondeu. — Olha só, isso é importante. Você sabe. Então faça o que tem que fazer e veja o que acontece. Sua mãe pode surpreender você.

Senti um nó na garganta. Eu queria acreditar que aquilo era verdade, e talvez fosse mesmo.

Owen apoiou a mochila no chão e se agachou ao meu lado, procurando alguma coisa. Lembrei daquele dia atrás da escola, quando ele fizera a mesma coisa, e de não ter ideia do que ia tirar dali, do que Owen Armstrong teria para me oferecer.

— Aqui — ele disse, me oferecendo uma foto. — Para inspirar você.

Era a foto que ele tinha tirado de mim na noite do ensaio de Mallory. Eu estava em pé na entrada do camarim, sem maquiagem, com o rosto relaxado e o brilho amarelado da luz atrás de mim. "Viu?", ele me dissera naquele dia. "*Essa* é você." Quando olhei para a foto, pareceu uma prova de que eu não era a garota da parede de Mallory, do comercial da Kopf ou mesmo daquela festa. De que alguma coisa em mim tinha mudado naquele outono, por causa do Owen, mesmo que só eu conseguisse enxergar aquilo agora.

— Mallory me disse para dar pra você, mas...

— Mas?

— Eu não dei — ele completou.

Eu sabia que talvez não devesse perguntar, mas mesmo assim perguntei:

— Por que não?

— Porque gostei — ele disse, dando de ombros. — Queria ficar com ela.

Eu estava segurando aquela foto quando finalmente tive coragem de ligar para Andrea Thomlinson, a mulher do cartão que Emily me dera. Deixei uma mensagem, e ela retornou a ligação em dez minutos. Emily estava certa: ela era muito legal. Conversamos por quarenta e cinco minutos. Quando perguntou se eu poderia ir ao tribunal no dia seguinte, caso precisassem de mim, mesmo que eu soubesse exatamente o que aquilo significava, concordei. Assim que desligamos, liguei para Owen.

— Que bom — ele disse quando contei o que tinha feito. Sua voz soou calorosa e satisfeita. Pressionei o aparelho contra a orelha, deixando a voz encher meu ouvido. — Você fez a coisa certa.

— É. Eu sei — respondi. — Mas agora tenho que levantar na frente das pessoas...

—Você consegue — ele disse. Quando suspirei, incerta, ele continuou: —Você consegue. Olha, se estiver nervosa...

— Se?

— ... posso ir com você. Se quiser.

—Você faria isso? — perguntei.

— Claro — ele respondeu. Simples assim, sem hesitar. — Só me diga a hora e o lugar.

Combinamos de nos encontrar na fonte em frente ao tribunal, um pouco antes das nove. Eu sabia que não estaria sozinha mesmo sem ele. Mas era bom ter opções.

★

Olhei uma última vez para a foto, então a guardei na gaveta da mesinha de cabeceira.

A caminho da sala, onde minha família estava reunida, parei para observar a foto que ficava na entrada de casa. Como sempre, meus olhos se concentraram primeiro no meu rosto, depois no das minhas irmãs, por último, no da minha mãe, que parecia tão pequena entre nós. Mas agora eu a via de um jeito diferente.

Quando aquela foto tinha sido tirada, estávamos reunidas em volta dela, protegendo-a. Mas foi só um dia, uma foto. Desde então, organizamos e reorganizamos tudo muitas vezes. Nos reunimos em volta de Whitney, mesmo quando não queria; Kirsten e eu nos aproximamos quando ela nos afastou. Ainda estávamos em transformação, como ficara claro naquela noite na mesa de jantar, quando minha mãe e minhas irmãs se aproximaram. Naquele momento, eu tinha certeza de que estava de fora, mas, na verdade, sempre estive ao alcance do braço delas. Só precisava pedir para ser trazida de volta também, envolvida e imersa, protegida por elas.

Andei até a sala, onde minha família estava reunida em volta da TV. Ninguém me viu no início. Fiquei ali um instante, observando eles todos juntos. Finalmente, minha mãe virou para trás e eu respirei fundo, sabendo que, independente do que visse em seu rosto, ia conseguir. Tinha que conseguir.

—Annabel — ela chamou. Então sorriu, antes de ir para o lado para abrir lugar para mim. —Venha aqui.

Por um instante, hesitei, mas então olhei para a Whitney. Ela estava me encarando com a expressão séria. Pensei naquela noite, um ano antes, quando abri a porta e apertei o interruptor, expondo-a à luz. O que aconteceu com minha irmã me assustou demais, mas ela sobreviveu. Então mantive os olhos em Whitney enquanto atravessava o espaço entre nós e sentava no sofá.

Minha mãe sorriu para mim mais uma vez, então senti uma onda de tristeza e medo me atingir e soube o que estava prestes a fazer. "Está pronta?", ela me perguntara, e naquela hora eu não estava. Talvez eu nunca estivesse. Mas agora não tinha mais como evitar. Enquanto me preparava para contar minha história mais uma vez, fiz o que Owen tinha feito por mim tantas vezes: estendi a mão para minha mãe e para minha família. E, daquela vez, os levei comigo.

19

Quando cheguei ao tribunal, vi Will Cash de relance. A nuca aqui, o braço do terno ali, um perfil fugaz. No início, foi frustrante e me deixou ainda mais nervosa, mas conforme a hora em que eu seria chamada foi se aproximando, comecei a achar que era uma coisa boa. Peças e partes eram sempre mais fáceis de processar. A imagem toda, a história inteira, era outra coisa. Mas nunca se sabe. Às vezes as pessoas podem nos surpreender.

Contar à minha família tinha sido mais difícil do que contar ao Owen. Mas eu conseguira. Mesmo nas partes mais difíceis, quando ouvia minha mãe perder o ar, via os olhos do meu pai se contraindo, sentia Kirsten tremer ao meu lado, segui em frente. E, quando achava que ia fraquejar, focava em Whitney, que não recuou nem uma vez. Era a mais forte de nós, e mantive os olhos nela até o fim.

Mas minha mãe foi quem mais me surpreendeu. Ela não desmoronou ou fraquejou, embora eu soubesse que ouvir o que tinha acontecido comigo não podia ser fácil para ela. Enquanto Kirsten chorava e Whitney ajudava meu pai a encontrar o cartão de Andrea Thomlinson no meu quarto para que pudesse ligar para ela e saber mais detalhes, minha mãe sentou ao meu lado, pôs o braço em volta do meu ombro e ficou passando a mão na minha cabeça, de novo e de novo.

Naquela manhã, a caminho do tribunal, sentei no banco de trás entre minhas irmãs, olhando para meus pais. De vez em quando, o ombro da minha mãe se mexia, e eu sabia que ela estava estendendo a mão para acariciar a do meu pai, como ele tinha feito com ela outro dia, quando segredos começaram a ser revelados, pouco tempo antes.

Toda a minha vida eu tinha visto meus pais de uma única forma, como se eles só pudessem ser daquele jeito. Um fraco, o outro forte. Um assustado, o outro corajoso. Mas eu estava começando a entender que nada era absoluto, nem na vida nem nas pessoas. Como Owen dissera, era preciso viver um dia de cada vez, senão um momento de cada vez. Tudo o que podíamos fazer era pegar o maior peso que éramos capazes de carregar. E, se tivéssemos sorte, alguém estaria perto o suficiente para ajudar com o resto.

Quando chegamos ao tribunal, eram quase quinze para as nove. Examinei a multidão na praça da fonte procurando por Owen. Ele não estava lá. Não naquele momento, nem depois que minha mãe e eu encontramos Andrea Thomlinson em um escritório ali perto para repassar minha história mais uma vez. Nem mesmo quando o tribunal abriu e entramos, tomando nossos lugares atrás da Emily e da mãe dela. Continuei procurando por Owen, achando que ele chegaria no último minuto, bem na hora, o que não aconteceu. Não era do feitio dele, e fiquei preocupada.

Uma hora e meia depois, o promotor chamou meu nome. Levantei, passando pelas minhas irmãs até chegar ao fim do banco. Então saí sozinha para o corredor.

Quando avancei, finalmente tive uma visão clara de tudo — a multidão, o juiz, os promotores e advogados de defesa —, e procurei me concentrar no oficial de justiça, que estava esperando por mim lá na frente. Tomei meu lugar, sentindo o coração bater mais rápido quando respondi suas perguntas e o juiz virou e me cumprimentou. Só depois que o promotor levantou e veio na minha direção finalmente me permiti olhar para Will Cash.

Não foi o terno elegante que percebi primeiro. Nem o novo corte de cabelo, bem curto, fazendo com que parecesse um garotinho inocente, o que provavelmente era intencional. Dei pouca atenção à expressão dele — olhos estreitos, lábios franzidos. A única coisa que vi foi o roxo em volta de seu olho esquerdo e o vermelho na bochecha embaixo. Alguém tinha tentado cobrir com maquiagem, mas ainda estavam ali. Claro como o dia.

— Por favor, diga seu nome completo — o promotor pediu.

— Annabel Greene — eu disse, com a voz vacilante.

— Você conhece William Cash?

— Sim.

— Pode apontá-lo, por favor?

Depois de ter ficado em silêncio por tanto tempo, senti que tinha falado demais nas últimas vinte e quatro horas. Mas, com sorte, aquela seria a última vez por um bom tempo. Talvez por isso não tenha sido tão difícil me acalmar, respirar fundo e começar.

— Ali — eu disse, levantando o dedo e apontando para ele. — Ele está bem ali.

Quando finalmente acabou, atravessamos a escuridão do tribunal até chegar ao sol do meio-dia, tão claro que meus olhos demoraram um pouco para se ajustar. Então a primeira coisa que vi foi Owen.

Ele estava sentado na beirada da fonte, de jeans, camiseta branca e jaqueta azul por cima, com os fones pendurados no pescoço. Era hora do almoço, e a praça estava cheia de gente andando de um lado para o outro: executivos, alunos da universidade, um grupo de crianças andando em fila de mãos dadas. Quando me viu, Owen levantou.

— Acho que devemos ir comer alguma coisa — minha mãe disse, passando a mão em meu braço. — Está com fome, Annabel?

Lancei um olhar para Owen, que estava me observando com as mãos no bolso.

— Sim — respondi. — Só um segundo.

Quando comecei a descer as escadas, ouvi meu pai perguntar aonde eu estava indo e minha mãe responder que não fazia ideia. Eu tinha certeza de que todos estavam me observando, mas não olhei para trás ao atravessar a praça em direção a Owen, que estava com uma expressão muito estranha, que eu nunca vira antes. Ele parecia inquieto e claramente desconfortável.

— Oi — disse rápido, assim que me aproximei.

— Oi.

Owen respirou fundo, como quem vai falar alguma coisa, então parou, passando a mão no rosto.

— Olha só — ele finalmente disse —, eu sei que você está puta comigo.

O estranho era que eu não estava. Embora, no início, tivesse ficado surpresa, depois preocupada, por ele não ter aparecido, a experiência toda fora tão avassaladora — e catártica — que eu meio que esquecera daquilo quando começara a testemunhar. Abri a boca para dizer aquilo, mas ele já estava falando de novo.

— O fato é que eu devia estar lá. Não tenho desculpa. Não existe desculpa. — Owen olhou para o chão, esfregando o pé no asfalto. — Quer dizer, tenho um motivo. Mas não uma desculpa.

— Owen — eu disse. — Não tem...

— Aconteceu uma coisa. — Ele soltou um suspiro, balançando a cabeça, inquieto. Seu rosto corou. — Uma coisa idiota. Eu cometi um erro e...

Só então juntei as coisas. A ausência dele. A vergonha. O olho roxo de Will Cash. *Meu Deus*, pensei.

— Owen — eu disse, em voz baixa. — Não.

— Foi uma decisão equivocada — ele disse rápido. — E uma coisa da qual me arrependo.

— Uma *coisa* — repeti.

— Sim.

Um empresário falando alto sobre fusões no celular passou por nós.

— É uma muleta — eu disse.

Ele se encolheu de vergonha.

— Achei que você fosse dizer isso.

—Você *sabia* que eu ia dizer isso.

—Tudo bem, tudo bem. — Ele passou a mão no cabelo. — Eu estava tendo uma discussão séria com a minha mãe, da qual não consegui me livrar tão fácil.

— Uma discussão? Sobre o quê?

Mais uma vez, ele se encolheu. Aquilo estava matando Owen, mas não pude me conter. Depois de ter ficado do outro lado da verdade por tanto tempo, percebi que gostava de fazer perguntas.

— Bom — ele disse, então tossiu. — Basicamente, eu deveria estar em casa neste momento. E no futuro próximo, na verdade. Tive que negociar uma licença. Levou mais tempo do que eu esperava.

—Você está de castigo — eu disse, esclarecendo.

— Sim.

— Por quê?

Ele se encolheu, balançando a cabeça e virando para a fonte. Quem diria que a verdade poderia ser tão difícil para Owen Armstrong, o garoto mais sincero do mundo. Mas, se eu perguntasse, ele diria. Eu tinha certeza.

— Owen — eu disse, e ele se encolheu, deixando os ombros caírem —, o que você fez?

Owen ficou me encarando por um tempo. Então soltou um suspiro.

— Dei um soco na cara do Will Cash.

— No que você estava pensando?

— Bom, claramente, eu não estava pensando. — Seu rosto ficou ainda mais vermelho. — Não tinha a intenção de fazer isso.

—Você deu um soco nele sem querer?

— Não. — Ele olhou para mim. — Tudo bem, você realmente quer saber?

— Não estou perguntando?

— Olha — ele começou —, a verdade é que, depois que você foi embora ontem, eu fiquei muito irritado. Quer dizer, eu sou humano, não sou?

— Claro — concordei.

— Tudo o que eu queria era dar uma boa olhada no cara. Só isso. E eu sabia que aquela merda daquela banda da Perkins Day com quem ele toca às vezes tinha um show na Bendo, então achei que ele pudesse estar lá. E estava mesmo. O que, se você parar para pensar, é desprezível. Que tipo de pessoa vai para um bar ver uma banda de merda na noite anterior ao próprio julgamento? É...

— Owen — eu disse.

— Estou falando sério! Tem ideia de como eles são *péssimos*? Sério, mesmo para uma banda cover são patéticos. Quer dizer, se você vai admitir que não é capaz de escrever as próprias músicas, pelo menos tem que tocar bem as músicas dos outros...

Só olhei para ele.

— Certo — Owen disse, passando a mão pelo cabelo mais uma vez. — Então ele estava lá. Olhei bem pro cara e fim da história.

— Obviamente esse não é o fim da história — eu disse, severa.

Owen continuou, relutante.

— Assisti ao show. Que, como eu disse, foi uma merda. Saí para tomar um ar e ele estava lá fora fumando um cigarro. E começou a falar comigo. Como se a gente se conhecesse. Como se ele não fosse a escória do mundo, um babaca completo.

— Owen — eu disse com a voz suave.

— Senti que estava ficando cada vez mais puto. — Ele se encolheu. — Eu sabia que devia me acalmar, sair dali e tudo mais, mas não fiz isso. Ele terminou o cigarro, me deu um tapinha no ombro e virou para voltar lá para dentro. E eu só...

Dei um passo em direção a Owen.

— ... explodi — ele completou. — Perdi a cabeça.

— Tudo bem — eu disse.

— Na hora em que aconteceu eu já estava arrependido — ele disse. — Sabia que não valia a pena. Mas já tinha rolado. Estou bem puto comigo, se quer saber a verdade.

— Eu sei.

— Foi só um soco — ele resmungou, então completou rápido: — O que não quer dizer que tudo bem. E eu tive sorte que o segurança só mandou que a gente fosse embora, sem chamar a polícia. Se ele tivesse chamado... — Owen parou de falar. — Foi muito idiota.

— Mas você contou para sua mãe mesmo assim — eu disse.

— Quando voltei para casa, ela percebeu que eu estava irritado. Então perguntou o que tinha acontecido, e eu tive que contar...

— Porque você é sincero — eu disse, dando mais um passo.

— Bom, sim — ele disse, olhando para mim. — Ela ficou furiosa, para dizer o mínimo. Me deu um castigo pesado, totalmente merecido. Aí hoje, quando tentei sair para vir aqui, as coisas ficaram um pouco difíceis.

— Tudo bem — eu disse de novo.

— Não está tudo bem. — Atrás dele, a fonte jorrava e o sol brilhava sobre a água. — Porque eu não sou assim. Não mais. Eu só... surtei.

Levantei a mão, tirando o cabelo de seu rosto.

— Ah — eu disse. — É mesmo?

— O que foi?

— Não sei — dei de ombros. — É que, para mim, isso não é surtar.

— Não é? — Owen perguntou. Então ficou me observando por um instante. — Ah — ele finalmente disse. — Certo.

— Quer dizer, para mim — eu disse, me aproximando ainda mais —, surtar é diferente. Está mais para fugir, sem dizer a ninguém qual é o problema, fervendo lentamente até explodir.

— Ah — ele disse. — Bem, é só uma questão de ponto de vista.

— Acho que sim.

As pessoas passavam pela gente, seguindo seu caminho para cá e para lá, ocupando a hora do almoço como podiam antes que o resto do dia começasse. Eu sabia que em algum lugar atrás de mim minha família estava esperando, mas ainda assim estendi a mão para pegar a dele.

— Sabe — Owen disse, quando seus dedos encontraram os meus —, parece que você tem mesmo todas as respostas.

— Não — respondi. — Só estou fazendo o melhor que posso, considerando as circunstâncias.

— E como está indo? — ele perguntou.

Não havia resposta rápida para aquela pergunta; como tantas outras, era uma história longa. Mas o que faz de qualquer história real é saber que alguém vai ouvi-la. E entendê-la.

— Bom, você sabe — eu disse ao Owen. — Um dia de cada vez.

Ele sorriu para mim e eu sorri de volta, então me aproximei mais, levantando o rosto para encontrar o dele. Quando Owen se aproximou para me beijar, fechei os olhos e não vi só a escuridão, mas outra coisa. Algo mais brilhante, parecido com luz, com um brilho suave e constante. Mais do que o suficiente para que parte de mim se libertasse e chegasse lá.

20

Coloquei os fones e olhei para Rolly. Quando ele fez um sinal de positivo, me aproximei do microfone.

— São dez para as oito e você está ouvindo sua rádio comunitária, a WRUS. Se está procurando por Gerenciamento de Raiva, o programa estará de volta em — olhei para o bloco de anotações, onde, em cima da minha lista de músicas, havia um número dois grande, seguido por um ponto de exclamação — duas semanas. Enquanto isso, sou Annabel, e este é o Sei Bem Como É. Agora vamos ouvir The Clash.

Fiquei com os fones, olhando para o Rolly até que as primeiras notas de "Rebel Waltz" soaram. Finalmente soltei o ar que parecia que estava segurando desde sempre, então a caixa de som no teto estalou e ouvi a voz da Clarke.

— Muito bom — ela disse. — Você quase não parecia nervosa.

— Mas ainda parecia — eu disse.

— Você está indo muito bem — Rolly disse. — Não sei por que está tão preocupada. Não é como desfilar de roupa de banho na frente das pessoas. — Clarke virou para ele, com cara feia. — O quê? — ele perguntou. — É verdade!

— Isso é mais difícil — eu disse, tirando os fones. — Muito mais difícil.

— Por quê? — ele perguntou.

Dei de ombros.

— Não sei — respondi. — É mais real. Mais pessoal.

E era. Eu tinha ficado aterrorizada quando Owen pedira que eu o substituísse, porque sua mãe decidira que tirar o programa de rádio dele era o único castigo possível para o que ele tinha feito com Will Cash. Quando ele me convenceu de que Rolly (e Clarke) estaria lá para me ajudar com as coisas técnicas e garantir que eu cumprisse o horário todas as semanas, concordei em tentar pelo menos uma vez. Isso tinha sido quatro semanas antes e, embora ainda estivesse nervosa, também estava me divertindo. Tanto que Rolly já me enchia o saco para que eu fizesse o curso preparatório da rádio e me inscrevesse para ter meu próprio programa, embora eu não estivesse pronta. Mas nunca diga nunca.

Owen ainda estava envolvido com o programa, claro. Quando comecei a substituí-lo, ele insistiu que eu mantivesse sua lista, ainda que aquilo significasse obrigar as pessoas a ouvir músicas que eu odiava. Depois da primeira semana, no entanto (quando percebeu que não conseguiria me impedir), ele cedeu, e comecei a tocar minhas próprias músicas de vez em quando. Era muito bom poder oferecer algo ao mundo — uma música, uma apresentação, minha voz — e deixar que interpretassem como quisessem. Eu não precisava me preocupar com minha aparência ou com a compatibilidade entre a imagem que as pessoas faziam de mim com quem eu era. A música falava por si só e por mim, e depois de tanto tempo sendo observada e estudada, descobri que gostava daquilo. E muito.

Rolly bateu no vidro entre nós, então fez sinal para que eu deixasse a próxima música pronta para tocar. Era um single da Jenny Reef, para Mallory — minha primeira fã de verdade —, que colocava o despertador para tocar toda semana para que pudesse ligar e pedir uma música. Esperei que a música do Clash terminasse antes de apertar o botão e liberar as batidas dançantes (uma sequência que eu sabia que ia irritar Owen, que por vários motivos insistia em ouvir ao programa no carro, sozinho). Quando a música começou, virei na cadeira, olhando para a fileira de fotos que tinha organizado ao lado do monitor. Antes do primeiro programa, estava tão nervosa que tratei de reunir tudo o que pudesse me inspirar: a foto da Mallory com o boá emoldurando seu rosto, para me lembrar de que pelo menos uma pessoa estaria ouvindo; a que Owen tinha tirado de mim, para que não esquecesse que tudo bem se ela fosse a única; e mais uma.

Era uma foto minha com minhas irmãs, tirada no Ano-Novo. Ao contrário da que ficava na entrada da nossa casa, não era profissional, não tinha um fundo artístico. Estávamos todas em pé na frente do balcão central da cozinha conversando não lembro sobre o que quando o namorado da Kirsten, Brian — como as aulas tinham terminado, eles puderam tornar o relacionamento público —, nos chamou e tirou a foto. Não era uma foto boa, tecnicamente falando. Dava para ver o reflexo do flash na janela atrás de nós, minha mãe estava com a boca aberta e Whitney dava risada. Mas eu tinha amado, porque mostrava como realmente estávamos naquele momento. E, o mais importante de tudo: não havia ninguém no meio.

Sempre que eu olhava para a foto, ela me lembrava do quanto eu gostava daquela nova vida, sem segredos. Era um novo começo, e eu não precisava ser a garota que tinha tudo, ou a que não tinha nada. Podia ser outra garota, completamente diferente. Talvez até aquela que contava tudo.

— Dois minutos para o próximo intervalo — Rolly disse, e eu assenti, colocando os fones de novo. Quando ele se afastou do microfone, Clarke estendeu a mão e afagou seu cabelo. Ele sorriu e fez uma careta quando ela voltou a se concentrar nas palavras cruzadas de domingo, que ela fazia questão de terminar toda semana durante aquela uma hora que o programa durava. Clarke era competitiva até com ela mesma. Era uma das muitas coisas que eu tinha esquecido sobre ela, mas começava a recordar — como o fato de ela sempre cantar junto com o rádio, se recusar a assistir a filmes de terror e me fazer rir das coisas mais idiotas —, conforme percorríamos com cuidado o caminho de volta para nossa amizade. Não era como antes, mas nenhuma de nós queria que fosse. Depois de tudo o que tinha acontecido, estávamos felizes por passar um tempo juntas. O resto, veríamos a cada dia.

Era assim que eu estava lidando com tudo e todos ultimamente, aceitando as coisas boas e as ruins quando elas aconteciam, sabendo que todas passariam no seu próprio tempo. Minhas irmãs ainda estavam se falando, e brigavam de vez em quando. Kirsten estava cursando outra matéria de cinema e trabalhava em um curta sobre o trabalho de modelo, que ela prometia que ia "sacudir nosso mundo" (o que quer que aquilo significasse). Em janeiro, Whitney se inscrevera em alguns cursos na universidade local, onde, além das disciplinas obrigatórias, estava cursando duas de escrita, uma de memória e outra de ficção. Na primavera, com a bênção da médica, ela ia se mudar para o próprio apartamento, um lugar que fez questão de que tivesse bastante luz para as plantas. Enquanto isso, as ervas continuavam na janela, e eu passava por elas sempre que podia, estendendo a mão para sentir suas folhas perfumadas e liberando seus aromas para que preenchessem o ar atrás de mim.

Quanto à minha mãe, ela aceitou todas aquelas mudanças com algumas lágrimas — claro — e com uma força que sempre me surpreendia. Eu tinha contado, finalmente, que não queria mais trabalhar como modelo. Embora fosse difícil para ela abrir mão daquela parte da minha vida e da dela, compensou a perda aceitando um emprego de meio período com Lindy, que precisava desesperadamente de uma recepcionista. Agora, ela mandava outras garotas para testes e lidava com clientes, mantendo um pé no mundo onde ela, mais do que todas nós, sempre se sentiu confortável.

Ainda assim, eu sabia que provavelmente seria difícil para ela quando começassem a gravar o comercial da Kopf em algumas semanas. Tinham mantido a ideia da garota ideal do ano anterior, enquanto ela ia do traje esportivo ao baile. Provavelmente eu teria ficado incomodada com aquele comercial, por todos os motivos pelos quais o anterior me incomodara, mas escolheram muito bem a garota para me substituir: Emily. Afinal, se alguém podia ser um exemplo, era ela.

Não ficamos exatamente amigas, mas sabíamos que o que tinha acontecido ia nos manter conectadas para sempre, gostássemos daquilo ou não. Sempre que passávamos uma pela outra nos corredores fazíamos questão de dizer "oi", ainda que fosse a única palavra a sair. Era mais do que eu podia dizer sobre Sophie, que fazia questão de nos ignorar. Depois que Will fora condenado a uma sentença de seis anos por estupro, embora provavelmente fosse ser solto antes, ela tentou passar despercebida por um tempo, claramente incomodada ao ser objeto de tanta discussão. Às vezes eu a via sozinha pelos corredores ou na hora do almoço e pensava que, em um mundo ideal, eu seria capaz de ir até ela e diminuir a distância entre nós, fazendo o que nunca tinha feito por mim.

Ou não.

Pensando naquilo, olhei para o polegar, rodando o anel prateado para ler aquelas mesmas palavras. Era grande demais para qualquer um dos meus dedos, e tive que enrolar uma fita para que não caísse, mas, enquanto eu não decidia o que queria que Rolly escrevesse no anel que tinha prometido fazer para mim, estava ótimo. Owen dissera que eu podia ficar com o dele, pelo menos para me lembrar de que era sempre bom saber quais eram as opções.

— Trinta segundos — a voz de Rolly soou.

Assenti, aproximando a cadeira do microfone. Enquanto os segundos passavam, olhei para a janela à minha esquerda e vi uma Land Cruiser azul entrando no estacionamento. Bem na hora.

— E... — Rolly disse — ... você está no ar.

— Essa foi Jenny Reef, com "Whatever" — eu disse. — Você está ouvindo Sei Bem Como É, aqui na wrus. Sou Annabel. A seguir, ouça Prescrição Herbácea. Obrigada pela companhia. Fiquem com nossa última música de hoje.

As primeiras notas de "Thank You" do Led Zeppelin começaram a tocar e me recostei na cadeira. Então fechei os olhos para ouvir, como sempre fazia quando escutava aquela música. Quando veio o refrão, ouvi a porta se abrir e, um instante depois, senti uma mão em meu ombro.

— Por favor, me diga que não ouvi Jenny Reef no meu programa — Owen disse, sentando dramaticamente na cadeira ao meu lado.

— Era um pedido de uma ouvinte — eu disse. — Além disso, você falou que eu podia tocar o que quisesse se o programa tivesse outro nome.

— Desde que fosse *razoável* — ele disse. — Meus ouvintes vão ficar confusos. Eles ainda ligam o rádio esperando qualidade. Alguma iluminação, se possível. Não uma droga comercial produzida em massa e cantada por uma adolescente completamente controlada pelo marketing corporativo.

— Owen.

— Quer dizer, existe espaço para um pouco de ironia, mas é um equilíbrio delicado. Se exagerar, pode perder a credibilidade. O que significa que...

—Você está ouvindo o que estou tocando agora? — perguntei.

Ele parou no meio do discurso, então observou a caixa no teto, ouvindo por um instante.

— Ah — ele disse. — Bom, era isso que eu estava tentando dizer. Essa é a minha...

— Música favorita do Led Zeppelin — terminei por ele. — Eu sei.

Na cabine, Clarke revirou os olhos.

— Tudo bem — Owen disse, aproximando a cadeira da minha. — Então você tocou uma música da Jenny Reef. Achei o resto do programa muito bom. Mas não sei se a justaposição no segundo bloco...

— Owen...

— ... tocando Etta James depois do Alamance não foi um pouco demais. E...

— Owen.

— O quê?

Me aproximei dele, os lábios perto de seu ouvido.

— Shhh — eu disse.

Ele começou a dizer mais alguma coisa — claro —, mas parou quando segurei a mão dele, enlaçando seus dedos. Não tinha acabado. Uma hora ele ia terminar de dizer o que pensava, ou pelo menos retomar a discussão. Mas, por enquanto, os acordes estavam crescendo e o refrão recomeçava. Então me aproximei mais, encostando a cabeça em seu ombro para ouvir, enquanto a luz que entrava pela janela ao lado nos iluminava. Era clara e quente, e brilhou sobre o anel no meu polegar quando Owen pegou nele, girando-o devagar enquanto a música tocava.

AGRADECIMENTOS

São necessárias muitas mãos para fazer um livro do início ao fim, e tenho sorte de ter ótimas pessoas ao meu lado. Agradeço a Leigh Feldman, a pessoa mais sincera que conheço, e à fabulosa Regina Hayes, que sempre pega tudo que eu tenho de bom e deixa muito melhor. Joy Peskin ofereceu seu ponto de vista e sua experiência quando mais precisei. Também devo muito a Marianne Gingher e Bland Simpson da UNC-Chapel Hill, que me deram o segundo melhor emprego que eu já tive e, mais importante, sempre entenderam por que escrever é o primeiro. Sou grata a Ann Parrent da Rádio Comunitária WCOM 103.5, a Jeff Welty, advogado criminal vegano e ousado, pelas informações, e a meus pais, por mais uma vez terem me convencido de que tudo valia a pena. Mas, no fim, como todos os outros, este livro na verdade é para Jay, que me apresentou Bob Dylan, Tom Waits, Social Distortion e milhões de outras músicas que continuam tocando. Obrigada por ouvir.

ESTA OBRA FOI COMPOSTA PELA VERBA EDITORIAL EM BEMBO
E IMPRESSA PELA GRÁFICA BARTIRA EM OFSETE SOBRE PAPEL PÓLEN SOFT DA
SUZANO PAPEL E CELULOSE PARA A EDITORA SCHWARCZ EM SETEMBRO DE 2017

A marca FSC® é a garantia de que a madeira utilizada na fabricação do papel deste livro provém de florestas que foram gerenciadas de maneira ambientalmente correta, socialmente justa e economicamente viável, além de outras fontes de origem controlada.